L204

The Open University

Libro 1

Viento en popa

Upper intermediate Spanish

This publication forms part of an Open University course L204 *Viento en popa: Upper intermediate Spanish*. Details of this and other Open University courses can be obtained from the Student Registration and Enquiry Service, The Open University, PO Box 197, Milton Keynes MK7 6BJ, United Kingdom: tel. +44 (0)845 300 60 90, email general-enquiries@open.ac.uk

Alternatively, you may visit the Open University website at http://www.open.ac.uk where you can learn more about the wide range of courses and packs offered at all levels by The Open University.

To purchase a selection of Open University course materials visit http://www.ouw.co.uk, or contact Open University Worldwide, Michael Young Building, Walton Hall, Milton Keynes MK7 6AA, United Kingdom for a brochure. tel. +44 (0)1908 858793; fax +44 (0)1908 858787; email ouw-customer-services@open.ac.uk

The Open University
Walton Hall, Milton Keynes
MK7 6AA

First published 2009.

Copyright © 2009 The Open University

Edited and designed by The Open University.

Typeset by The Open University.

Printed and bound in the United Kingdom by Halstan Printing Group, Amersham.

ISBN 9780749225353

1.1

Mixed Sources
Product group from well-managed forests, and other controlled sources
www.fsc.org Cert no. TT-CoC-002631
© 1996 Forest Stewardship Council

The paper used in this publication contains pulp sourced from forests independently certified to the Forest Stewardship Council (FSC) principles and criteria. Chain of custody certification allows the pulp from these forests to be tracked to the end use (see www.fsc-uk.org).

Contents

Production team

Course team and authors

Raquel Mardomingo (course co-chair, co-author *Unidad 1*, coordinator *Unidades 1, 2*)

María Noriega Sánchez (course co-chair, co-author *Unidad 1*)

Concha Furnborough (course co-chair, coordinator Book 1)

Anna Comas-Quinn (course team member, author and coordinator *Unidad 3*)

María Fernández Toro (course team member, author *Unidad 2*)

Malihé Sanatian (course manager)

Lucia Debertol (course manager)

Sue Burrows (secretary)

Ana Sánchez Forner (secretary)

Media team

Mandy Anton (designer)

Michael Britton (editor)

Dorothy Calderwood (editor)

Lene Connolly (print buying production)

Kim Dulson (assistant print buyer)

Kate Hudson (media project manager)

Neil Mitchell (graphic artist and designer)

Sne Padya (media assistant)

Esther Snelson (media project manager)

Susanne Umerski (DVD-ROM media assistant)

External assessor

Mike Thacker (University of Surrey)

Special thanks

Bea de los Arcos (critical reader)

Cristina Soto Kelly (critical reader)

Ana Sánchez Forner (illustrator)

The course team would like to acknowledge the authors of L204 *Viento en popa*, edition 1: Tita Beaven, Cecilia Garrido, Ane Ortega, Cristina Ros, Mike Truman, Carmen Gálvez, Alicia Peña Calvo, Inma Álvarez, Luz Kettle, Concha Pérez, Peter Furnborough, Joan-Tomàs Pujolà, Carmen García del Río, Ascensión Mesa.

Educación y cultura

Esta unidad trata sobre diferentes proyectos educativos y aspectos de la vida cultural en países de habla hispana. Tendrás la oportunidad de leer una amplia variedad de textos de diferentes géneros, ampliar tu vocabulario en el ámbito de la educación y la cultura, así como de practicar y desarrollar tu escritura.

La Orquesta Simón Bolívar bajo la dirección de Gustavo Dudamel

Tema 1 Educación a distancia

TOPIC

En este tema vamos a trabajar con textos sobre la educación universitaria a distancia. Vas a aprender a describir instituciones educativas y grupos de personas. También practicarás cómo usar un diccionario monolingüe y ampliarás tu vocabulario en el ámbito de la educación.

Scope *ENLARGE EXTEND*

Actividad 1.1

A

Si tuvieras que describir una universidad a distancia como la Open University, ¿qué información incluirías?

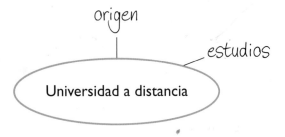

origen

estudios

Universidad a distancia

B *MAKE*

Haz una lectura rápida del texto "UNED: Tu universidad" y relaciona cada párrafo con la categoría que consideres más apropiada.

Ejemplo

(a) – (i) [párrafo (a) = origen y objetivos]

(i) origen y objetivos

(ii) metodología *METHOLOGY*

(iii) características

(iv) materiales

(v) organización

Lectura rápida

Este tipo de ejercicio de lectura rápida resulta útil para identificar las ideas principales de un texto. Para obtener una idea general, no es necesario entender todas las palabras y por lo tanto no es aconsejable usar el diccionario en esta primera lectura. Observa todos los elementos del texto, como títulos o imágenes que te pueden dar información adicional, así como la estructura en párrafos, e intenta identificar las palabras clave que te ayudarán a comprender el tema general.

Vocabulario

fomentar *to promote, encourage*

el desarrollo *development*

la enseñanza *teaching*

capacitado (para) *qualified (to)*

el aula (f.) *classroom*

el recurso *resource*

el rasgo *characteristic, feature*

el ámbito *field, area, sphere*

el apoyo *support*

el aprendizaje *learning*

UNED: Tu universidad

[a] La UNED (Universidad Nacional de Educación a Distancia) nace en 1972 en España con el objetivo de fomentar el progreso cultural y el desarrollo social del país, desde la perspectiva del principio de igualdad de oportunidades, optando por un modelo de enseñanza a distancia. Entre las funciones de la UNED está la de "facilitar preferentemente el acceso a la enseñanza universitaria y la continuidad de sus estudios a todas las personas que, estando capacitadas para seguir estudios superiores, no pueden frecuentar las aulas universitarias por razones laborales, económicas, de residencia o cualquiera otra de similar consideración".

[b] Una de las características más destacadas de la UNED es su adaptación al cambio social así como la adopción de los recursos tecnológicos precisos para el desarrollo de sus actividades docentes, aplicando las innovaciones producidas en este campo así como en los medios de comunicación. Si bien la UNED es una más de las universidades públicas españolas, esta universidad presenta unos rasgos específicos y propios que la individualizan en el conjunto de las universidades españolas, y que son el resultado directo de su ámbito nacional, de su metodología específica, de su implantación internacional y de su amplia proyección social.

[c] En el modelo educativo-institucional de la UNED se establece un reparto de funciones entre un organismo central y unos centros de apoyo, denominados Centros Asociados. El organismo central se encarga de la producción del material didáctico, de la preparación y desarrollo de los cursos y de la dirección general de la institución, en tanto que los centros de apoyo tienen como función primordial la orientación tutorial al estudiante.

[d] Uno de los pilares fundamentales sobre el que se sustenta todo sistema de educación a distancia es la calidad de un material didáctico propio, estructurado de tal forma que favorezca el aprendizaje de los estudiantes. La UNED cuenta con dos tipos de material didáctico:

- material escrito, cuyos objetivos son: motivar al estudio, actuar como guía de aprendizaje gradual y facilitar la asimilación de los conocimientos;

- material audiovisual, a través de la radio, vídeo, televisión educativa y material informático multimedia.

[e] En cuanto a la metodología dedicada a la enseñanza a distancia, la UNED está introduciendo nuevas tecnologías de forma suave y gradual, intentando al mismo tiempo obtener el máximo beneficio del desarrollo de "viejas" tecnologías, como el material impreso. Los sistemas digitales e internet han hecho posible que, en la actualidad, la "distancia" entre la UNED y sus estudiantes haya desaparecido: cada alumno tiene toda la universidad en su mesa de estudio, a sólo un "clic" del teclado de su ordenador.

(Adaptado de "La educación interuniversitaria: nuevos retos educativos y tecnológicos", XVII Seminario Interuniversitario de Teoría de la Educación, Universidad de Málaga, noviembre de 1998)

C

Ahora lee el texto de nuevo y contesta las siguientes preguntas.

1   ¿Cuándo se creó la UNED?

2   ¿Cuál era el objetivo de la UNED?

3   ¿En qué se diferencia del resto de las universidades españolas?

4   ¿De qué se encargan los Centros Asociados?

5   ¿Cuáles son las funciones del organismo central?

6   ¿Cuáles son los objetivos del material escrito?

Apuntes

Descripción de instituciones   ~~USE To~~

Las descripciones de instituciones suelen incluir información sobre:

* sus orígenes e historia (utilizando el presente histórico o el pretérito indefinido):

    La UNED nace en 1972.

    La UNED se fundó / se creó en 1972.

* sus objetivos: *PROMOTE*

    Tiene el objetivo de ~~fomentar~~ el progreso cultural y el desarrollo social del país.

* sus características:

    Una de sus características principales es la adaptación al cambio social.

    Se caracteriza por su adopción de nuevos métodos de enseñanza.

* su estructura y organización:

    Cuenta con un organismo central y unos centros de apoyo, denominados Centros Asociados.

    Se organiza en varios departamentos.

* sus funciones y actividades principales:

    Es una institución que se dedica a la formación de futuros profesores.

    Los Centros Asociados tienen como función primordial la orientación tutorial al estudiante.

KEEP   NOTEBOOK

El cuaderno de estudio

Mantener un cuaderno de estudio, ya sea escrito a mano o en formato electrónico, es una herramienta útil en el aprendizaje de idiomas. Puedes tomar notas sobre el contenido lingüístico o cultural que vayas aprendiendo, agrupar el vocabulario nuevo por temas o recoger cualquier información u observaciones personales que se te ocurran y que puedan resultar útiles a la hora de repasar. También te ayudará a reflexionar sobre tu progreso en el aprendizaje del español.   *learning*

Actividad 1.2

Lee las siguientes notas sobre la Universidad Nacional Autónoma de México (UNAM) y escribe una descripción. Procura utilizar las estructuras y vocabulario que has aprendido en la actividad anterior y usar conectores para dar cohesión a tu texto. Puedes empezar así:

> La Universidad Nacional Autónoma de México (UNAM) tiene sus antecedentes históricos en 1551, cuando se creó la Real y Pontificia Universidad de México...

Universidad Nacional Autónoma de México (UNAM)

Orígenes

- 1551: antecedentes históricos: creación de la Real y Pontificia Universidad de México;
- 1910: fundación como Universidad Nacional.

Objetivos

- impartir educación superior para formar profesionales, investigadores, profesores universitarios y técnicos útiles a la sociedad;
- organizar y realizar investigaciones, principalmente acerca de las condiciones y los problemas nacionales;
- extender con la mayor amplitud posible los beneficios de la cultura.

Características

- pública y autónoma;
- participación de los miembros de todos los sectores que la conforman (académicos, estudiantes, trabajadores y autoridades) en los procesos de toma de decisión.

Funciones / Organización

- funciones principales: la docencia, la investigación y la difusión de la cultura;
- tres subsistemas:
  - docencia: licenciaturas y estudios de postgrado;
  - investigación: ciencias; humanidades;
  - difusión cultural.

(Adaptado de www.fundacion.unam.mx/ nosotros/unamhoy.html) [último acceso 5.11.08]

Biblioteca Central, UNAM

Vocabulario

la investigación   *research*
la docencia   *teaching*
la licenciatura   *(first) university degree*

Actividad 1.3

En esta actividad vas a aprender a describir grupos de personas.

A

Lee la siguiente información sobre la Universitat Oberta de Catalunya (UOC) y completa la tabla de la página siguiente sobre el perfil del estudiante típico.

La Universitat Oberta de Catalunya (UOC): una universidad virtual   *teaching*

La UOC ofrece una enseñanza no presencial completamente organizada en torno a la Red. *fome*

Los estudiantes siguen los cursos en línea, unos cursos creados por la universidad específicamente para los estudiantes que no pueden asistir a clase periódicamente y en un lugar fijo. La relación entre el estudiante y sus profesores, otros estudiantes o la administración de la propia universidad se establece mediante el Campus Virtual, un entorno de comunicación basado en internet.

El perfil del estudiante típico de la UOC es sustancialmente distinto del que asiste a la universidad presencial. El estudiante medio de la UOC es un hombre o mujer que ronda los 35 años de edad, con un trabajo a tiempo completo, una posición social estable y responsabilidades familiares. La gran mayoría tiene estudios universitarios previos que quizá no tuvo ocasión de terminar en su momento y quiere retomar ahora o, si los terminó, desea una segunda titulación. Las principales razones que le impulsan a estudiar una carrera universitaria son la promoción laboral junto con el propio desarrollo personal. El porcentaje de alumnos jóvenes recién salidos de la enseñanza secundaria es bajo (9%).

La distribución por sexo está bastante igualada (48% de mujeres y 52% de hombres). En cuanto a la situación laboral, la gran mayoría de estudiantes (93%) trabajan más de 30 horas por semana. Por ello, los estudiantes cuentan con poco tiempo para dedicar al estudio y tratan de aprovecharlo al máximo. Muestran una gran motivación y dedicación al estudio y son conocedores y usuarios avanzados de las nuevas tecnologías.

(Adaptado de www.uoc.edu/portal/castellano/ y http://cv.uoc.es) [último acceso 20.9.07]

Vocabulario

presencial *face-to-face*

la Red *the Net*

el entorno *environment*

el perfil *profile*

rondar *(here:) to be around*

la carrera *(here:) undergraduate degree*

aprovecharlo al máximo *to use it to the full, make maximum use of it*

	Perfil del estudiante típico de la UOC
Edad (media)	unos 35 años
Sexo	52% M. 47% F.
Situación laboral	96%
Situación personal	OVER 30 HRS/WK.
Educación previa	
Razones para estudiar	
Tiempo disponible para el estudio	
Nivel de dedicación	FACE/FACE

NOTES.

Apuntes

Descripción de grupos de personas

Para describir grupos de personas, se suele incluir información sobre los siguientes aspectos.

- **Edad**: mayores, jóvenes, de unos X años, rondar los X años.

- **Situación laboral**: trabajar a tiempo completo, trabajar a tiempo parcial, empleado,-a, activo,-a laboralmente, parado,-a / en paro, jubilado,-a.

- **Situación personal**: con familia, con responsabilidades/cargas familiares, soltero,-a, casado,-a, divorciado,-a, viudo,-a.

- **Educación**: con estudios primarios, con estudios secundarios, con estudios universitarios/superiores, con estudios de formación profesional, sin estudios.

B

TO PUT

Ahora vas a poner en práctica las estructuras y el vocabulario que has aprendido para describir grupos de personas. Reflexiona sobre las diferencias entre los estudiantes típicos de una universidad presencial y los de una universidad a distancia como la Open University. Primero completa la tabla de la página siguiente con algunas notas, si lo deseas, y después escribe tres o cuatro frases para describirlos, como en el ejemplo (en la próxima página).

Ejemplo

Los estudiantes de la universidad presencial suelen empezar su carrera a los 18 años y normalmente estudian a tiempo completo.

	Estudiantes de una universidad presencial	Estudiantes de la Open University
Edad típica	18–21 años	32 años
Situación laboral		
Situación personal		
Educación previa		
Tiempo disponible para el estudio		
Razones para estudiar		
Nivel de dedicación		

Actividad 1.4

En esta actividad vas a utilizar tu diccionario monolingüe para hacer varios ejercicios de vocabulario.

A

TEACHING

Aquí tienes la palabra "enseñanza", extraída del *Diccionario Salamanca de la lengua española*. Estudia la definición y contesta las preguntas.

KNOWLEDGE

enseñanza *s. f.* **1** Transmisión de conocimientos o habilidades a otras personas: *enseñanza de idiomas, enseñanza de las matemáticas, enseñanza de las ciencias.* **2** Conjunto de personas, medios o actividades dedicados a la educación: *enseñanza pública, enseñanza estatal, enseñanza privada. Prepara oposiciones a la enseñanza. Se está llevando a cabo la reforma de la enseñanza.* **~ infantil** Enseñanza para niños de menos de seis años. **~ primaria** Primera etapa de la enseñanza. **~ secundaria** Segunda etapa de la enseñanza. **~ superior** Enseñanza universitaria. **3** Método usado para enseñar: *enseñanza a distancia, enseñanza programada, enseñanza audiovisual, enseñanza globalizada.* **4** Acción o suceso que sirve de experiencia: *De las fábulas se suele sacar una enseñanza. La enseñanza que saqué de lo ocurrido es que no debo fiarme de los desconocidos.* **5** (en plural) Conjunto de conocimientos o ideas que una persona transmite o enseña a otras personas: *Siempre tuvo presentes las enseñanzas de sus maestros.*

1 ¿Dónde se encuentra la información sobre qué tipo de palabra es (sustantivo, adjetivo, verbo, etc)?

2 ¿Qué indican los números en esta definición?

3 ¿Hay ejemplos de expresiones en las que se utiliza esta palabra, con su significado concreto? ¿A qué palabra sustituye entonces el símbolo ~?

4 ¿Qué significa la abreviatura "pl." en la quinta acepción (es decir, el quinto significado)?

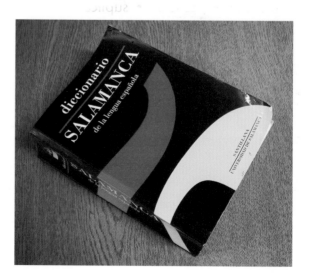

El diccionario monolingüe

Es muy importante familiarizarte con tu diccionario monolingüe. Estudia las características, instrucciones para el manejo y las abreviaturas utilizadas en tu diccionario. Observa cómo se organizan las secciones en cada entrada según los diferentes significados y recuerda que tienes que elegir cuidadosamente la acepción o significado más apropiado dependiendo del contexto en el que aparece la palabra que buscas. Las entradas te pueden dar información muy valiosa sobre la categoría gramatical de la palabra, el registro (es decir, si es de tono formal, familiar, argot, vulgar, etc.) y los usos en diferentes regiones o países.

B

Indica los verbos que tienen un significado parecido a "enseñar". Utiliza tu diccionario monolingüe si tienes dudas sobre el significado.

Ejemplo

educar

educar • sentir • formar • esperar • publicar • instruir • capacitar • pedir • renunciar • preparar • suplicar • escolarizar

C

Ahora escoge la palabra más adecuada al contexto para completar las frases siguientes.

1 Mi padre me (formó / enseñó) _____ a leer.

2 El Ministerio de Educación ha dedicado un presupuesto especial para (escolarizar / capacitar) _____ a todos los niños de tres años.

3 Tanto los padres como los maestros tienen que (educar / preparar) _____ a los niños.

4 Este curso (les explica / los capacita) _____ para trabajar como socorristas.

5 La profesora los va a (enseñar / preparar) _____ para el examen final.

D

Cuando aprendas una palabra nueva, intenta buscar otras palabras de la misma familia léxica para ampliar tu vocabulario. En este ejercicio vas a formar sustantivos a partir de verbos, añadiendo uno de los siguientes sufijos:

-anza

-ción

-encia

-miento

Ejemplo

educar → educación

Con ayuda de tu diccionario, completa la siguiente tabla con los sustantivos correspondientes a estos verbos. Uno ya está hecho.

aburrir • creer • explicar • asistir • educar • formar • capacitar • enseñar • preparar • confiar • esperar • sentir

-anza	-ción	-encia	-miento
	educación		

Escritorio

En esta primera sesión de "Escritorio" vas a leer una serie de textos de diversos géneros y registros que servirán como un aperitivo de los distintos géneros que trabajarás durante el curso. También vas a conocer las características del lenguaje de notas breves y mensajes y a repasar los principales signos de puntuación.

Actividad 1.5

En nuestra vida cotidiana manejamos todo tipo de textos orales y escritos: conversaciones telefónicas, artículos periodísticos, cartas formales, folletos, páginas informativas de internet... A continuación tienes una amplia gama de textos en español que representan un ejemplo de lo que un hispanohablante puede encontrarse en su día a día. Léelos y escribe con qué objetivo leerías cada uno.

Ejemplo

Texto A: Lo leería para relajarme.

Texto A

La forma que don Gregorio tenía de mostrarse muy enfadado era el silencio. "Si vosotros no os calláis, tendré que callarme yo".

Y se dirigía hacia el ventanal, con la mirada ausente, perdida en el Sinaí. Era un silencio prolongado, descorazonador, como si nos hubiera dejado abandonados en un extraño país. Pronto me di cuenta de que el silencio del maestro era el peor castigo imaginable. Porque todo lo que él tocaba era un cuento fascinante. El cuento podía comenzar con una hoja de papel, después pasar por el Amazonas y la sístole y diástole del corazón. Todo conectaba, todo tenía sentido. La hierba, la lana, la oveja, mi frío. Cuando el maestro se dirigía hacia el mapamundi, nos quedábamos atentos como si se iluminase la pantalla del cine Rex. Sentíamos el miedo de los indios cuando escucharon por primera vez el relinchar de los caballos y el estampido del arcabuz. Íbamos a lomos de los elefantes de Aníbal de Cartago por las nieves de los Alpes, camino de Roma. Luchábamos con palos y piedras en Ponte Sampaio contra las tropas de Napoleón. Pero no todo eran guerras. [...] Construíamos el Pórtico de la Gloria. Plantábamos las patatas que habían venido de América. Y a América emigramos cuando llegó la peste de la patata.

Vocabulario

callar *to be quiet, keep silent*	relinchar *to whinny, neigh*
darse cuenta de *to realise*	el arcabuz *harquebus (type of early gun)*
el castigo *punishment*	la peste *blight*
el cuento *tale, story*	

Texto B

FÚTBOL LOCAL

Un final cantado

Saporiti dejó de ser el entrenador de los bahienses, que están últimos en el Clausura y en la tabla de descenso.

Roberto Marcos Saporiti dejó de ser el técnico de Olimpo de Bahía Blanca, un equipo que está último en el Torneo Clausura y en la tabla de promedios del descenso.

El Sapo decidió presentar la renuncia esta mañana. Es que desde que asumió como entrenador de Olimpo, el equipo disputó 18 partidos y ganó apenas 5. En las diez fechas del Clausura, consiguió una victoria, dos empates y siete derrotas.

Saporiti será sucedido en el cargo por Gustavo Echaniz, uno de sus colaboradores.

Vocabulario

el entrenador   *coach, trainer*

disputar (un partido)   *to play (a match)*

el empate   *draw*

la derrota   *loss*

Texto C

Texto D

Antonio Pérez Zabala, Fontanero	FACTURA

C/ Ponferrada, 7
24005 León
C.I.F. 337980503D
Fecha: 20/01/2010

Cliente: Sra. Almudena Reyes

Concepto: Reparación de lavavajillas
Importe: €125 + IVA.   Total: €150

Vocabulario

la factura   *invoice, bill*

el lavavajillas   *dishwasher*

Texto E

Festival Internacional de Música Antigua y Barroca
Peñíscola

Patio del Castillo del Papa Luna

Día 1. Piromusical (playa norte) 24.00 horas. Pirotécnica Tomás de Benicarló.

Día 2. Concierto italiano. Director: Rinaldo Alessandrini. Las cuatro estaciones. Obras de Antonio Vivaldi.

Día 3. La Academia del Piacere. Las delicias de Júpiter. Música virtuosa francesa para viola de gamba. Obras de Vivaldi, Forqueray, Marin Marais.

Día 4. Ensemble Capella Mediterránea. Música en la catedral de Oaxaca. Obras de S. Durón, A. Salazar, X. De Nebra, M. De Sumaya.

Día 5. The Orlando Consort. Food, wine and song. Música y festines en la Europa medieval y primer renacimiento.

Venta de entradas
ServiCas
902 33 22 00
servicas.com
Del 3 al 10 de agosto
Conciertos a las 22.30 horas. Entradas: 15 euros.
Abonos 4 conciertos: 50 euros.
Venta anticipada (a partir del 15 de julio): Oficina
Municipal de Turismo de Peñíscola

Actividad 1.6 _____

En esta actividad vas a conocer las características del lenguaje de las notas breves y mensajes.

A

Lee estas notas de un tablón de anuncios y mensajes de un foro. ¿Por qué escriben estas personas un mensaje?

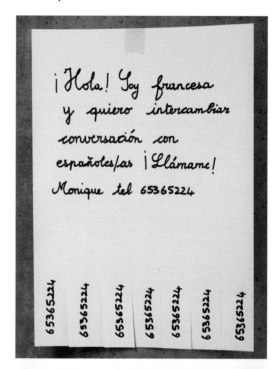

¡Hola! Soy francesa y quiero intercambiar conversación con españoles/as ¡Llámame! Monique tel 65365224

65365224 65365224 65365224 65365224 65365224 65365224 65365224

BUSCO HABLANTE NATIVO DE RUSO PARA INTERCAMBIO RUSO - ESPAÑOL ESCRIBE A: alex@terra.com

alex@terra.com alex@terra.com alex@terra.com alex@terra.com alex@terra.com alex@terra.com alex@terra.com

¿Chateas conmigo?

Hola a todos. Soy uruguayo y estoy buscando a una persona que hable inglés para chatear o hablar por internet. Prefiero quedar por las noches porque trabajo (bueno depende de qué hora sea en tu país). ☺

Roberto

> Hola Roberto. Me llamo Kate y vivo en California. Me gustaría practicar español. ¿Hacemos intercambio? Podemos quedar mañana a las 6pm en California, las 10pm en Uruguay, ¿no?

> Kate

Características de los mensajes y notas

- Concisos y breves.

- Lenguaje informal y familiar.

- En los foros y correo electrónico informal, uso de preguntas y exclamaciones más propias del lenguaje oral.

- En los mensajes de foros y chateo es frecuente ver el uso de abreviaturas, como "q" por "que", según la costumbre introducida por los mensajes de texto.

B

Te interesa hacer intercambio de conversación para practicar tu español y has encontrado la siguiente información sobre el proyecto "eTándem Europa":

"eTándem Europa" To WAKE

El objetivo de estas páginas es despertar el interés de personas en todo el mundo por el aprendizaje de lenguas en eTándem. Facilitamos gratuitamente compañeros eTándem para todas las lenguas, ayudas para el aprendizaje, indicaciones para profesores, etc.

- ¿Cómo funciona? Usted trabaja con una persona de otro país: por teléfono, correo electrónico, videoconferencia u otro medio de comunicación diferente. De esta forma aprenderá la lengua materna del compañero y él, la suya.

- ¿Cómo puede aprender un compañero eTándem de otro? Los dos hablan o escriben sobre temas que les interesan, utilizando las dos lenguas.

- ¿Cómo puede encontrar un compañero eTándem? Nosotros facilitamos de forma gratuita compañeros tándem de todo el mundo y para todas las lenguas, incluso aquéllas que no son enseñadas de forma habitual.

El desarrollo de estas páginas fue financiado por la Unión Europea dentro del proyecto "eTándem Europa".

(Adaptado de www.slf.ruhr-uni-bochum.de/ etandem/etindex-es.html) [último acceso 5.11.08]

Escribe un mensaje de correo electrónico a "eTándem" para inscribirte y que te faciliten un compañero/a de tándem. Preséntate y explica lo que deseas, incluyendo la siguiente información:

- tus datos personales;

- tu lengua materna;

- la lengua extranjera que deseas practicar;

- tu nivel en la lengua extranjera;

(continúa)

- qué medios de comunicación prefieres utilizar (correo electrónico, videoconferencia por internet, teléfono, chat, etc.);

- frecuencia de contacto;

- información adicional sobre ti mismo/a (lugar de origen, ocupación, edad, gustos, etc.).

Actividad 1.7

REVISE

En esta actividad vas a repasar y practicar los principales signos de puntuación, para ayudarte en tus tareas de escritura.

Lee la siguiente información sobre los signos de puntuación.

La coma, el punto y coma, los dos puntos y el punto

La coma (,) se usa:

- para separar los términos de una enumeración cuando no van unidos por las conjunciones "y", "ni", "o":

  Habla inglés, italiano, árabe y francés.

- para indicar un inciso o una aclaración:

  Patricia, nuestra profesora, vive en Caracas.

- antes de proposiciones subordinadas:

  Le gusta su trabajo, aunque el salario es bajo.

- después de marcadores/conectores como "primero", "segundo", "sin embargo", "además", etc.:

  Primero, se cortan las patatas. Segundo, se fríen. Finalmente, se mezclan con el huevo y se hace la tortilla.

  Recuerda que la coma no debe separar el sujeto del verbo:

  La economía y el desarrollo del país están en crisis.

  (y no: "La economía y el desarrollo del país, están en crisis").

El punto y coma (;) se usa:

- para separar los distintos elementos de una enumeración o de una oración compuesta cuando alguno contiene comas:

  Yo quiero un café solo; Luisa, uno cortado; Javier, uno con leche.

- para separar oraciones largas que están relacionadas por su sentido:

  El último tren ya había salido; tuvimos que esperar en la estación toda la noche.

Los dos puntos (:) se usan:

- para empezar una enumeración o relación de cosas:

  He comprado dos libros: uno de Borges y otro de García Márquez.

- antes de una cita o palabras textuales:

  Al entrar dijo: "Siento llegar tarde".

- en los encabezamientos de cartas:

  Querido Vicente:
  Por fin he recibido tu carta....

El punto (.) se usa:

- para marcar el final de una oración o cualquier otro período con sentido completo (que no sea una pregunta o una exclamación):

  Esta mañana me he levantado muy tarde.

El **punto y seguido** se usa cuando se continúa el texto en la misma línea. El **punto y aparte** se usa cuando se cierra un párrafo. El **punto final** concluye un texto.

B

El siguiente texto contiene consejos para participar en el proyecto eTándem. Complétalo incluyendo los signos de puntuación que faltan.

> Primero manda un mensaje corto por correo electrónico a tu compañero/a para establecer contacto después escríbele uno más largo cuenta algo sobre ti lo que haces dónde vives etc si queréis trabajar juntos por teléfono u otros medios dile a tu compañero/a cuándo vas a estar localizable.
>
> Escribe como mínimo la mitad de cada mensaje en tu lengua materna de esta forma el intercambio os resultará más interesante en la lengua materna ambos vais a ser capaces de expresaros de forma diferenciada y así vais a poder decir mucho más sobre un tema determinado como consecuencia el nivel del intercambio será más elevado.

Leer en voz alta

Leer un texto en voz alta resulta muy útil para apreciar dónde se hacen las pausas y decidir cuál es la puntuación más adecuada. También es una buena forma de practicar y mejorar tu pronunciación y entonación.

Sillón de lectura

Esta sección te ofrece varios textos breves para que disfrutes del placer de leer en español. Los textos seleccionados muestran diversos géneros y estilos y reflejan la rica variedad de las culturas de habla hispana. Cada texto va acompañado de algunas preguntas o sugerencias de lectura, aunque lo importante es que disfrutes leyendo de una manera más relajada y placentera.

El símbolo de audífonos 🎧 indica que encontrarás una grabación del texto en la sección "Sillón de lectura" del DVD-ROM.

Actividad 1.8

A

Lee el siguiente poema de Antonio Machado (Sevilla, 1875 – Collioure, 1939). El poema pertenece al libro *Soledades*, donde el poeta recuerda sus días como colegial.

 Recuerdo infantil

Una tarde parda y fría
de invierno. Los colegiales
estudian. Monotonía,
de lluvia tras los cristales.

Es la clase. En un cartel
se representa a Caín
fugitivo, y muerto Abel,
junto a una mancha carmín.

Con timbre sonoro y hueco
truena el maestro, un anciano
mal vestido, enjuto y seco,
que lleva un libro en la mano.

Y todo un coro infantil
va cantando la lección:
"mil veces ciento, cien mil;
mil veces mil, un millón".

Una tarde parda y fría
de invierno. Los colegiales
estudian. Monotonía
de la lluvia en los cristales.

(Machado, A. (1973) *Poesías completas*, Madrid, Espasa Calpe SA, p.26)

Vocabulario

pardo,-a   *dull, grey*

carmín   *red*

truena el maestro   *the teacher thunders / roars*

enjuto,-a   *gaunt*

mil veces ciento   *a thousand times a hundred*

B

1 Ahora lee el poema en voz alta y resalta las terminaciones de palabras que riman al final de cada verso (por ejemplo, fr**í**a – monoton**í**a).

2 ¿Piensas que el autor recuerda con cariño sus días escolares? ¿Por qué?

3 ¿Por qué crees que el autor ha incluido los mismos cuatro versos al principio y al final del poema?

Monumento al escritor, Casa-Museo de Antonio Machado en Segovia

Actividad 1.9

A continuación tienes un capítulo de *El libro rojo del cole* de Jansen y Jensen. Este trabajo nació en Dinamarca y tuvo un gran impacto en España a finales de los años 70. Fue un intento de impulsar la transformación del sistema educativo y social.

 Dos sistemas de valores

Primer sistema:

– No creas que eres gran cosa;

– No creas que vales como los demás;

– No creas ser más inteligente que los demás;

– No te imagines que eres mejor que los demás;

– No creas que sabes más que los demás;

– No creas que sirves para algo importante;

– No creas que existen personas que te quieren;

– No te burles de los demás;

– No vayas a imaginarte que puedes enseñar algo a alguien.

Segundo sistema:

– Tienes derecho a desarrollar tu personalidad siguiendo tu camino;

– En definitiva es a ti mismo a quien debes rendir cuentas de tus actos; es ante ti que eres responsable de ellos;

– Tienes derecho a jugar otros papeles que el o los que tus profesores, tus padres y tus compañeros han decidido darte;

– Eres tan perfecto como los demás;

– Vales algo;

– Puedes aprender algo de los demás o, igualmente, los demás pueden aprender de ti;

– Debes creer que alguien te quiere;

– Tú eres alguien; ya sabes algo; no lo sabes todo.

(Jansen y Jensen (1980) *El libro rojo del cole*, Ediciones de la Piqueta, pp.75–6)

Vocabulario

no creas que eres gran cosa   *don't think you're so smart / at all important*

no te burles de   *don't make fun of*

rendir cuentas   *to answer to*

1   ¿De qué manera se pone énfasis en lo negativo en el primer sistema y en lo positivo en el segundo?

2   ¿Cuál de los dos sistemas de valores te parece que domina en tu entorno cultural? ¿Y en el poema de Machado de la actividad anterior?

Niñas jugando, esculturas en la fuente de la Glorieta de Compostela (Pontevedra, Galicia)

Tema 2 Proyectos educativos

En este tema vamos a conocer detalles sobre las campañas de alfabetización en Cuba, desde los años 60 hasta la actualidad. Vas a ampliar tu vocabulario relacionado con proyectos educativos y a estudiar el lenguaje de los informes oficiales. También repasarás el tiempo futuro y verbos para expresar promesas y obligaciones.

Paseo del Prado, La Habana

Actividad 2.1

En esta actividad vas a utilizar tu diccionario para buscar palabras derivadas y el significado de expresiones idiomáticas o frases hechas.

A

Con la ayuda de tu diccionario monolingüe, escribe palabras derivadas de "alfabeto":

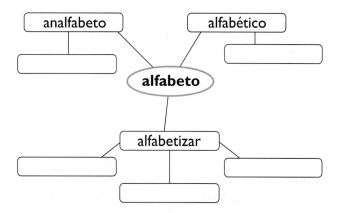

Uso del diccionario para buscar palabras derivadas

El diccionario monolingüe es una herramienta muy útil para buscar palabras derivadas y formar familias léxicas que te ayudarán a ampliar tu vocabulario. Cuando anotes palabras nuevas en tu cuaderno, indica a qué categoría gramatical pertenecen (adjetivo, sustantivo, verbo, etc.) y en el caso de los sustantivos, si son de género masculino o femenino. Busca otras palabras con la misma raíz y apúntalas juntas, formando una familia léxica. También es aconsejable escribir frases como ejemplo para saber cómo usar las palabras en contexto.

B

STRIP   *AAPEAR*   *ILLITERAZE*

Lee la tira de Mafalda. En ella aparece la palabra "analfabetismo". Completa esta definición de "analfabetismo" usando palabras que aparecen en la tira.

    Analfabetismo es no saber ___*LEER*___ ni ___*ESCRITOR*___.

(Quino/Quipos (1973) *10 años con Mafalda*)

Ahora busca la palabra "analfabetismo" en tu diccionario monolingüe. Anota la definición y el ejemplo que explican el significado de esta palabra en la tira.

C

En la tira aparece la frase:

> "... es triste **echar** ahora **por la borda** toda una vida dedicada al analfabetismo."

1. Busca en tu diccionario monolingüe la palabra "echar" y anota la primera *THROW* definición.

2. Busca la palabra "borda" y anota la primera definición. *THROW*

3. *FINISH* Las definiciones que acabas de encontrar, ¿te han ayudado a entender la expresión "echar por la borda" en el contexto de la tira?

4. Lee las "Frases y locuciones" que aparecen en la entrada para "borda". De las dos explicaciones que se dan para la expresión "arrojar / echar / tirar por la borda", ¿cuál corresponde a su uso en la tira de Mafalda?

5. Ahora busca la expresión "echar por la borda" en tu diccionario bilingüe: ¿dónde aparece? Anota la traducción que corresponde a este contexto.

Uso del diccionario para buscar expresiones idiomáticas

Con frecuencia no es posible deducir el significado de expresiones idiomáticas o frases hechas a partir del significado de cada uno de sus componentes. Es importante buscar las palabras clave hasta encontrar el significado de la expresión entera. También es necesario identificar qué definiciones se ajustan más al contexto en el que aparece la expresión idiomática.

Actividad 2.2 _____ *CAMPAIGN*

En esta actividad vas a trabajar con dos textos muy diferentes sobre la campaña de alfabetización de Cuba de los años 60.

Las brigadas de alfabetización

En la campaña de alfabetización cubana se les llamó "brigadistas" a los alfabetizadores. Una "brigada" era un grupo de alfabetizadores que enseñaba en la misma región.

BRIGADE

Conrado Benítez era el nombre de un *DEVELOPED* alfabetizador que desarrolló su labor en los primeros meses de la campaña. Fue asesinado junto a su "campesino-alumno" por soldados que no compartían las ideas de la Revolución. Para conmemorar su nombre y su tarea se nombró "Brigada Conrado Benítez" al grupo que alfabetizó en la zona de montaña donde tuvo lugar el suceso.

Retrato de Conrado Benítez

(Adaptado de www.bohemia.cubaweb. cu/2006/12/05/historia/alfabetizacion.html y www.bohemia.cubasi.cu/2006/ene/01/ SUMARIOS/HISTORIA/alfabetizacion.html) [último acceso 19.11.08]

A

Clase de alfabetización, Cuba, 1960

Lee el siguiente testimonio de un alfabetizador cubano, adaptado de una entrevista oral, y completa las siguientes frases resumiendo las ideas principales.

1   Según Lino, los aspectos más duros de la campaña fueron: ...

2   Una gran satisfacción fue: ...

3   Ejemplos de sus logros: ...

Testimonio de un alfabetizador

—Mi nombre es Lino López Castro. Fui brigadista Conrado Benítez en la ocasión de la campaña nacional de alfabetización que se desarrolló en Cuba en 1961.

Yo creo que lo más duro inicialmente, bueno, fue la separación de mis padres. Hay que tener muy presente que yo era un niño. Pero a esto me sobrepuse. Otro aspecto muy duro fue el adaptarme a la difícil vida del campesino. A las incomodidades extraordinarias a que se enfrentaban aquellas personas ¿no?, plagas increíbles de mosquitos, caminar por caminos intransitables, la oscuridad de la noche. Pero, yo pienso que el aspecto más difícil y más duro que enfrenté fue precisamente el ganarme el respeto de personas adultas como maestro, siendo un niño prácticamente. Eso fue lo más difícil que yo enfrenté. No sabía cómo hacerlo. La primera vez que le corregí la dicción a uno de ellos, estuvo como dos días sin hablarme. Lo ofendí.

Un momento de extraordinaria satisfacción fue, precisamente, el momento en que empecé a ver los frutos de este trabajo. Yo me incorporo a alfabetizar en abril, y aproximadamente en agosto, ya por primera vez, una cosa que siempre hacía el padre de familia ¿no?, la lista, para adquirir los alimentos en la tienda del pueblo, pues él era la única persona que sabía leer y escribir; y un buen día, la hija se sentó con la madre e hizo la lista. Yo no esperaba ver algún fruto positivo tan pronto, y ya esta muchacha era capaz de escribir al menos ¿no? Ya, en diciembre, los siete campesinos que yo atendí, todas las operaciones aritméticas sencillas las podían hacer con soltura, y eran capaces de leer y escribir.

El objetivo se consideraba logrado ¿no?, cuando éste fuera capaz de escribirle a Fidel Castro, diciéndole que sabía leer y escribir. En la medida que se acercaba el final de la campaña y cada uno de mis alumnos fue capaz de hacer esta carta, era un motivo multiplicado de satisfacción.

(Adaptado de una entrevista con Lino López Castro)

Vocabulario

tener (algo) presente   *to bear (something) in mind*

sobreponerse (a algo)   *to get over (something)*

el/la campesino,-a   *peasant*

la incomodidad   *inconvenience, discomfort*

enfrentarse a algo   *to face something*

ser capaz de   *to be able to*

con soltura   *with ease*

Apuntes

Preposiciones y adverbios para atribuir la procedencia de una idea

"Según" y "de acuerdo con" se utilizan para atribuir la procedencia de una idea u opinión a una persona específica o a una fuente de información.

> **Según** Lino López, la campaña de alfabetización cubana fue muy satisfactoria.

> **De acuerdo con** el informe de la UNESCO, más de 700.000 personas fueron alfabetizadas en un solo año.

"Tanto ... como" se utilizan para atribuir ideas similares a dos fuentes diferentes.

> **Tanto** Lino **como** el informe consideran que la campaña fue un éxito.

En esta estructura comparativa, "tanto" es invariable y no concuerda con el sustantivo que le sigue.

> **Tanto** los brigadistas **como** los estudiantes opinaron que la campaña fue muy útil.

B

Ahora lee el texto que viene a continuación.

1 Describe el tipo de lenguaje y estilo (por ejemplo, lenguaje formal).

2 ¿En qué se diferencia del texto de Lino que acabas de leer en el paso anterior?

La creación de sociedades alfabetizadas en Cuba

En 1961, los esfuerzos de Cuba en el ámbito de la alfabetización se centraron en los siguientes objetivos: a) escolarizar a todos los niños en edad de cursar la enseñanza primaria para erradicar definitivamente el analfabetismo; b) llevar a cabo una campaña nacional de alfabetización; y c) realizar a la vez una campaña de postalfabetización para impedir que las personas recién alfabetizadas recayesen en el analfabetismo por falta de utilización de los conocimientos adquiridos, y también para introducir la educación sistemática a lo largo de toda la vida. En un solo año fueron alfabetizadas más de 700.000 personas en un país que tenía por entonces 7,5 millones de habitantes.

Impulsada por un objetivo de justicia social, la campaña creó una infinidad de aulas en todo el país. En un solo día se llegaron a abrir 10.000 clases a las que fueron destinados docentes cualificados sin empleo y miles de jóvenes instruidos que habían respondido al llamamiento revolucionario de servir como maestros voluntarios en todo el país, incluso en las zonas montañosas de difícil acceso. Además, toda la población—padres, vecinos, dirigentes comunitarios y los propios alumnos y maestros— contribuyeron al acondicionamiento y amueblamiento de locales improvisados.

(Extracto de "La alfabetización, un factor vital", Informe de la UNESCO 2006, http://unesdoc. unesco.org/images, p.36.] [último acceso 14.11.08]

Vocabulario

erradicar   *to eradicate, wipe out*

llevar a cabo   *to carry out*

recaer en   *to lapse into, relapse into*

el llamamiento   *call, appeal*

el acondicionamiento   *fitting-out*

el amueblamiento   *furnishing*

Apuntes   NOTES

Lenguaje de informes oficiales

Los informes oficiales presentan las siguientes características.

• Uso de un lenguaje y registro formales.

• La información se atribuye a una fuente oficial o no se atribuye a nadie en particular.

• Se intenta presentar la información de manera objetiva e imparcial, sin añadir opiniones o reacciones personales.

• Es frecuente incluir cifras y estadísticas.

• Uso de un vocabulario específico o técnico.

Actividad 2.3

A

Lee el *Decálogo del brigadista* y clasifica cada punto del decálogo según refleje una promesa o una obligación. Observa que el número 7 no es ni promesa ni obligación.

Promesas	Obligaciones
1, …	…

DECÁLOGO DEL BRIGADISTA

[handwritten: WE HONOUR TO   ISOLATED]

1 Honraremos a Cuba alfabetizando a los campesinos más aislados. Nuestra es la consigna martiana: "Ningun mártir muere en vano, ninguna idea se pierde".

2 Nuestra conducta será de una elevada moral y de la calidad revolucionaria que reclama la erradicación del analfabetismo.

3 Nos integraremos, cordiales y respetuosos, a la vida y costumbres de nuestros humildes campesinos.

4 Respetaremos y haremos respetar los postulados de la Revolución para merecer el honroso título de Brigadistas de la Alfabetización.

5 Cultivaremos el compañerismo sobre la base de la fraternidad revolucionaria y el trabajo en común, y con la firme convicción de hombres libres de prejuicios.

6 Estamos obligados a ser disciplinados y a emplear bien nuestro tiempo en el estudio y el trabajo con los campesinos.

7 Ofrecemos a través de nuestra labor la oportunidad de conocer las grandes conquistas sociales y políticas de nuestra revolución liberadora.

8 Como jóvenes revolucionarios estamos obligados a ser responsables de cada uno de nuestros actos y a ser dignos de los que trazaron el camino de la libertad con su sacrificio.

9 No abandonaremos la tarea por grandes que sean las privaciones, las dificultades y los sacrificios. Un brigadista Conrado Benítez jamás será un desertor.

10 Trabajaremos afanosos y seguros de que la vida del campo nos dará su hermosa experiencia para ser al final y al regreso mejores estudiantes y revolucionarios más conscientes.

("Carné de Brigadista alfabetizador" por cortesía de Lino López Castro)

Vocabulario

honrar   *to honour*

la consigna   *slogan*

martiana = de José Martí

reclamar   *(here:) to require, call for*

el postulado   *contention*

Palabras similares en español e inglés

Observa que en el texto hay muchas palabras españolas que son similares en inglés: conducta, erradicación, postulado, desertor. Cuando leas un texto por primera vez, intenta adivinar el significado de las palabras antes de utilizar el diccionario. Identifica si la palabra es similar a una palabra inglesa y comprueba el contexto para ver si tiene el mismo significado que en inglés. Recuerda que a veces se trata de "falsos amigos" (palabras similares en los dos idiomas pero de significado diferente, como por ejemplo "actual", que significa "presente" en español).

José Martí

José Julián Martí y Pérez, conocido en Cuba como "el apóstol", fue político, filósofo, poeta y abogado. Nació en La Habana en 1853. Sus actividades revolucionarias le valieron la prisión y el destierro a España en 1871 y tras algunos viajes se trasladó a México (1875) pero pudo regresar a Cuba en 1878. Sin embargo, a partir de 1880 se estableció en Nueva York, donde fundó el Partido Revolucionario Cubano en 1892. En 1895 Martí y otros revolucionarios desembarcaron en Playitas y murió en la Batalla de Dos Ríos contra el ejército español.

Sus ideas políticas y educativas están recogidas en un libro titulado *Ideario de Carlos Ripoll* y han sido utilizadas como filosofía inspiradora tanto por Fidel Castro para su revolución, que incluyó la campaña de alfabetización, como por cubanos expatriados en Estados Unidos.

B

Lee de nuevo el Decálogo del Brigadista y fíjate en qué tiempo verbal están escritas las promesas. Subraya todas las formas verbales del decálogo que expresan promesas. Después marca con un círculo las expresiones de obligación.

Apuntes

Promesas y obligaciones

Las promesas se pueden expresar de dos formas:

- con el tiempo futuro:

  Enseñaremos a leer y a escribir a todos los campesinos.

  No **abandonaré** la tarea.

- con verbos como "prometer" o "comprometerse a" en tiempo presente + infinitivo:

  Prometemos respetar las costumbres de la comunidad.

  Me comprometo a enseñar a los analfabetos.

Los siguientes verbos y expresiones se utilizan para indicar obligaciones:

- "estar obligado,-a a / tener que / deber" + infinitivo:

  Estamos obligados a ser disciplinados.

  Tengo que emplear bien mi tiempo.

  Debéis ser responsables.

- "tener la obligación de / la responsabilidad de / la misión de" + infinitivo:

  Tenemos la obligación de alfabetizar a toda la población.

C

Escribe el decálogo del estudiante de español con promesas y obligaciones para el futuro. Intenta utilizar las diferentes expresiones y formas verbales que has aprendido. El primero está hecho como ejemplo.

DECÁLOGO DEL ESTUDIANTE DE ESPAÑOL

1   Veré una película en español al menos una vez al mes.

2   ...

3   ...

Apuntes

El futuro de indicativo

Formas de los verbos regulares: se añaden las siguientes terminaciones al infinitivo:

hablar		-é
		-ás
		-á
beber	+	-emos
		-éis
vivir		-án

Formas de los verbos irregulares:

Infinitivo	Futuro (primera persona singular)
poder	podré
saber	sabré
tener	tendré
poner	pondré
venir	vendré
salir	saldré
decir	diré
hacer	haré
querer	querré

G Para más información consulta tu libro de gramática.

Actividad 2.4 _____

A

Hasta ahora has leído varios textos sobre las campañas de alfabetización en Cuba de los años 60. ¿Cómo crees que han cambiado los métodos de alfabetización últimamente? Escribe tres posibles cambios.

Ejemplo

– uso de nuevas tecnologías (computadoras/ordenadores, internet, etc.)

B

Ahora lee el siguiente artículo sobre el método "Yo, Sí Puedo" y contesta las preguntas de comprensión.

1   ¿Quién creó el método "Yo, Sí Puedo"?

2   ¿En qué consiste exactamente?

3   ¿Qué objetivos tiene?

4   ¿Por qué se está aplicando este método en Argentina?

5   ¿Cuál es la proyección internacional del programa "Yo, Sí Puedo"?

Programa de alfabetización

Una experiencia cubana de educación se aplica en Argentina con el objetivo de reducir los índices de analfabetismo en jóvenes y adultos

Unos 1500 jóvenes y adultos en doce provincias argentinas están aprendiendo a leer y escribir mediante el proyecto cubano de alfabetización "Yo, Sí Puedo", destinado a eliminar el analfabetismo en América Latina.

El programa, creado en el Instituto Pedagógico Latinoamericano y Caribeño (IPLAC) de Cuba en 2003, consiste en un método de alfabetización audiovisual, mediante la utilización de televisión y videocasetes. Se completa con 65 clases de 30 minutos cada una, durante cinco días a la semana. En tres meses y medio se termina la primera etapa de enseñanza de lectoescritura. Los participantes trabajan con una cartilla que combina números y letras, y con el seguimiento de un "facilitador", un docente voluntario o una persona con la escuela primaria completa, como mínimo requisito.

En Argentina, la idea fue tomada después de conocer los resultados positivos del método creado

en Cuba y luego de ver su aplicación en Venezuela, uno de los casos más importantes, ya que durante el año 2006 un millón y medio de analfabetos aprendieron a leer y escribir. Diego Gandini, uno de los coordinadores nacionales del programa "Yo, Sí Puedo" en Argentina, relató en una entrevista radial que el objetivo es "alfabetizar sin exclusiones; unirse y generar el contexto propicio para eso. No queremos suplantar a la enseñanza formal, sino lograr que el analfabeto se anime a acercarse a la escuela".

La creadora del método cubano, Leonela Relys Díaz, asesora académica del IPLAC, promovió en la Municipalidad de Córdoba (en Argentina) centros de alfabetización de adultos. "El método de enseñanza es semipresencial. Lo que se entiende como educación a distancia demanda mucha autodisciplina. En el caso de la alfabetización de adultos, se trabaja con clases grabadas pero impartidas por un 'facilitador'. Desde luego, se trata de educación no formal", explicó Relys. Añadió que las clases se pueden dar "en cualquier parte: en una casa, en el club, en la parroquia…", al tiempo que destacó que "todo sistema debe trabajar sobre la realidad del educando; si la televisión es su medio de relación con el mundo, hay que aprovecharla".

Además de Cuba, Venezuela y Argentina, el programa educativo se lleva a cabo en Ecuador, México, Bolivia, Paraguay, Nicaragua, Honduras, Perú, Nueva Zelanda, Mozambique, Brasil, República Dominicana y El Salvador. El 3 de noviembre de 2006, la UNESCO entregó el Premio de Alfabetización "Rey Sejong" al IPLAC de Cuba en reconocimiento a los resultados obtenidos por la aplicación del programa "Yo, Sí Puedo".

(Información adaptada de un artículo de Luciano Zampa en Agencia Universitaria de Noticias y Opinión, www.auno.org.ar/leer.php/2146 y de IPLAC-Alfabetización y www.alfabetizacion.rimed.cu/) [último acceso 12.11.08]

Vocabulario

el índice   *(here:) rate*

la etapa   *stage, phase*

la lectoescritura   *reading and writing*

la cartilla   *(here:) reader, primer*

el/la docente   *teacher*

el requisito   *requirement*

Escritorio

En esta sesión vas a practicar cómo recoger información, extraer las ideas principales de varios textos, organizar la información con ayuda de mapas de ideas o esquemas, y estructurar un texto.

Actividad 2.5 _____

Algunos de tus compañeros de curso están planeando vivir en España y están interesados en saber cómo pueden estudiar español u otros idiomas allí. Te has ofrecido para recoger información y escribir un artículo para circularlo.

A

En primer lugar has encontrado detalles sobre las Escuelas Oficiales de Idiomas, centros estatales económicos para el aprendizaje de lenguas. Lee el siguiente texto y escribe al lado de cada párrafo una palabra clave o una frase corta que identifiquen el tema que contiene, como en el ejemplo. La primera la tienes hecha como ejemplo.

Las Escuelas Oficiales de Idiomas

Las Escuelas Oficiales de Idiomas (EEOOII) de España conforman una vasta red de centros oficiales de nivel no universitario dedicados a la enseñanza especializada de idiomas modernos. La mayoría de las capitales de provincia cuentan con una Escuela Oficial de Idiomas.

— qué son y dónde hay

Las Escuelas Oficiales de Idiomas han experimentado un proceso de renovación en los últimos años y se han adaptado al Marco Común Europeo de Referencia para las lenguas, con el fin de facilitar el reconocimiento de las certificaciones en toda Europa. Por ello, la enseñanza se organiza en tres niveles:

- Nivel Básico (equivalente al A2 del Marco Común Europeo de Referencia)

- Nivel Intermedio (equivalente al B1 del Marco Común Europeo de Referencia)

- Nivel Avanzado (equivalente al B2 del Marco Común Europeo de Referencia)

Existen dos modalidades de enseñanza: oficial (presencial, los alumnos asisten regularmente a clase y tienen evaluación continua y/o examen final) y libre (los alumnos tienen derecho únicamente a examen). En la modalidad oficial, los cursos suelen tener una duración de nueve meses (de septiembre a mayo) y las clases suelen impartirse en horario de tarde. Los centros organizan también actividades culturales.

Las Escuelas Oficiales de Idiomas fomentan especialmente el estudio de las lenguas oficiales de los Estados miembros de la Unión Europea, de las lenguas cooficiales existentes en España y del español como lengua extranjera. Asímismo, facilitan el estudio de otras lenguas que por razones culturales, sociales o económicas presenten un interés especial.

(Adaptado de http://es.wikipedia.org/ y www.mec.es/educa/jsp/) [último acceso 14.11.08]

Vocabulario

conformar *to constitute*

vasto,-a *huge, vast*

contar con *to have*

la evaluación continua *continuous assessment*

B

Ahora utiliza estos temas para apuntar las ideas principales de cada párrafo. El primero ya está hecho.

EEOOII*

- **qué son y dónde hay:**

  – centros oficiales no universitarios de enseñanza de idiomas. Hay un centro en la mayoría de las capitales.

- **niveles de enseñanza: ...**

- **modalidades de enseñanza: ...**

- **idiomas: ...**

* Nota el uso de mayúsculas dobles para expresar una sigla en plural: EEOOII (Escuelas Oficiales de Idiomas). Otro ejemplo muy frecuente es EEUU (Estados Unidos).

Cómo extraer las ideas principales de un texto

Las ideas principales de un texto son la información esencial, más importante, que se quiere comunicar al lector, sin los detalles extras.

Un buen método es subrayar palabras o frases clave en el texto, o si prefieres, anotar algunas palabras clave en el margen de cada párrafo mientras lo lees, y después resumir en tus propias palabras las ideas principales. Esto te ayudará a comprender mejor el texto y seleccionar la información más importante.

C

Has decidido buscar información sobre otras maneras más informales de estudiar idiomas y has encontrado en internet una página sobre grupos de conversación en Madrid.

1 Lee el siguiente texto y observa su estructura.

El mejor grupo de intercambio de idiomas en Madrid

Todo aquel que ha estudiado inglés o cualquier idioma extranjero sabe lo difícil que puede ser adquirir un buen nivel. Por eso es importante la variedad de recursos para progresar. Resultan casi imprescindibles un buen profesor y un libro, pero complementos existen muchos: lecturas, televisión, radio, estancias en el extranjero... Entre ellos, hay uno en Madrid que es divertido, útil y gratuito: el intercambio de idiomas en O'Neill's.

En este pub cercano a la Puerta del Sol, un numeroso grupo de gente de todo el mundo se reúne cada martes para conciliar de manera gratuita ocio y conversación con nativos en distintos idiomas. Los españoles acuden para hablar, sobre todo, inglés, francés y alemán, pero también he visto estudiantes de portugués y de ruso practicando con brasileños y moscovitas. Y por supuesto, los españoles hablan a cambio el español.

Las reuniones son muy concurridas, y la mezcla de nacionalidades y de edades es increíble. Los que van en busca de inglés, en concreto, pueden elegir incluso el acento. Habitualmente asisten ingleses, escoceses, irlandeses, estadounidenses y hasta un par de australianos. Y aunque la única cita fija es la del martes, es habitual que tenga su prolongación en fines de semana, salidas fuera de Madrid y cines en V.O. Además, en muchas ocasiones las reuniones resultan muy útiles para solucionar los típicos problemas de los estudiantes extranjeros y los "expatriados" en Madrid: alojamiento, trabajo, información sobre estudios, etc. Posiblemente una desventaja es el ruido del bar, pero las mesas del fondo son más tranquilas.

En resumen, los alicientes son muchos y todo hace recomendable acercarse un martes para participar y probar. Es una atractiva idea que una ciudad grande y multicultural como Madrid nos ofrece y una gran oportunidad de combinar la diversión y el aprendizaje de idiomas.

(Resumido y adaptado de www.madridteacher.com/grupos-de-conversacion.htm) [último acceso 4.11.08]

Vocabulario

resultar   *to prove to be, to turn out to be*

imprescindible   *indispensable, essential*

reunirse   *to gather, to get together*

conciliar   *to blend, to harmonise*

el ocio   *leisure, free time*

acudir (a un lugar)   *to go (to a place)*

concurrido,-a   *busy, full of people*

V.O. (= versión original)   *original, undubbed version of a film*

el aliciente   *incentive, attraction*

2   Ahora identifica a qué parte pertenece cada párrafo: introducción, cuerpo o conclusión, y qué función tiene, teniendo en cuenta que cada parte puede consistir en más de un párrafo. Anota las ideas principales de cada párrafo. El primero ya está hecho como ejemplo.

Párrafo 1
introducción

Presenta el tema: el intercambio de idiomas en el pub O'Neill's de Madrid, un recurso útil, divertido y gratuito.

Párrafo 2   …

Párrafo 3   …

Párrafo 4   …

Cómo estructurar un texto

- Los textos se dividen en las siguientes partes: introducción, cuerpo y conclusión.

- La introducción y la conclusión son párrafos más bien breves.

- La introducción presenta el tema general del texto de una forma breve, sencilla y atractiva.

- El cuerpo se divide en diferentes párrafos. Cada uno de ellos se dedica a una idea diferente y a los aspectos relacionados con ella (subtemas). Cada nuevo párrafo indica una nueva fase en el desarrollo del asunto a tratar.

- Evita escribir párrafos de una sola frase.

- Empieza cada párrafo con una frase que sugiera su tema o que facilite la transición.

(continúa)

- Se puede ir de lo más general a lo más particular en el desarrollo del texto. Se puede organizar siguiendo un criterio cronológico o temático, por ejemplo. Es importante tener siempre en cuenta cuál es el objetivo del texto y la audiencia a quien va dirigido a la hora de tomar estas decisiones.

- La conclusión recoge de nuevo el tema principal del texto y tal vez también tu opinión personal de un modo breve y conciso.

D

Ahora que ya has recogido información sobre diferentes maneras de aprender idiomas en España, vas a organizar y ordenar tus notas antes de escribir tu artículo. Utiliza un mapa de ideas o una lista de los aspectos más importantes que quieres incluir en tu artículo. Reflexiona sobre las ventajas y desventajas de las dos maneras de aprender idiomas descritas en los textos y añade otras ideas propias y opiniones. Como guía, te ofrecemos a continuación dos modelos para organizar la información (un mapa de ideas y una lista); elige uno y complétalo o utiliza tu propio sistema.

(a) Mapa de ideas:

(b) Lista:

Aprendizaje de idiomas en España:

- formal y sistematizado: EEOOII
  - ventajas: ...
  - desventajas: ...
- informal: grupos de conversación
  - ventajas: ...
  - desventajas: ...
- otros: ...

Cómo organizar la información

- Se puede escribir una lista de las ideas principales que has recogido y dividirlas en los apartados que creas necesarios, por ejemplo, según los temas y subtemas.

- Se puede utilizar un mapa de ideas que presente las ideas principales y sus conexiones de forma visual.

- Observa que, dependiendo del tipo de texto que tengas que escribir, también es aconsejable reflexionar sobre el asunto antes de empezar a recoger información y escribir tus propias ideas u opiniones en un esquema o mapa de ideas. Después ya irás añadiendo nuevos datos.

- Una vez tengas todas las ideas que quieres incluir, resulta útil estructurarlas en un esquema dividido en introducción, cuerpo y conclusión.

E

Completa brevemente este esquema con las notas que tomaste en el paso anterior y escribe el artículo. Recuerda que está dirigido a tus compañeros de curso y que tiene que resultar claro e informativo. Escribe entre 250 y 350 palabras. Es importante acostumbrarse a ajustarse a un límite de palabras y expresar la información de manera concisa.

Título: El aprendizaje de idiomas en España

Introducción:

Cuerpo:

Tema 1:

     Subtemas:

Tema 2:

     Subtemas:

Tema 3:

     Subtemas:

Conclusión:

Autoevaluación

Antes de comparar tu artículo con el modelo que aparece en la Clave, repasa tu texto y comprueba los puntos siguientes:

- ¿Has expresado las ideas de forma clara?

- ¿Has estructurado el texto en párrafos coherentes, incluyendo una introducción y una conclusión?

- ¿Has utilizado las estructuras y el vocabulario que has aprendido en esta sesión?

- ¿Has empleado correctamente los signos de puntuación?

Sillón de lectura

Actividad 2.6

Lee este poema de Gloria Fuertes (Madrid, 1918 – Madrid, 1998). Piensa a qué tipo de audiencia va dirigido y por qué.

Don Libro está helado

Estaba el señor don Libro
sentadito en su sillón,
con un ojo pasaba la hoja
con el otro ve televisión.

Estaba el señor don Libro
aburrido en su sillón,
esperando a que viniera... (a leerle)
algún pequeño lector.

Don Libro era un tío sabio,
que sabía de luna y de sol,
que sabía de tierras y mares,
de historias y aves,
de peces de todo color.

Estaba el señor don Libro,
tiritando de frío en su sillón,
vino un niño, lo cogió en sus manos
y el libro entró en calor.

(Fuertes, G. (1995) *Versos fritos*, Madrid, Susaeta Ediciones, p.108)

Vocabulario

el tío (familiar)
    (*here:*) *guy, bloke*
tiritando de frío
    shivering with cold

Actividad 2.7

Lee este fragmento de una poesía escrita por un cubano que aprendió a leer durante la campaña de alfabetización que se llevó a cabo en su país.

 ¡Ya sé leer!

¡Ya sé leer! He roto las tinieblas
que envolvían mi mente como garras de nieblas.
¡Ya sé leer! El mundo he conquistado,
la infecunda ignorancia he despejado.
Ya no acudo al vecino, que amigable
me leía las cartas de mi familiar ausente
sino que recogiendo el fruto de labor paciente
por mí mismo leo... ¡Por mí mismo!

[...]

¿Qué tal la gramática? Pues pueden palpar
por estos renglones y hasta dispensar
algunos errores, cayendo en la cuenta
de como soy pobre, la vida es cruenta
empecé mis estudios no ha mucho,
mas por superarme he luchado y lucho.

Miren, antes al cine acudía
sin casi entender lo que sucedía,
hoy sigo la trama sin perder detalle
y entiendo en esquinas los nombres de calles.
Escribo a mi novia, leo sus respuestas,
no hago papel desairado en las fiestas,
pues conozco de todo un poquito
sin alardes vanos he dicho y repito.
¡Ya sé leer! El pueblo ilustrado
rompe las cadenas si está subyugado.
El hombre que sabe leer y escribir
ya lanza sus cantos, ya sabe reír.
¡Ya sé leer! ¡Qué azul es el cielo!
¡Qué firme mi andar por el suelo!

(Anónimo (1964) *Antología de jóvenes y viejos* (ed. Miguel Monreal), La Habana, Bayo Libros, p.169)

Vocabulario

las tinieblas   *darkness*

despejar   *to clear*

palpar   *to touch, feel*

el renglón   *line*

la trama   *plot*

el alarde   *show, display*

la cadena   *chain*

1   ¿Cuál es el tono del poema: triste, alegre, melancólico, entusiasta...? ¿Por qué?

2   ¿Qué sientes tú al leer este poema?

Tema 3   Vida cultural

Topic [handwritten annotation]

En este tema vamos a trabajar con textos sobre distintas propuestas culturales y espectáculos *Proposals* [handwritten annotation] comparando prácticas teatrales de ayer y hoy. Además, describirás tu propia experiencia como participante en alguna representación o espectáculo.

Els Comediants, toma de la película *Karnabal* (1985)

Actividad 3.1

En esta actividad vas a comparar dos tipos de teatro en la calle.

A

Lee este texto que describe el tipo de espectáculo teatral que realiza la compañía Els Comediants de Catalunya y completa la tabla.

Representación de Els Comediants en la Plaza Mayor de Almagro

BARCELOCA®
la ciudad del ocio

Els Comediants

Comediants es un colectivo de actores, músicos y artistas de todo tipo dedicado al mundo de la creación. Aunque básicamente se le conoce como grupo teatral, lo cierto es que cuenta en su haber con una variada producción en los campos más dispares. Diseño, discos, libros, proyectos festivos, películas, vestuario, materiales pedagógicos y series de televisión son algunas de las distintas actividades en las que el equipo ha ido desarrollando su particular forma de expresión.

Hijos de la Escuela de Teatro Independiente de Barcelona, Comediants apareció el 19 de noviembre de 1971 bajo el signo de la transgresión. Por un lado, frente al teatro oficial y optando por beber del teatro más vanguardista que se hacía en el extranjero (Théâtre du Soleil, Bread and Puppet, Teatro Campesino de San Francisco, el Odin Teatret...), apostaron por un teatro basado en experiencias colectivas sin texto ni director. Por otro lado, sin embargo, su intención pasaba por la recuperación de un teatro escénicamente vivo e interdisciplinario al modo de aquellos viejos comediantes que llenaban las plazas con sólo una carreta, una historia y mil artimañas con las que contar la misma historia de un modo distinto cada vez.

Desde sus orígenes, la compañía ha estado unida a lo que podría denominarse el espíritu festivo de la existencia humana. Sus espectáculos comprenden rituales, ceremonias paganas, populares, religiosas o iniciáticas que celebran el paso cíclico de los humanos en la Tierra. Así pues, sus representaciones van más allá del hecho puramente teatral o musical y buscan reactivar las profundas raíces festivas que nos cohesionan como especie y que nos conectan con la naturaleza. De este modo, ha ido desarrollando un método de trabajo en el que no existe limitación alguna. Cualquier sitio puede servir de escenario (una calle, una plaza, un barrio entero, un río, un prado, el Acueducto de Segovia, el Estadio Olímpico, la estación de metro de Times Square o el lago de Banyoles), cualquier elemento puede ser objeto de dramatización (un vaso de leche, una cama, un cabezudo...) y cualquier tipo de

lenguaje (mimo, clown, comedia dell'arte, títeres...) puede ser perfectamente válido para llegar al espectador sin distinción de edad.

¿El objetivo? Plantear un "teatro de los sentidos", un teatro de colores, olores y texturas pero también de provocación. La provocación que supone el optimismo frente a ciertas realidades actuales. La provocación que supone redescubrir lo cotidiano frente a la imparable rueda del tiempo. Y finalmente, la provocación del compromiso con el presente, el abrir los ojos a la gente para que vuelva a ver el mundo como una maravillosa gran casa de cultura y amistad que todos tenemos que cuidar antes de que sea demasiado tarde.

(Adaptado de www.barceloca.com/) [último acceso 14.11.08]

Vocabulario

cuenta en su haber   *has to its credit*
dispar   *disparate, very different*
vanguardista   *avant-garde*
la carreta   *cart*
la artimaña   *trick*
ceremonias *(f.pl.)* iniciáticas   *initiation ceremonies*
el prado   *meadow*
el cabezudo   *carnival figure with large head*
el títere   *puppet*

Características transgresoras	vanguardista
Tipo de espectáculos	
Lugares de representación	
Lenguajes teatrales	
Objetivos de la compañía	

B

En estos dibujos se pueden ver dos tipos de compañías de teatro típicas del siglo XVII en España. Obsérvalos con detenimiento, lee este pasaje de la novela *Qal'at Rabah*, en parte ambientada en la España del siglo XVII, y responde a las preguntas.

—Recuerdo que estaba cortando leña en un olivar a las afueras de Calzada. Un carro de cómicos se detuvo en la linde y me llamaron. Me dijeron que se dirigían hacia Valdepeñas y uno de los actores se había marchado. Iban buscando a alguien que fuera capaz de representar al demonio. Tenía que ser muy grande y con cara de malo porque no tenían vestuario para disfrazarlo. Pensé que algún bromista les había hablado de mí en el pueblo para burlarse de mi aspecto diciéndoles que yo sabía algo de teatro. Me parecía gente rara y les pedí que me dejaran en paz, pero

Las compañías de teatro C. + C. TEATRO almagro en el Siglo de Oro

6. BOJIGANGA

Las compañías de teatro C. + C. TEATRO almagro en el Siglo de Oro

7. FARÁNDULA

todos temían al demonio, pero el efecto que se produjo fue el contrario. La risa se fue extendiendo entre los que me vieron aparecer dando brincos muy torpes y aullando como un lobo. A la gente le daba igual la historia que estábamos contando, sólo querían ver al diablo corriendo con el hacha y tuve que hacerlo varias veces detrás de los muchachos que me iban sorteando como si estuvieran en un encierro. Para el resto de los actores esa función había sido un fracaso, pero al pasar el sombrero recaudaron más dinero que nunca, y se dieron cuenta de que tenían que variar su espectáculo. Puede que ese día yo no quedara enganchado de la comedia porque todavía me sentía ridículo, pero seguí probando y ya no supe parar.

(Romero F. (2007) *Qal´at Rabah*, Asociación para el Desarrollo del Campo de Calatrava, pp.210–211)

Vocabulario

la bojiganga *travelling theatre group, troupe of actors*

la farándula *travelling group of comedy actors*

la leña *firewood*

la linde *limits, boundary*

disfrazar *to dress ... (up) in*

burlarse de *to make fun of*

el hacha (f.) *axe*

ensayar *to rehearse*

temer *to fear*

sortear *to dodge, avoid*

el encierro *running of bulls through the streets*

el fracaso *failure*

enganchado,-a *hooked*

ellos insistieron y me dijeron que probara sólo una vez, incluso me pagarían por esa actuación el doble que por cortar leña. También dijeron que no tenía que aprender ningún texto, sólo dar gritos y perseguirlos con el hacha en la mano cuando me indicaran. [...] Tuve que ensayar durante todo el día lo que tenía que hacer y me coloqué encima de mi ropa una capa negra y unos cuernos rojos. Yo ponía el hacha. Cuando apareciera en la escena corriendo detrás de la muchacha debía provocar una estampida entre los espectadores porque

1 ¿A qué clase social crees que pertenece el narrador de la novela?

2 ¿Qué piensa el narrador de los cómicos ambulantes?

3 Describe el papel que le ofrecen representar.

4 ¿Consiguen los cómicos provocar la reacción deseada en el público con su representación? ¿Por qué?

5 ¿Se trata de una representación con éxito?

Los cómicos

En el Siglo de Oro, los cómicos estaban considerados como lo más bajo de la sociedad. Se pensaba que, al interpretar tantos personajes distintos, no tenían alma y durante muchos años no se les pudo enterrar en tierra consagrada por la Iglesia.

C

Ahora piensa en cualquier tipo de espectáculo (mimo, circo, marionetas, representación en la calle, etc.) que hayas visto y describe cómo fue esta experiencia en un párrafo de no más de 300 palabras, siguiendo estas pautas en el orden que mejor te parezca:

• tipo de espectáculo;

• características del espectáculo;

• lugar;

• tipo de público asistente;

• similitudes o diferencias con otro tipo de espectáculo;

• lo que más y lo que menos te gustó.

Actividad 3.2

En esta actividad vas a conocer una innovadora propuesta cultural: "La noche en blanco". Esta iniciativa surgió en los países nórdicos donde las noches luminosas de verano invitan a no quedarse en casa. El nombre que se le ha dado es muy pertinente en el contexto español ya que hablamos de "pasar la noche en blanco" cuando no hemos dormido nada durante toda la noche.

A

Lee el texto y decide si las afirmaciones son verdaderas o falsas.

	Verdadero	Falso
1 "La noche en blanco" es una propuesta cultural de masas para todos los gustos.	☐	☐
2 El foco principal es acercar la cultura tradicional a todos los ciudadanos.	☐	☐
3 Se trata de una celebración festiva de distintas manifestaciones artísticas y culturales.	☐	☐
4 La primera edición tuvo un éxito limitado de público y solo participaron una docena de instituciones.	☐	☐
5 La programación abarca únicamente los campos de la danza, el teatro y el circo.	☐	☐
6 Las actividades tienen lugar en distintas partes de la ciudad y en muchos espacios diferentes.	☐	☐
7 Los ciudadanos pueden mirar pero no deben tomar parte activa en las actividades.	☐	☐

La noche en blanco

Madrid acogerá, el próximo día 22 de septiembre, la segunda edición de *La noche en blanco*. Organizada por el Ayuntamiento, *La noche en blanco* de Madrid forma parte de la red Noches Blancas Europa, integrada también por París, Riga, Roma y Bruselas. Se trata de una cita cultural común, que pretende acercar las expresiones más novedosas del arte contemporáneo a los ciudadanos, de manera amena y festiva.

Tras el éxito de la primera edición, en la que casi un millón de personas tomó las calles de Madrid, esta segunda convocatoria volverá a contar con la colaboración de más de doscientas instituciones. Muchas de ellas se sumarán, por primera vez, a *La noche en blanco*, a través de un extenso programa de actividades culturales que ofrecerá a todos la posibilidad de disfrutar del rico patrimonio cultural de Madrid.

Cultura, creación, gratuidad y noche

La programación hará hincapié en la creación contemporánea, en todos sus campos: danza, teatro, circo, performance, literatura, cine, arquitectura o diseño, con la intención de que espectadores y artistas entablen un diálogo común, que convierta la noche madrileña en una auténtica celebración de la cultura.

La segunda edición de *La noche en blanco* se desarrollará desde las 21 horas del sábado 13 de septiembre hasta las 7 de la mañana del domingo 14.

Programación

La programación de esta segunda edición está organizada en cinco grandes apartados y en distintos espacios urbanos:

- *Grandes espectáculos*, que reúnen algunas de las actividades más llamativas de *La noche en blanco; Actividades especiales*, donde se agrupan todas aquellas intervenciones, espectáculos, exposiciones o proyecciones concebidas específicamente *para La noche en blanco*.

- *Arte en la calle*, que reúne las actividades pensadas especialmente para espacios públicos.

- *Visitas extraordinarias*, aperturas de instituciones culturales en horario nocturno.

- *Circuitos en la noche*, recorridos por toda la ciudad, cada uno con un eje temático: *Jardines sonoros*, que convierte jardines privados y desconocidos en esculturas sonoras, *Pasos de Zebra* que convierte el Paseo de Recoletos en un inmenso escenario de propuestas escénicas.

- *Una noche para una obra*, artistas emergentes creando obras específicas para esta noche, en directo y a la vista de los espectadores.

¡Participa!

La noche en blanco eres tú. Queremos que dejes de ser espectador y te unas a nosotros convirtiéndote, por una noche, en artista, copartícipe, obra de arte. Queremos que juegues, que explores, que redescubras Madrid y que disfrutes del arte y la cultura como nunca. No te quedes sentado, no te conformes con mirar y ¡participa!

Si quieres estar informado de nuestras novedades o si quieres colaborar con nosotros como voluntario, no tienes más que escribirnos a esta dirección de correo electrónico: infolanocheenblanco@munimadrid.es

(Adaptado de www.esmadrid.com/lanocheenblanco) [último acceso 19.12.08]

Vocabulario

tomar las calles   *to take to the streets*

la convocatoria   *call*

sumarse a   *to participate in, join*

el patrimonio   *heritage*

hacer hincapié en   *to emphasise*

entablar un diálogo   *to establish/start a dialogue*

B

Vuelve a leer en el texto la sección donde se menciona la programación y selecciona los eventos que te interesa ir a ver. Escribe un breve mensaje electrónico a un amigo/a invitándolo/a a ir contigo y participar en estas actividades tan divertidas y diferentes.

Actividad 3.3

En esta actividad vas a conocer otro tipo de espectáculo que mueve masas: el popular fenómeno de la lucha libre mexicana.

A

Primero vas a trabajar con el vocabulario relacionado con el tema de la lucha libre. Empareja las palabras a continuación con sus definiciones correspondientes.

1   la lucha libre

2   el cuadrilátero

3   el/la enmascarado/a

4   debutar

5   la apuesta

(a)   presentarse delante del público como artista por primera vez

(b)   espectáculo en el que dos hombres o mujeres pelean entre sí

(c)   dinero arriesgado contra otra persona por el resultado de una competición

(d)   alguien que se cubre la cara con una máscara

(e)   especie de escenario rodeado de cuerdas en los cuatro lados

B

Ahora lee el texto sobre la lucha libre mexicana y completa las frases con la información que falta.

La lucha libre mexicana

El famoso luchador Blue Demon

Blue Demon con otros luchadores en la película *Vuelen los campesinos justicieros* (1972)

¿Quién no tuvo durante su infancia uno de aquellos muñecos de plástico tan famosos que representaban a luchadores favoritos? Muchos niños y niñas los ponían a luchar en los cuadriláteros hechos de madera.

La lucha libre es un deporte que alcanzó su máxima popularidad junto con la televisión ya que, en sus inicios, se hacían transmisiones nocturnas de esta práctica del ring. También el cine sirvió de medio a la lucha, las películas del Santo y Blue Demon ya forman parte de la memoria colectiva.

La lucha libre mexicana ha ocupado siempre el primer lugar del mundo, seguido por Japón y Estados Unidos. Sus orígenes en México se remontan a épocas poco sospechadas, ya que se dice que este deporte fue introducido durante la intervención francesa en 1863.

Pero no fue hasta 1910 que la lucha libre comenzó a atrapar espectadores con el arribo de la compañía del campeón italiano Giovanno Relesevith [Giovanni Relesevitch]. Tiempo después, Salvador Lutteroth González junto con Francisco Ahumada integraron la Empresa para la Lucha Libre en México y rentaron lo que en aquella época era la Arena Modelo.

Tanta era la demanda de la gente para asistir a la lucha libre, que los recintos ya no se daban abasto. Ante tal situación Lutteroth decidió remodelar la Arena Modelo para convertirse en La Arena México, con una capacidad cercana a las 20 mil personas.

Uno de los luchadores más queridos fue El Santo, quien logró ser un icono entre los mexicanos por el gran misterio que había acerca de su identidad, que escondía bajo su máscara plateada.

Pero también existieron otros como Blue Demon que consiguieron por sus propios méritos ser ídolos, no sólo por su forma de luchar sino por su máscara que era, y sigue siendo, la parte primordial del vestuario.

La máscara es una prenda de valor incalculable, una joya deportiva del guerrero del ring, que con la ayuda de los medios de comunicación, logra crear una atmósfera para cada personaje hasta escribir verdaderas historias fantásticas.

"Mi máscara está dibujada desde que tenía siete años, que quería que tuviera estrellitas... la máscara es mágica y con ella debuté", menciona Súper Astro. Son frecuentes los encuentros entre rivales con la máscara como apuesta, perderla significa la máxima humillación y cinco años de lucha a cara descubierta.

La lucha libre es un deporte lleno de mucha fantasía, pues aunque la gente que lo desconoce diga que solo es teatro y que los golpes son falsos, no se puede evitar sentir aquella emoción al ver pasar y luchar a los luchadores en el ring, como la que sentía Doña Virginia, conocida como la abuelita del ring, que en casi todos los recintos se le vio subir al encordado para golpear con su inseparable paraguas a los rudos que se propasaban con los luchadores de su adoración.

Hoy en día, muchos mexicanos disfrutan durante el fin de semana la actuación de decenas de luchadores, algunos enmascarados, otros sin ella, pero con atuendos vistosos, mitad gladiadores y mitad acróbatas, quienes promueven y con gran esfuerzo logran poner en alto la Lucha Libre Mexicana.

PILAR MARTÍNEZ

(Adaptado de www.espiralradio.org/cultura/) [último acceso 28.11.08]

Vocabulario

atrapar	*(here:) to capture*	la prenda	*garment*
el arribo	*arrival*	el golpe	*blow / punch*
el recinto	*(here:) venue*	el encordado	*(here:) the ring*
no dar abasto	*to be unable to cope*	el rudo	*(here:) tough guy*
primordial	*essential*	propasarse	*to go too far*
el vestuario	*wardrobe (= clothes)*	el atuendo	*outfit*

1   La lucha libre empezó a tener espectadores en el año _____ .

2   El elemento más característico de la lucha libre mexicana es _____ .

3   La lucha libre se popularizó gracias a _____ .

4   Los principales ídolos de la lucha mexicana libre a lo largo de la historia han sido _____ .

5   El primer recinto, La Arena Modelo, se remodeló y pasó a ser la Arena México porque _____ .

6   Si un luchador pierde la máscara tendrá que luchar sin ella _____ .

7   La lucha libre es un espectáculo teatral, lleno de fantasía y donde los golpes son _____ .

Buscar información específica en un texto

Esta es una técnica que se utiliza a menudo cuando buscamos una palabra en el diccionario. Se trata de concentrarnos en encontrar palabras o ideas claves en el texto moviendo rápidamente los ojos por la página hasta localizar lo que estamos buscando y sin detenernos en los detalles. Esta técnica es también muy útil para determinar rápidamente la relevancia de un texto con respecto a un tema específico que nos interesa antes de leerlo en profundidad y perder un tiempo valioso.

C

En el español de México es frecuente encontrar palabras inglesas o de apariencia inglesa debido a la cercanía de Estados Unidos. Además, a veces se utilizan palabras españolas que son iguales que las inglesas pero que se usan de modo diferente en ambos idiomas. Escribe una lista de las que aparecen en el texto.

Escritorio

En esta sesión vas a reflexionar sobre las diferentes características del lenguaje escrito en textos formales. Además, verás cómo se redacta un mensaje para pedir información y escribirás una carta pidiendo un servicio.

Actividad 3.4

Navegando por internet has encontrado la siguiente información sobre las actividades que realiza el Teatro de la Luna. Léela y completa la tabla con notas breves.

Teatro de la Luna

Teatro de la Luna nació en el verano del 1991 con el fin de facilitar al área metropolitana de Washington el buen teatro desde su perspectiva latinoamericana. Incorporado en el Distrito de Columbia y Virginia, ocupa los escenarios del Gunston Arts Center, en Arlington, VA, como también otros escenarios del DC y condados vecinos del estado de Maryland. Nuestras presentaciones en español ofrecen traducción al inglés proyectada o interpretación simultánea al inglés en las piezas de temporada y durante el Festival Internacional de Teatro Hispano.

Nuestra misión es la de promover y fomentar la cultura hispana apoyando el entendimiento cultural entre las comunidades de habla hispana y anglosajona a través del teatro en nuestra lengua y otras actividades teatrales bilingües. Cumplimos nuestra misión llevando a escena piezas teatrales, desarrollando talleres para adultos y niños, organizando maratones de poesía y Festivales Internacionales de Teatro Hispano. Todas estas actividades proveen oportunidades propicias para la reflexión, apoyo, participación y el diálogo comunitarios.

Nuestra visión se encamina al afianzamiento de un teatro con actores asalariados; que entrene técnicos y actores hispanos y no hispanos; que provea a niños y jóvenes de talleres actorales y de actividades afines al teatro, promoviendo la belleza de la lengua castellana, introduciendo a la vez nuevas y únicas formas de teatro hispano en el área metropolitana de Washington.

Nuestra programación abarca 4 áreas distintas:

Producciones

Incluyen las puestas en escena de obras, la serie de Teatro Leído "Lunes de Luna" y el entrenamiento actoral y técnico durante el proceso de nuestras producciones.

Festival Internacional de Teatro Hispano

La cita del teatro hispano acercando compañías de Latinoamérica y Europa en cada temporada.

Experiencia Teatral

Un programa de presentaciones de obras y talleres preparatorios de apreciación teatral en escuelas, parroquias y centros comunitarios.

Maratones de Poesía

El encuentro con la palabra y los amigos en "La Pluma y la Palabra" y el "Maratón de la Poesía en Español para Jóvenes y Niños".

(Adaptado de http://teatrodelaluna.org/homes/institucional.htm) [último acceso 28.11.08]

Vocabulario

el escenario   *stage*

cumplir   *to fulfill*

llevar / poner en escena   *to stage*

el taller   *workshop*

propicio,-a   *favourable, conducive*

encaminarse   *to head for*

el afianzamiento   *consolidation*

asalariado,-a   *salaried*

actoral   *related to acting*

abarcar   *to cover*

Teatro de la Luna	
Situación	
Fecha de inauguración	
Misión	
Visión	
Programación	

Actividad 3.5

Tu amigo Julián quiere organizar un taller de teatro en la escuela en la que trabaja y ha enviado un mensaje al Teatro de la Luna pidiendo información sobre las actividades para escuelas.

A

Lee el mensaje de Julián (Texto A) y el folleto que le han enviado como respuesta (Texto B).

Texto A

Hola,

Os escribo brevemente porque me he enterado de que realizáis actividades en escuelas y me gustaría recibir información más detallada sobre este tipo de programa tan interesante. Soy profesor de español y quiero hacer un taller de teatro con mis estudiantes pero no tengo experiencia suficiente para hacerlo yo solo, ¿podéis ayudarme?

Un saludo

Experiencia Teatral

Descripción del Programa

El Programa Experiencia Teatral tuvo sus inicios en 1996 con el deseo de servir a los niños y jóvenes estudiantes —hispanos y no hispanos— del área metropolitana. Con obras apropiadas 'en español en su escuela' los estudiantes reciben apoyo académico, cultural y tras-cultural.

Objetivos del programa

1 Exponer a los estudiantes al teatro en español.

2 Explorar áreas de nuestra herencia y acervo cultural.

3 Proveer a los estudiantes con ejemplos positivos de modelos hispanos.

4 Desarrollar el intercambio entre las culturas.

5 Proporcionar a los estudiantes un entorno seguro donde explorar su propia identidad.

6 Incentivar el interés por el arte de la representación.

Experiencia Teatral en las escuelas

• Previa a la presentación de la pieza en la escuela, ustedes los maestros reciben copia de la obra y guías de estudio correspondientes a la obra seleccionada con el vocabulario en español e inglés y aquellos términos específicos, claves para el mejor entendimiento y aprovechamiento de la experiencia teatral.

• También antes de las presentaciones, se ofrecen talleres preparatorios bilingües en los que se realiza una revisión del vocabulario y se practican ejercicios teatrales según y de acuerdo a las edades de los participantes. Estos talleres, particularmente, facilitan la inmersión de los participantes durante la representación. Y pueden llevarse a cabo en tantas clases como la escuela lo desee.

• La duración de una función en horario escolar es 40 a 50 minutos. La representación puede realizarse para toda la población de la escuela o en caso de que el estudiantado sea muy numeroso se ofrecen dos funciones seguidas. Generalmente las obras de nuestro repertorio inculcan más de una lección, moraleja o enseñanza.

• En nuestras guías de estudio se sugiere a los maestros actividades específicas que pueden ajustarse de acuerdo a los niveles y a las edades de los alumnos. Algunas de las actividades que pueden ustedes realizar son: escribir y enviar cartas y/o esquelas/ tarjetas a los personajes de la pieza (en español preferentemente), dibujar o reproducir gráficamente escenas de lo visto, conversar con los maestros acerca del tema de la obra.

(Adaptado de www.teatrodelaluna.org/homes/experiencia.htm) [último acceso 28.11.08]

Vocabulario

el acervo   *heritage*

la función   *performance*

inculcar   *to instill*

la moraleja   *moral (of a story)*

la esquela (*América Latina*)   *note*

B

Aquí tienes una lista de elementos que pueden aparecer en textos escritos o en mensajes orales. ¿Podrías identificar entre ellos las características más propias de los textos escritos?

1   Vocabulario técnico/específico al tema

2   Exclamaciones

3   Chistes

4   Datos

5   Frases hechas y refranes

6   Repeticiones

7   Lenguaje conciso

Actividad 3.6 _____

Ahora vamos a reflexionar un poco sobre el lenguaje de los dos textos que acabas de leer contestando a las siguientes preguntas.

1   ¿Qué tratamiento ("tú", "usted", etc.) aparece en los textos A y B?

2   ¿A quién está dirigido el texto A? ¿Y el texto B?

3   ¿Predomina el vocabulario específico en los dos textos?

4   Fíjate en las formas verbales y estructuras lingüísticas del texto B. ¿Crees que ayudan a acercar al lector o, por el contrario, lo distancian?

> ### *Textos informativos*
>
> Las características principales de este tipo de textos son:
>
> - uso de un lenguaje formal: por ejemplo, tratamiento de "usted" al dirigirse al destinatario del texto;
>
> - vocabulario específico relacionado con campos como la educación, el arte, la ciencia, la tecnología… ;
>
> - lenguaje conciso e impersonal (estructuras pasivas y formas no personales del verbo).

Actividad 3.7 _____

Después de leer toda la información, has decidido escribir una carta para hacer una reserva con el Teatro de la Luna para un grupo de estudiantes de español en tu escuela. Puedes referirte al texto 2 de la Actividad 3.5 para ayudarte a redactarla. Escribe tu carta siguiendo estas pautas (puedes elegir un tratamiento de "tú" o "usted", como prefieras):

- saludos y agradecimientos;

- pedir la reserva para un grupo de estudiantes (fechas posibles y obra elegida);

- pedir la guía de estudio para los profesores;

- pedir más información sobre el programa fuera de las escuelas para el futuro;

- despedida.

Autoevaluación

Una vez hayas terminado de escribir tu carta, repásala siguiendo las siguientes pautas.

- ¿Has utilizado un lenguaje formal (incluso si has usado un tratamiento de tú), con el vocabulario artístico y educativo adecuado?

- ¿Has incluido los datos necesarios?

- ¿Has usado un lenguaje conciso?

- ¿Has utilizado bien los signos de puntuación?

≡ Sillón de lectura

Actividad 3.8

Lee este fragmento de la novela *El capitán Alatriste* de Arturo Pérez-Reverte (Cartagena, 1951), ambientada en la España del siglo XVII, y contesta las preguntas.

Desde el monarca hasta el último villano, la España del Cuarto Felipe amó con locura el teatro. Las comedias tenían tres jornadas o actos y eran todas en verso, con diferentes metros y rimas. Sus autores consagrados, como hemos visto al referirnos a Lope, eran queridos y respetados por la gente; y la popularidad de actores y actrices era inmensa. Cada estreno o reposición de una obra famosa congregaba al pueblo y la corte, teniéndolos en suspenso, admirados, las casi tres horas que duraba cada representación; que en aquel tiempo solía desarrollarse a la luz del día, por la tarde después de comer, en locales al aire libre conocidos como corrales. Dos había en Madrid: el del Príncipe, también llamado de La Pacheca, y el de la Cruz. Lope gustaba de estrenar en este último, que era también el favorito del rey nuestro señor, amante del teatro como su esposa, la reina Doña Isabel de Borbón. Por más que el amor teatral de nuestro monarca [...] se extendiese también, clandestinamente, a las más bellas actrices del momento, como fue el caso de María Calderón, "la Calderona", que llegó a darle un hijo, el segundo don Juan de Austria.

El caso es que aquella jornada se reponía en el Príncipe una celebrada comedia de Lope, *El Arenal de Sevilla*, y la expectación era enorme. Desde muy temprana hora caminaban hacia allí animados grupos de gente, y al mediodía se habían formado los primeros tumultos en la estrecha calle donde estaba la entrada del corral [...]. Cuando llegamos el capitán y yo, se nos habían unido ya por el camino Juan Vicuña y el Licenciado Calzas, [...] y en la misma calle del Príncipe sumóse don Francisco de Quevedo [...] A las dos de la tarde, la calle del Príncipe y las entradas al corral eran un hervidero de comerciantes, artesanos, pajes, estudiantes, clérigos, escribanos, soldados, lacayos, escuderos y rufianes que para la ocasión se vestían con capa, espada y puñal, llamándose todos caballeros y dispuestos a reñir por un lugar desde el que asistir a la representación. A ese ambiente bullicioso y fascinante se sumaban las mujeres que con revuelo de faldas, mantos y abanicos entraban en la cazuela, y allí eran asaeteadas por los ojos de cuanto galán se retorcía los bigotes en los aposentos y en el patio del recinto. También ellas reñían por los asientos, y a veces hubo de intervenir la autoridad para poner paz en el espacio que les era reservado. En suma, las pendencias por conseguir sitio o entrar sin previo pago, las discusiones entre quien había alquilado un asiento y quien se lo disputaba eran tan frecuentes, que llegábase a meter mano a los aceros por un quíteme allá esas pajas, y las representaciones tenían que contar con la presencia de un alcalde de Casa y Corte asistido por alguaciles.

(Extractos de Pérez-Reverte, A. (2006) *El capitán Alatriste*, Madrid, Punto de lectura, pp.175–177)

Vocabulario

el estreno   *premiere*

la reposición   *rerun*

la corte   *court [= the royal court]*

sumóse   old or literary form of se sumó

la jornada   *(here:) day*

el hervidero   *(here:) a seething mass of people*

el paje   *page*

el escribano   *scribe*

el lacayo   *footman*

el escudero   *squire (= attendant to a knight, ranking above a page)*

el rufián   *scoundrel*

reñir   *to argue*

bullicioso,-a   *noisy*

asaeteadas por los ojos de   *assailed by the shooting glances of (lit: shot through by the eyes of)*

llegábase = se llegaba

meter mano a los aceros   *to reach for their swords*

por un quítame allá esas pajas   *over the slightest little thing*

el alguacil   *bailiff*

1   ¿Qué es lo que se describe en este fragmento?

2   ¿Te parece que el autor consigue hacernos vivir el ambiente de la época? ¿Por qué?

3   ¿Crees que el texto deja claro que ir al teatro era un pasatiempo para todo tipo de público en esa época?

Tema 4   Lo culto y lo popular

En este tema vas a conocer más de cerca varias manifestaciones artísticas de la cultura popular en el mundo de habla hispana; utilizaremos el término "popular" para referirnos a todas aquellas manifestaciones culturales que atraen a un público de masas. Ampliarás tu vocabulario para hablar de temas culturales y artísticos y además trabajarás con la función expresiva del lenguaje.

La ópera de Madrid

"La Preciosilla", la renombrada cupletista Manolita Tejedor Clemente (1893–1952)

Actividad 4.1 _____

En esta actividad vamos a acercarnos a un género de canción popular, la copla, que tuvo y sigue teniendo mucho éxito entre el público español y latinoamericano. Lee el texto con detenimiento y contesta las preguntas.

Concha Piquer (1908–1990), una de las mejores cantantes de copla

La copla

De modo habitual suele asociarse el género de la copla (o "tonadilla") a las figuras femeninas que lo interpretaron. La tonadillera, en definitiva, llega a ser desde el siglo XVIII como un emblema. Es la afirmación de lo popular frente a corrientes que se filtraban desde el extranjero en las modas hispanas. Es una celebración de esencias hondas y por ello gran parte del pueblo se identifica con la copla y hace de ella un ídolo. La tonadillera, desde el escenario, influye en las costumbres, en las modas y hasta en el lenguaje. No es, en resumen, una intérprete teatral, sino la encarnación de un sentimiento común, de un estado colectivo de ánimo. Esto es lo que da a su trabajo un sentido que casi podría llamarse social, al recoger de la calle y de la vida emociones, desenfados y sonrisas que son el verdadero sentir del pueblo. Letras del alma, del pueblo, de la calle se sintetizaron en microhistorias a veces desgarradoras, a veces misteriosas y a veces llenas de alegría. Letras de los poetas Quintero, Raffles, Rafael de León y muchos otros. Y a los que pusieron música compositores como Padilla, Penella o Quiroga.

Son centenares las intérpretes que han inundado los escenarios de todos los teatros de España y Latinoamérica, entre las que hay que destacar a Pastora Imperio, Raquel Meller, Estrellita Castro, Concha Piquer, Imperio Argentina, Lola Flores, y muchas otras.

(Adaptado de Andrés Peláez, *Catálogo de la exposición '100 años de copla, 100 años de Concha Piquer'*, Museo Nacional del Teatro, Almagro)

"La Goya" (Aurora Mañanos Jauffret, 1891–1950), tonadillera famosa

Vocabulario

la tonadilla *type of popular song*

hondo,-a *deep*

la encarnación *embodiment*

el desenfado *carefree spirit*

desgarrador,-a *heartbreaking*

la letra (*here:*) *lyrics*

1 ¿Con qué se asocia el género de la copla?

2 ¿Está la copla española relacionada con algún tipo de canción extranjera?

3 ¿En qué aspectos de la vida influye la cantante de copla desde el escenario?

4 En su trabajo como intérprete, ¿qué recoge de la calle la cantante de copla?

5 ¿Qué tipo de historias se cuentan en las coplas?

6 ¿Quién compone la letra y la música de estas canciones?

Actividad 4.2 _____

En esta actividad vas a conocer una de las coplas más famosas y representativas de este género de la canción popular española.

A

Primero vas a centrarte en quién cuenta la historia y cómo lo hace. La canción está dividida en tres estrofas y el estribillo se repite dos veces con una pequeña variación en su contenido. Léela en voz alta, fijándote en cómo riman los versos y describe brevemente quién habla y qué se cuenta en cada una de las partes. La primera está hecha como ejemplo.

Estrofa 1: *La cantante/narradora cuenta (en tercera persona) al público cómo conoció al protagonista masculino de la historia y lo describe.*

Estribillo 1:

Estrofa 2:

Estribillo 2:

Estrofa 3:

Tatuaje

(Estrofa 1)
Él vino en un barco de nombre extranjero,
lo encontré en el puerto un anochecer
cuando el blanco faro sobre los veleros
su beso de plata dejaba caer.
Era hermoso y rubio como la cerveza,
el pecho tatuado con un corazón.
En su voz amarga había la tristeza,
doliente y cansada, del acordeón.
Y entre dos copas de aguardiente
sobre el manchado mostrador,
él fue contándome entre dientes
la vieja historia de su amor:

(Estribillo 1)
Mira mi brazo tatuado
con este nombre de mujer.
Es el recuerdo del pasado
que nunca más ha de volver.
Ella me quiso, y me ha olvidado,
en cambio yo no la olvidé,
y para siempre voy marcado
con este nombre de mujer.

(Estrofa 2)
Él se fue una tarde con rumbo ignorado
en el mismo barco que lo trajo a mí,
pero entre mis labios se dejó olvidado
un beso de amante que yo le pedí.
Errante lo busco por todos los puertos;
a los marineros pregunto por él,
y nadie me dice si
está vivo o muerto
y sigo en mi duda, buscándolo fiel.
Y voy sangrando lentamente,
de mostrador en mostrador,
ante una copa de aguardiente
donde se ahoga mi dolor.

(Estribillo 2)
Mira tu nombre tatuado
en la caricia de mi piel,
a fuego lento lo he marcado
y para siempre iré con él.
Quizá ya tú me has olvidado,
en cambio, yo no te olvidé,
y hasta que no te haya encontrado
sin descanso te buscaré.

(Estrofa 3)
Escúchame, marinero,
Y dime: ¿qué sabes de él?
Era gallardo y altanero,
y era más dulce que la miel.
Mira su nombre de extranjero
escrito aquí, sobre mi piel.
Si te lo encuentras, marinero,
dile que yo muero por él.

(Letra de Quintero, León y Quiroga, 1941)

Vocabulario

el tatuaje   *tatoo*

el faro   *lighthouse*

el velero   *sailing boat*

el mostrador   *bar counter*

la caricia   *caress*

gallardo,-a   *striking, good-looking*

altanero,-a   *(here:) proud*

B

Se ha dicho de la copla que es un drama breve. Vuelve a leer el texto y resume brevemente las distintas partes de la acción que componen la trama en tus propias palabras.

Tema: Historia circular de amores imposibles.

Principio:

Nudo:

Desenlace:

C

Ahora vas a concentrarte en el estilo en que está escrita la canción. Si te fijas verás que las descripciones de personas y objetos se hacen utilizando distintos recursos lingüísticos. Rellena la tabla con los ejemplos que encuentres de descripción de objetos en donde se intercambia el orden habitual "sustantivo + adjetivo" y con descripciones del marinero a través de comparaciones.

Adjetivo + sustantivo	Comparaciones
blanco faro	

D

Otra forma de describir algo es utilizando metáforas. Por ejemplo, en el texto se habla del "beso de plata" para referirse a cómo ilumina el faro los veleros. El título de la canción, *Tatuaje*, actúa también como una metáfora. ¿A qué emoción crees que hace referencia?

Actividad 4.3

En esta actividad vas a conocer al artista mexicano José Guadalupe Posada. Su obra es un buen ejemplo de los vínculos que existen entre lo culto y lo popular.

A

Haz una lectura rápida del texto y relaciona la lista de frases que resumen el contenido principal de cada párrafo con su párrafo correspondiente.

Ejemplo

párrafo (a) = (iii) obra dirigida a la prensa de los trabajadores durante la Revolución

(i)   Tipo de personajes y emociones que provoca su obra.

(ii)   Símbolos populares mexicanos utilizados por el artista.

(iii) Obra dirigida a la prensa de los trabajadores durante la Revolución.

(iv) Características plásticas de su obra.

(v) Descripción de su obra: tipo de historias y personajes.

(vi) Relación con el movimiento muralista y reconocimiento a su obra.

(vii) Aspectos de la sociedad mexicana que critica y describe.

(viii) Razones por las que fue rechazado por la academia artística.

José Guadalupe Posada

(a) Desde el estallido de la Revolución de 1910 hasta su muerte en el año 1913, el maestro Posada trabajó incansablemente en la prensa dirigida a los trabajadores que constituye hoy una crónica de la sociedad y la política de su época.

(b) La obra de Posada es muy grande y variada. Se puede apreciar su calidad plástica en las composiciones llenas de movimiento y la fuerza que da al gesto de los personajes y escenas que reproduce. El trazo variaba según el mensaje que quería transmitir; puede ser difuminado, suave y armonioso, sobre todo en escenas cotidianas y anuncios, o duro y grueso, transmitiendo la tensión del asunto violento y de la denuncia.

(c) Los personajes, apoyándose de los textos chuscos y venenosos de las noticias, se muestran mezquinos, cobardes, dignos o cómicos, según sea el caso. Es una experiencia adentrarse a las obras de Posada, ya que inevitablemente provocan la risa, la curiosidad, el horror y la indignación.

(d) José Guadalupe Posada es considerado como artista "popular" porque provenía del pueblo y alimentó su obra del imaginario popular mexicano y porque hizo de él mismo su público. Tomó también símbolos populares como los animales ponzoñosos, culebras y serpientes, esqueletos, el fuego, el rayo y la sangre, entre otros.

(e) Posada es un maestro del Arte Mexicano, a pesar de haber sido rechazado en su época por algunos artistas académicos. Y es que sus estampas, en las que el artista presentaba el verdadero rostro de la realidad mexicana (caótica, pasionaria, llena de muerte, aunque al mismo tiempo llena de vida), chocaban de frente con la corriente de pensamiento que vivía el país a fines del siglo XIX, en la que la ciencia y la razón lo llevarían al progreso y a las buenas costumbres.

(f) Las imágenes criticaban, con un atrevido humor negro, la desigualdad e injusticia social que existía en la sociedad de Porfirio Díaz; cuestionaba su moralidad y su culto por la modernidad. Describió con originalidad el espíritu del pueblo mexicano desde los asuntos políticos, la vida cotidiana, su terror por el fin de siglo y por el fin del mundo, además de los desastres naturales, las creencias religiosas y la magia.

(g) Las obras van del chisme cómico a la noticia trágica, del suceso real a la narración fantástica. Ilustró corridos, historias de crímenes y pasiones, de aparecidos y milagros.

Retrató y caricaturizó a todo tipo de personajes: revolucionarios, políticos, borrachos, militares, catrines, damas elegantes, charros, toreros y obreros. Además ilustró las famosas "calaveras" (versos con alusión a la muerte que se ilustraban con esqueletos personificados de personas aún vivas). La muerte, decía Posada, era democrática, ya que a fin de cuentas, güera, morena, rica o pobre, toda la gente acabaría siendo calavera.

(h) Posada es una vena vital del arte mexicano del siglo XX comenzando por el movimiento muralista, y por artistas como Diego Rivera y José Clemente Orozco, quienes admitieron en su tiempo ser admiradores y seguidores de este gran artista popular.

(http://es.wikipedia.org/) [último acceso 28.11.08]

Vocabulario

el grabador   *engraver, printmaker*

el trazo   (*here:*) *stroke*

el gesto   *gesture*

chusco,-a   (*here:*) *racy*

el imaginario   *imaginary (= collective imagination or belief system embedded in a culture)*

ponzoñoso,-a   *venomous/poisonous*

el chisme   *gossip*

el corrido   *type of Mexican popular song*

el catrín   *dandy*

el charro   *Mexican cowboy (skilled horseman)*

güero,-a (*México*)   *fairhaired*

la calavera   *skull*

B

Ahora vas a trabajar con el vocabulario. Primero, clasifica las palabras separando las que expresan características de personajes y las que expresan las emociones que provocan.

> mezquinos • cobardes • horror •
> dignos • cómicos • risa • curiosidad •
> indignación

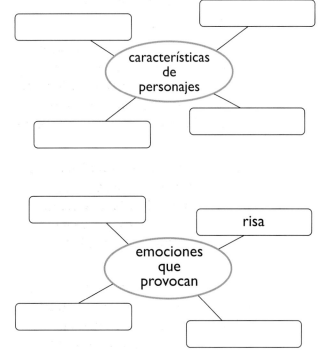

C

En el párrafo (e) del texto se habla de las razones por las que Posada fue rechazado por algunos artistas académicos de la época. Busca en este párrafo las palabras que ilustran las diferencias entre la realidad mexicana presentada por el artista y el pensamiento dominante de la época. Añádelas al dibujo correspondiente. Las dos primeras están hechas como ejemplos.

La realidad mexicana

Pensamiento dominante del s. XIX

Los dos rostros de México

El Porfiriato y la Revolución Mexicana

La era de gobierno de Porfirio Díaz desde 1876 hasta 1911 es conocida en la historia de México como el Porfiriato. El régimen de Díaz fue una dictadura feroz caracterizada por el desarrollo de la industria y la modernización a costa de las clases trabajadoras y los campesinos, que sufrieron una terrible explotación. En nombre del progreso se sacrificaron las libertades civiles, mientras que la riqueza, el poder político y la educación se concentraron en unas cuantas familias, en su mayoría de origen europeo. La mayoría de la población mexicana no tenía tierras y los campesinos estaban totalmente desamparados por la ley. De esta situación desesperada surgieron varios líderes como Madero, Pancho Villa y Emiliano Zapata que lanzaron una rebelión contra Díaz que terminó en la Revolución Mexicana, cuya fase armada duró del 1910 al 1920. La revolución se convirtió en una lucha por causas sociales como la reforma agraria, justicia social y educación. La culminación de la revolución armada se dió con la Constitución Política de los Estados Unidos Mexicanos de 1917, el logro más alto de la revolución y que aún rige al México de hoy. El ideal de la revolución era crear una ciudadanía moderna con derechos y alfabetismo.

(Adaptado y resumido de: http://es.wikipedia.org/) [último acceso 28.11.08]

Escritorio

En esta sesión vas a conocer la excelente calidad y variedad del nuevo cine mexicano, y aprenderás a escribir reseñas de películas. También trabajarás con reseñas de libros breves y vocabulario referente a géneros literarios distintos.

Actividad 4.4

Vas a trabajar con una serie de reseñas de libros que pertenecen a distintos géneros literarios.

A

Lee estos breves textos y señala a qué género (novela, poesía, cuento, etc.) pertenece cada libro, subrayando las palabras que asocies con él, como en el ejemplo. Busca en tu diccionario bilingüe las palabras que desconozcas.

Ejemplo

Crónica de una muerte anunciada, séptima <u>novela</u> de Gabriel García Márquez, se publicó en 1981. Se trata de su <u>obra</u> más <u>realista</u>. La <u>acción</u> es a un tiempo colectiva y personal, clara y ambigua, y se cumple en ella el tour de force de atrapar al lector desde el principio de una <u>trama</u> cuyo <u>desenlace</u> ya conoce.

Género: novela

1 *Primavera con una esquina rota* es una narración de una sociedad fracturada por el autoritarismo. En la novela cada personaje asume su expresión, su lenguaje y su estilo. Entremezclados con la ficción hay varios capítulos que son constancias de hechos acontecidos.

2 Además de la obra *Bodas de sangre*, este libro contiene *Yerma* y *La casa de Bernarda Alba*. Estas tres tragedias se desarrollan en la Andalucía rural y todas ellas ponen en escena fuertes sentimientos.

3 Neruda escribe en su *Canto General* unos versos solidarios y comprometidos. Su influencia en la poesía de la Generación del 27 española es fundamental. Sus rimas y estrofas siguen haciendo vibrar a los jóvenes de hoy.

4 La colección *Cuentos de la media luna*, al igual que los cuentos tradicionales, desarrolla la imaginación y la fantasía de los niños. Narra de manera muy atractiva experiencias cotidianas en contextos fantásticos.

5 *Mortadelo y Filemón*: Esta colección nos trae a la actualidad aquellas viñetas tan atractivas y divertidas de estos dos personajes de los tebeos de nuestra infancia. Te reirás y pasarás un buen rato.

B

Ahora une los siguientes términos literarios con su definición correspondiente.

Definiciones

(a) trama

(b) desenlace

(c) novela

(d) narrativa

(e) estrofa

(f) cuento

(i) Final de una acción o de la trama de una novela, película u obra de teatro.

(ii) Cada una de las partes de la composición poética formada por un determinado número de versos ordenados según un modelo.

(iii) Argumento de una obra de teatro, novela o película.

(iv) Breve narración de hechos fantásticos o ficticios y de carácter sencillo con intenciones moralizadoras y de diversión.

(v) Obra literaria de cierta extensión, en prosa, en la que se narra una historia o un suceso, en gran medida inventados.

(vi) Género literario en prosa al que pertenecen la novela, la novela corta y el cuento.

Actividad 4.5

Lee el siguiente texto, que te informará sobre el panorama general del nuevo cine mexicano. Subraya las palabras y expresiones que se utilizan para hablar sobre el cine, y clasifícalas en la tabla a continuación.

Personas del mundo del cine	Tipo de película	Premios y recaudación económica
	ópera prima	

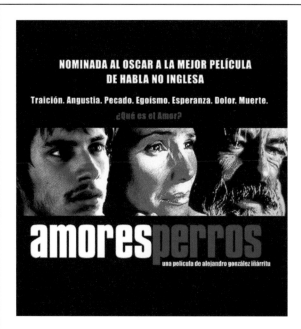

NOMINADA AL OSCAR A LA MEJOR PELÍCULA
DE HABLA NO INGLESA

Traición. Angustia. Pecado. Egoísmo. Esperanza. Dolor. Muerte.

¿Qué es el Amor?

amores perros

una película de alejandro gonzález iñárritu

El nuevo cine mexicano

Después de una etapa de decadencia artística y económica, el cine mexicano comenzó a resurgir en la década de los noventa, gracias sobre todo al esfuerzo de los cineastas para levantar sus proyectos y al apoyo del gobierno por medio del Instituto Mexicano de Cinematografía (IMCINE).

Durante esta fase de desarrollo, aún vacilante, el cine mexicano ha logrado el mayor reconocimiento internacional de su historia con la obtención de un buen número de premios en festivales. Ejemplos de ello son *La invención de Cronos* (1992) , ópera prima de Guillermo del Toro, y *Amores perros* (1999), primer largometraje de Alejandro González Iñárruti, que ganaron premios en la Semana de la Crítica en el Festival de Cannes. En 2001 *Y tu mamá también*, de Alfonso Cuarón, triunfó en el Festival de Venecia, conquistando dos galardones.

Por lo que se refiere al aspecto comercial, se consiguió recuperar al público de clase media y se rompieron récords de taquilla. *Como agua para chocolate* (1990) de Alfonso Arau fue un éxito en México y recaudó casi 22 millones de dólares en los Estados Unidos. Por su lado, *El crimen del padre Amaro* (2002), de Carlos Carrera, favorecida por el escándalo político-religioso, se convirtió en la película más taquillera de la historia del cine mexicano.

Han surgido además nuevos actores, que como Salma Hayek o Gael García Bernal han alcanzado después renombre internacional. A su vez, las condiciones de la industria del cine en México han provocado lamentablemente una fuga de talentos. Los directores Luis Mandoki, Arau, del Toro, Cuarón y González Iñárritu iniciaron una carrera en Hollywood, gracias a la cual sus interesantes películas están llegando a mucha más gente.

Toma de *El Crimen del Padre Amaro*

(Resumido y adaptado de "El cine mexicano postindustrial (1997–2002)" por Juan Carlos Vargas. Portal del cine y el audiovisual latinoamericano y caribeño, www.cinelatinoamericano.org/) [último acceso 28.11.08]

Vocabulario

resurgir   *to revive*

vacilante   *uncertain, hesitant*

el renombre   *fame, renown*

la taquilla   *box office*

Actividad 4.6

En esta actividad vas a analizar la reseña de una película.

A

Lee ahora la siguiente reseña de la película mexicana *Y tu mamá también*.

Y tu mamá también

Dirección y producción: Alfonso Cuarón

País: México

Año: 2000

Duración: 105 min.

Interpretación: Maribel Verdú (Luisa), Gael García Bernal (Julio), Diego Luna (Tenoch)

Guión: Alfonso Cuarón y Carlos Cuarón

Fotografía: Emmanuel Lubezki

El director Alfonso Cuarón regresa a su país natal, México, para crear una obra ligera en su contenido pero profunda por su fondo, que retrata fielmente la mezcla de apatía y hedonismo que marca a la generación joven. Es además una *road movie* que resulta sumamente entretenida, humorística y hasta incisiva en sus comentarios sobre ideologías contemporáneas.

Tenoch y Julio son dos jóvenes mexicanos, inseparables amigos de diferente clase social pero similar ideología, que en una boda conocen a Luisa, una atractiva mujer española esposa del primo de uno de los muchachos. Por impresionarla la invitan a un imaginario viaje que Tenoch y Julio supuestamente van a emprender. Ella no les hace mucho caso pero por ciertas circunstancias en su vida, Luisa decide posteriormente aceptar la invitación. Los jóvenes, sorprendidos, no tienen más remedio que organizar el viaje a la mítica playa de Boca del Cielo para que Luisa no se dé cuenta de la mentira. En el viaje el trío experimentará un torbellino de emociones que los cambiará profundamente.

En cuanto a los actores, Diego Luna y Gael García Bernal como Tenoch y Julio, respectivamente, presentan actuaciones poco refinadas y en ocasiones algo exageradas, pero desde luego energéticas. Maribel Verdú interpreta a Luisa con gran lucimiento. Un aspecto interesante del guión es el uso de la jerga juvenil mexicana del momento, y el contraste entre la lengua que hablan los muchachos mexicanos y la mujer española, ya en la treintena.

En resumen, *Y tu mamá también* es una buena muestra del cine mexicano, de tono travieso pero significado profundo, que recomiendo a todas las personas interesadas en películas que se salen de lo común.

(Adaptado de La Butaca.net www.labutaca.net/films/42/babel.htm. Crítica de: Pablo del Moral Cinencanto. com, México) [último acceso 29.3.08]

Vocabulario

el país natal   *country of origin*

retratar   *to portray*

emprender un viaje   *to undertake / set out on a journey*

no tener más remedio que   *to have no choice but to*

darse cuenta de   *to realise something, to notice something*

el torbellino   *whirlwind*

hacer algo con lucimiento   *to do something outstandingly well / brilliantly*

Las reseñas de cine

- Lenguaje y vocabulario relacionados con el cine y el arte.

- Inclusión al inicio de la ficha técnica con los datos de la película: director, año, país, guionista, actores, fotografía.

- Estructura: introducción, resumen del argumento sin revelar ni los detalles más importantes de la trama ni el final, comentarios críticos sobre aspectos como la actuación de los protagonistas o los temas que se tratan, y una conclusión que puede incluir o no la recomendación.

- Importancia de destacar los detalles más sobresalientes de la película, sin olvidar comentar también posibles deficiencias, tal vez procurando animar al lector a ver la película.

B

Ahora subraya los adjetivos y expresiones que se utilizan para describir esta película, y agrúpalos en esta tabla que viene a completar el paso anterior.

Adjetivos y expresiones para describir películas
obra ligera en contenido

C

Por último, escribe al lado de cada párrafo el asunto que trata, y considera si se corresponde con las características dadas para la estructura de una reseña.

Actividad 4.7

Una reseña es un texto crítico que por lo general valora positiva y negativamente diferentes aspectos de una obra, según el criterio del autor.

A

Lee el siguiente texto sobre la película *Babel* e identifica las frases que alaban determinados elementos de esta película y aquéllas que critican otros que, en opinión del escritor, son más discutibles. En ocasiones se mezclan en una misma frase juicios positivos y negativos, con el objeto de presentar una crítica constructiva y respetuosa. Identifica también estos ejemplos.

Juicios positivos	
Juicios negativos	
Mezcla de juicios positivos y negativos en una misma frase	

Babel

Ficha técnica

Dirección: Alejandro González Iñárritu

País: EE.UU.

Año: 2006

Duración: 143 minutos

Interpretación: Brad Pitt (Richard), Cate Blanchett (Susan), Gael García Bernal (Santiago), Adriana Barraza (Amelia)

Guión: Guillermo Arriaga; basado en un argumento de Guillermo Arriaga y Alejandro González Iñárritu

Argumento:

La película entremezcla cuatro historias que al final resultan estar estrechamente relacionadas. En las lejanas arenas del desierto de Marruecos suena un disparo que desencadena una serie de acontecimientos fortuitos que servirá para conectar a una pareja estadounidense en su desesperada lucha por sobrevivir, a una niñera que cruza la frontera de México ilegalmente con dos niños estadounidenses, y a una adolescente japonesa sorda y rebelde a cuyo padre parece buscar ahora la policía. A pesar de las enormes distancias y de las culturas tan antagónicas que los separan, estos cuatro grupos de personas comparten un destino de aislamiento y de dolor.

Precisamente uno de los aspectos más interesantes de la película es el desarrollo de la idea del "efecto mariposa", según el cual un único acontecimiento inicial produce una cadena de sucesos en diferentes lugares del mundo. Así se resalta la condición del individuo dentro de un planeta repleto de culturas dispares. Sin embargo, esta inteligente idea se traduce en una estructura artificiosa y lenta. Además, este esquema aparecía ya en otras películas del director, como *Amores perros* y *21 gramos*, con las que *Babel* conforma una trilogía. Por esta razón puede resultarle un poco repetitiva al espectador familiarizado con la obra de Iñárritu.

En cuanto a la interpretación, destaca una fantástica Adriana Barraza. Brad Pitt y Cate Blanchett dan una imagen sobria, pero un poco fría, mientras que Gael García Bernal se manifiesta meramente correcto.

En conclusión, *Babel* es una película típica del cine elaborado tras el 11 de septiembre, donde la vida de estas personas de diferentes orígenes y mentalidades se transforma radicalmente en tan sólo unas horas a causa de una casualidad o un pequeño error. Un largometraje reflexivo, pero aparatoso, que con todo se muestra comprometido con el hombre contemporáneo.

(Adaptado de www.labutaca.net/films/42/babel.htm. Críticas de Joaquín R. Fernández y Julio Rodríguez Chico) [último acceso 20.3.08]

Vocabulario

entremezclar   *to intermingle, to mix up*

desencadenar   *to unchain*

fortuito,-a   *accidental*

el aislamiento   *isolation*

repleto,-a   *full up*

dispar   *very different, disparate*

traducirse en   *to result in, to mean in practice, to entail*

aparatoso,-a   *showy, exaggerated, pretentious*

comprometido,-a   (*here:*) *committed*

La crítica negativa pero constructiva y respetuosa

En ocasiones los juicios negativos y positivos se llegan a mezclar en una misma frase, como una manera de suavizar la crítica y destacar ante todo los elementos más admirables de una obra. Es frecuente utilizar conectores como *sin embargo, pero, ante todo*, etc.

Aquí tienes algunos ejemplos:

Sin embargo, esta inteligente idea se traduce en pantalla en una estructura artificiosa y lenta.

Brad Pitt y Cate Blanchett dan una imagen sobria, **pero** un poco fría.

B

Completa la siguiente reseña con la palabra o expresión más adecuada.

pero • a pesar • sin embargo • apenas •
según • con todo

El crimen del Padre Amaro es una película profunda, _____ un tanto siniestra, que mezcla de forma polémica los temas del aborto ilegal y la vivencia que tiene del sexo un sacerdote joven y ambicioso en México.

Uno de los aspectos más interesantes de este largometraje es el tratamiento de un asunto, las relaciones sentimentales entre un cura católico y una muchacha, que remite a grandes obras literarias como *La Regenta* o *Pepita Jiménez*. Este planteamiento se traduce en una película inusual en el cine contemporáneo, que _____ a un público mayoritario le puede resultar lejana.

_____ , *El crimen del Padre Amaro* constituye una de las aportaciones más valiosas del reciente cine mexicano.

Actividad 4.8

Ahora tienes la oportunidad de escribir la reseña de una película que hayas visto recientemente, o a la que tengas un aprecio especial. Utiliza como base el siguiente esquema, procurando utilizar el vocabulario y las estructuras que has aprendido en esta sesión. Intenta introducir juicios positivos y negativos, de forma respetuosa y constructiva.

- Título
- Ficha técnica
- Argumento
- Comentarios críticos sobre el tema, la actuación de los actores, la estructura...
- Conclusión, con la posible recomendación y las razones

Autoevaluación

Una vez hayas terminado de escribir tu reseña, repásala siguiendo las siguientes pautas.

- ¿Has basado tu reseña en la estructura dada?
- ¿Has incluido la valoración de los diferentes elementos de la película?
- ¿Has procurado suavizar tus críticas negativas y presentarlas de una forma respetuosa?
- ¿Has incluido una conclusión?
- ¿Has utilizado el vocabulario y las estructuras analizadas en esta sesión?

Sillón de lectura

Actividad 4.9

Aquí tienes un extracto de la novela *El beso de la mujer araña* del autor argentino Manuel Puig (General Villegas, provincia de Buenos Aires, 1932 – Cuernavaca, México, 1990) y de la cual existe una versión cinematográfica en inglés.

La estructura de la novela es una conversación entre dos presos encarcelados en Argentina por ser homosexual uno, y el otro por ser activista político. Para pasar el tiempo, uno de ellos le cuenta al otro películas que recuerda.

Lee el texto y contesta la pregunta: ¿A qué momento histórico en París se hace referencia sutilmente en el texto?

[...]

—pero el auto queda destrozado. Se reúne con su grupo y les dice que todo se acabó, que ya no tiene dinero para construirse otro auto, y se va a Montecarlo, ahí cerca, donde está el padre, en un yate con una mina más joven, despampanante. Mejor dicho el padre recibe el llamado del hijo en el yate, y se dan cita en la terraza de la suite del viejo en el hotel donde está parando. Y la mina no está porque el viejo tiene escrúpulos con el hijo, se ve que lo quiere mucho porque se pone contento cuando recibe la llamada. El hijo lo que piensa es pedirle más dinero pero no está decidido, le da vergüenza ser un vago que no hace nada, pero cuando se encuentra con el viejo el padre lo abraza con tanto cariño y le dice que no se preocupe por la destrucción del coche, que ya pensará cómo hacer para que el hijo se haga con otro auto, aunque le da miedo que corra y arriesgue la vida. Entonces el hijo le dice que ese tema ya lo han tratado, y claro, porque el padre lo empujó a que se metiera en las carreras, sabiendo que era la gran pasión del muchacho, así se alejaba de los centros políticos de estudiantes de izquierda, porque el muchacho estudiaba en París, filosofías de la política.

—Ciencias políticas.

—Eso es. Y entonces el padre le pregunta por qué no corre para una marca de autos conocida, intentando una vez más encarrilarlo al hijo en una cosa segura. Entonces el hijo se pone mal, porque le dice al padre que ya bastante logró con sacarlo del ambiente de París, y que mientras estaba enfrascado en la construcción del auto se había olvidado de todo, pero que eso de ponerse al servicio de esos pulpos internacionales de la industria, ¡no!, entonces el padre le dice lo que nunca debió decirle, y es que cuando lo oye hablar así de enfurecido le recuerda a su ex esposa, la madre del muchacho, tan apasionada, tan idealista, total para qué... para terminar como terminó... Entonces el muchacho da media vuelta para irse, y el padre arrepentido le dice que se quede, que él le va a dar todo el dinero necesario para armarse coche nuevo, y qué se yo, pero el hijo, que se ve que tiene una debilidad especial por la madre, se va dando un portazo. El padre queda pensativo, realmente muy preocupado, mirando por la terraza el muelle divino de Montecarlo con todos los yates iluminados, todos bordeados de lamparitas en los mástiles y las velas, un sueño, y en eso suena el teléfono y es esa mina joven, y el viejo se disculpa y le dice que esa noche no irá al casino, que tiene un grave problema y tratará de resolverlo.

(Puig. M. (1976) *El Beso de la Mujer Araña*, Barcelona, Seix Barral, Biblioteca de Bolsillo, pp.119 y 120)

Vocabulario

el yate   *yacht*

la mina (Argentina, argot)   *young woman*

despampanante   *stunning*

darse cita   *to arrange to meet*

arriesgar   *to risk*

encarrilar   (*here:*) *to direct, to guide*

enfrascado,-a   *absorbed*

arrepentido,-a   *feeling sorry, regretful*

Historia

En esta unidad hablaremos de historia, tanto de España como de Latinoamérica. Además de las culturas musulmana y judía en España, tendrás oportunidad de acercarte a las civilizaciones inca, maya y azteca y conocerás a algunos personajes históricos importantes. Vas a familiarizarte con distintos estilos narrativos como la leyenda, el cuento, la fábula y otros géneros como los corridos mexicanos y los romances.

Practicarás cómo escribir diarios personales y blogs, y cómo describir y narrar en el pasado, más el uso de recursos estilísticos como las comparaciones, analogías y metáforas.

Tapiz medieval en la Catedral de Zamora

Tema 5 Ciudades con historia

En este tema vamos a hablar de historia. Repasaremos algunas fechas importantes de la historia de España y estudiaremos cómo era la vida en la España musulmana, particularmente en la ciudad de Córdoba. También conocerás algunos aspectos de la comunidad judeo-española. Para poder desarrollar estos temas, vas a practicar el presente histórico, el pretérito indefinido, el imperfecto, y los marcadores temporales. Además, ampliarás tu vocabulario sobre Historia y pondrás en práctica distintas maneras de formar sustantivos en español.

Actividad 5.1

En esta actividad vamos a centrarnos en el pasado histórico de España.

A

Mira estas fotografías y relaciona cada una de ellas con el periodo histórico al que corresponden.

(i)   la época prehistórica

(ii)   la época ibera

(iii)   la colonización romana

(iv)   la ocupación árabe

(v)   la conquista de América

(vi)   el siglo XX

(a) el Acueducto de Segovia

(b) la Mezquita de Córdoba

(c) las cuevas de Altamira

(d) el Museo Guggenheim de Bilbao

(e) la Dama de Elche

(f) la estatua de Colón en Barcelona

B

Ahora lee el siguiente texto e identifica cuáles de los periodos históricos del paso A se mencionan.

Breve introducción a la historia de España

España es el resultado de la fusión de múltiples civilizaciones que desde la antigüedad se asentaron en sus tierras.

De los pueblos primitivos que se establecen en la Península Ibérica, los iberos nos legan, además de una predilección por la producción del vino y del aceite de oliva, el nombre de Iberia, con el que se conocía a la Península en la antigüedad. Los fenicios, que provienen del Mediterráneo oriental (actual Israel y Siria), se asientan en el sur en el siglo XI a.C. y nos dejan el alfabeto que, con algunas modificaciones, utilizamos hoy en día. Hacia el año 900 a.C. entran los celtas en la Península por el norte.

En el siglo V a.C. los cartagineses, que provienen de Cartago (actual Túnez), suplantan a los fenicios y griegos en el dominio del Mediterráneo y permanecen en la Península durante tres siglos hasta la invasión romana en el año 218 a.C. El proceso de romanización de Hispania, nombre romano de la Península, no se completa hasta dos siglos más tarde. De los romanos hemos heredado la lengua, la religión, el Derecho, e innumerables muestras de su arquitectura e ingeniería: puentes, acueductos, carreteras, sistemas de irrigación, teatros, anfiteatros, baños, etc.

En el año 409 d.C. los romanos son derrotados por las tribus germánicas y durante tres siglos la monarquía visigoda, con su capital en Toledo, reinará en la Península. A pesar de su largo reinado, los visigodos aportan poco a la cultura hispánica y son considerados históricamente como un puente de transición entre los romanos y los árabes.

En el año 711 unas tribus bereberes del norte de África pasan a Gibraltar y en sólo unos años los árabes invaden toda la Península, excepto por unos focos de resistencia cristianos en las montañas del norte. En los ocho siglos de presencia árabe en la Península la frontera entre los reinos cristianos y los dominios islámicos irá descendiendo hacia el sur de la Península, hasta el año 1492 en que el último bastión islámico, Granada, capitula. A este proceso de progresiva expansión de los territorios cristianos arrebatados a los árabes se le llama la Reconquista. El año 1492 es un año clave en la historia de España: marca el final de la Reconquista por los Reyes Católicos, Isabel de Castilla y Fernando de Aragón, tiene lugar la expulsión de los judíos, y Colón divisa por primera vez tierras americanas.

Vocabulario

asentarse	*to settle*	derrotar	*to defeat*
legar	*to bequeath*	aportar	*to contribute*
suplantar	*to replace*	arrebatar	*to snatch*
el Derecho	*Law*	divisar	*to sight*

Apuntes

El presente histórico

El presente histórico es más frecuente en español que en inglés. Se usa para narrar acontecimientos históricos.

> En el año 711 unas tribus bereberes del norte de África **pasan** a Gibraltar y en sólo unos años los árabes **invaden** toda la Península.

Da fuerza a la narración en libros de historia y en textos periodísticos.

> Al ver a los ladrones, el guarda **se esconde** y **llama** a la policía. Cinco minutos más tarde, **llegan** los agentes al banco.

Puede aparecer mezclado con otros tiempos del pasado.

> Malintzin nació [pretérito indefinido] a finales del siglo XVI. Era [imperfecto] la hija de un cacique azteca. En 1519 la **regalan** [presente histórico] como esclava a Hernán Cortés, que la usó [pretérito indefinido] como intérprete.

 Para más información consulta tu libro de gramática.

C

De acuerdo con el texto que has leído anteriormente relaciona cada una de las culturas con las cosas que aportaron.

los iberos — el alfabeto

la lengua

puentes, acueductos y carreteras

los fenicios — la producción del aceite de oliva

el Derecho

la producción del vino

los romanos — la religión

D

Ahora completa las siguientes frases utilizando las expresiones de tiempo adecuadas. Hay una expresión que se usa dos veces.

Ejemplo

Los celtas llegan a la Península *hacia* el año 900 a.C.

> después de • durante • hasta • en • desde... hasta • entre • alrededor de

(a) Los fenicios colonizaron la Península _____ la llegada de los cartagineses en el siglo V a.C.

(b) Los cartagineses poblaron la Península _____ los siglos V y III a.C.

(c) Los romanos llegaron a la Península en el año 218 a.C. y dominaron a celtas e iberos _____ dos siglos.

(d) _____ la invasión romana en 218 a.C., se inició el proceso de romanización de Hispania.

(e) El proceso de romanización duró _____ dos siglos.

(f) Los visigodos reinaron en la Península _____ el siglo V _____ el siglo VIII.

(g) Los árabes permanecieron en la Península _____ el año 711 _____ el 1492.

(h) Colón llegó a América _____ el año 1492.

Apuntes

Fechas históricas

Para indicar los siglos se usan números romanos.

> En **el siglo XV** España terminó el proceso de Reconquista (pronunciado "siglo quince").

Se usan las siglas a.C. para indicar que una fecha es antes de Cristo y d.C. para indicar que es después de Cristo.

> Los celtas entraron en la Península hacia el año **900 a.C.**

> Los romanos fueron derrotados por los germanos en el año **409 d.C.**

El artículo "el" se usa cuando las fechas son:

- antiguas o significativas: en **el** (año) 1492.
- posteriores al siglo veinte: en **el** dos mil dos (2002) / en **el** dos mil catorce (2014).

Actividad 5.2

En esta actividad vas a practicar el uso de algunos mecanismos para crear palabras.

A

A continuación tienes una lista con información destacada de la historia medieval española en orden cronológico. Léela y busca en tu diccionario monolingüe los verbos que corresponden a los nombres en negrita en el texto.

Ejemplo

invasión – *invadir*

711: **Invasión** musulmana. Comienzo de la ocupación árabe de la Península Ibérica.

Derrota del rey visigodo, Rodrigo.

718: **Organización** de la resistencia cristiana en Asturias en torno a Pelayo, noble asturiano.

722: Victoria de Pelayo en Covadonga. Comienzo de la Reconquista.

756: **Proclamación** de Abderramán I como emir en Córdoba, ciudad que se convierte en capital de Al Ándalus (nombre de la España musulmana).

834: **Ampliación** de la Mezquita de Córdoba bajo el reinado de Abderramán II.

1031: **Rebelión** de los nobles cordobeses. Fin del califato de Córdoba.

1212: Victoria de las Navas de Tolosa, **triunfo** cristiano que da paso a la conquista de la Meseta Sur y Andalucía.

1391: **Asalto** a la judería de Sevilla. Cuatro mil judíos asesinados.

1482: **Comienzo** de la guerra de Granada, último reino musulmán de la Península.

1485: **Creación** de la Inquisición española.

1492, año clave: **Conquista** de Granada por los Reyes Católicos. **Expulsión** de los judíos de todo el territorio español. Descubrimiento de América por Cristóbal Colón.

B

Vuelve a mirar la lista de nombres y verbos del paso A y forma tres grupos siguiendo los tres modelos siguientes.

(a) **-(c)ión:**   organizar   →   organización

(b) **-o:**   triunfar   →   triunfo

(c) **-a:**   derrotar   →   derrota

Apuntes

Formación de sustantivos

En español existen varias maneras de formar palabras usando verbos o adjetivos como base y añadiendo al final uno de los sufijos siguientes.

Verbos	-(c)ión:	organizar	→ organización
	-o:	triunfar	→ triunfo
	-a:	derrotar	→ derrota
	–miento:	nombrar	→ nombramiento
	–aje:	montar	→ montaje
Adjetivos	-eza:	pobre	→ pobreza
	-dez:	delgado	→ delgadez
	-idad:	honesto	→ honestidad

 Para más información consulta tu libro de gramática.

Actividad 5.3

En esta actividad vas a aprender a relacionar momentos del pasado usando expresiones de tiempo.

A

Observa cómo se pueden relacionar estas dos fechas:

> 711: invasión musulmana – 718: organización de la resistencia
>
> En el año 711 los musulmanes invaden la Península. **Siete años después**, los cristianos organizan la resistencia.

Las siguientes fechas aparecieron en la Actividad 5.2. Utiliza expresiones de tiempo para relacionarlas, como en el ejemplo.

718 – 722   *cuatro años después / más tarde*

722 – 834

1031 – 1212

1482 – 1485

1492 – 1492

B

Escribe ahora un párrafo de hasta 200 palabras basándote en los acontecimientos históricos de la Actividad 5.2. Usa el presente histórico y expresiones de tiempo adecuadas. No olvides que debe quedar claro quién hizo qué, cuándo y dónde. Puedes empezar así tu narración:

En el año 711 los musulmanes invaden el territorio español. Los árabes derrotan al rey visigodo Rodrigo y comienza la ocupación árabe de la Península Ibérica...

Actividad 5.4 _____

En esta actividad vas a familiarizarte con las atracciones turísticas de la ciudad de Córdoba y, además, practicarás tus estrategias de lectura rápida.

A

Imagina las siguientes situaciones y busca la información en el texto.

(a) Estás visitando Córdoba y te interesan en particular los vestigios de la época andalusí. ¿Cuáles visitarás?

(b) Quieres visitar el barrio judío. ¿Dónde está?

(c) Te gustaría ver una exposición audiovisual sobre la Andalucía islámica. ¿Adónde puedes ir?

(d) Estás visitando Córdoba. Sólo tienes un día. Lo que más te interesa son los baños. ¿Dónde están?

(e) Quieres ver los restos romanos. Identifícalos.

El esplendor del Califato

Córdoba

Córdoba fue, desde los primeros tiempos de la conquista, la capital de Al Ándalus. Sede del califato independiente, fue durante el siglo X la ciudad más poblada del Viejo Continente y su fasto deslumbró a geógrafos, cronistas y viajeros. Centro de poder y foco cultural, marcó la pauta del arte islámico en Al Ándalus. Abderramán I inició en el siglo VIII la construcción de la Mezquita Aljama, uno de los edificios más emblemáticos del arte islámico. Conoció diversas ampliaciones, la última la de Almanzor a finales del siglo X. En el XVI se instaló en su interior una catedral. Del viejo Alcázar de los Omeyas, emplazado frente a la Mezquita, sólo se aprecian vestigios en la fachada del Palacio Episcopal y restos de unos Baños en el Campo de los Mártires. En la Torre de la Calahorra se exhiben maquetas, audiovisuales y figurines sobre la Andalucía islámica. Otros baños conservados en Córdoba son el de Santa María, muy alterado por sucesivas intervenciones, y el Baño de la Pescadería. El Puente Romano muestra la restauración efectuada por los musulmanes. De sus obras hidráulicas perviven los Molinos de Enmedio y de la Albolafia (s. X). El trazado abigarrado de la capital del Califato puede rastrearse en la Ajerquía, donde se asentaron los mozárabes cordobeses, y en la Judería, con su Sinagoga, emplazada cerca de la Aljama. Epílogo digno de esta ruta es la visita a la cercana Medinat al-Zahra, paradigma de ciudad fastuosa y efímera. Levantada en el s. X por Abderramán III y destruida en el año 1010 durante la insurrección de los bereberes que puso fin al Califato, conserva restos de palacios; baños, mezquitas… Supuso el punto máximo de esplendor del arte califal.

(Aparecido en *Rutas de Andalucía Islámica*, Oficina de Turismo y Junta de Andalucía)

La lectura rápida

En la lectura rápida, el lector busca palabras específicas para encontrar la información que le interesa. Éste es un tipo de actividad que ya realizas regularmente en tu propia lengua, cuando buscas cierta información en particular. Es el tipo de lectura que normalmente se hace, por ejemplo, con las guías y los folletos turísticos. Hay muchas situaciones de la vida real en las que no necesitas comprender todas las palabras cuando lees. Aquí tienes algunos ejemplos: cuando quieres localizar un monumento en el plano de una ciudad; saber el horario de un tren o autobús; o cuánto te ha costado este mes el recibo de la luz; saber del periódico qué tiempo hará; buscar un número de teléfono en la guía; un plato concreto en el menú de un restaurante; etc.

Vocabulario

la sede   *(here:) seat of government*

el fasto (la fastuosidad)   *magnificence, lavishness*

deslumbrar   *to dazzle*

el cronista   *chronicler*

marcar la pauta   *to set the standard*

la ampliación   *extension*

el vestigio   *trace*

la maqueta   *model*

el trazado   *(here:) layout*

abigarrado,-a   *multicoloured and heterogeneous*

rastrearse   *to track*

los mozárabes   *in Spain, Christians living in Arab territory or living in Christian territory but carrying with them Arab influences*

B

Observarás que en el texto anterior se usa el pretérito indefinido. Anota los verbos del texto en pretérito indefinido con sus infinitivos correspondientes, y señala con un asterisco cuáles son irregulares.

Apuntes

Pretérito indefinido: formas

Aquí tienes las formas de los verbos regulares:

hablar	comer	decidir
hablé	comí	decidí
hablaste	comiste	decidiste
habló	comió	decidió
hablamos	comimos	decidimos
hablasteis	comisteis	decidisteis
hablaron	comieron	decidieron

Aquí tienes las formas de algunos verbos irregulares de uso frecuente:

ser ir	estar	poder	tener
fui	estuve	pude	tuve
fuiste	estuviste	pudiste	tuviste
fue	estuvo	pudo	tuvo
fuimos	estuvimos	pudimos	tuvimos
fuisteis	estuvisteis	pudisteis	tuvisteis
fueron	estuvieron	pudieron	tuvieron

G Para más información consulta tu libro de gramática.

Apuntes

Pretérito indefinido: usos

El pretérito indefinido se usa principalmente para expresar:

1 Acciones específicas completas y terminadas en el pasado.

> Ayer **salió** tarde del trabajo.

> La semana pasada **visité** Granada.

> **Nos vimos** en el parque hace dos días.

Suelen utilizarse las siguientes expresiones temporales:

> ayer, la semana pasada, el mes/año pasado, el martes pasado, hace cinco años/dos días, etc.

2 Acciones que duraron un periodo de tiempo en el pasado y terminaron.

> Los árabes **estuvieron** en España durante ocho siglos.

> **Esperó** en el hospital más de cuatro horas.

Suelen utilizarse las siguientes expresiones temporales:

> durante +, más/menos de + periodo de tiempo

Se usa también para relatar acciones en el orden en que ocurrieron.

> **Me levanté, me duché** y **salí** a la calle.

> **Llegó, vio** que la comida estaba en la mesa y **se sentó** a comer.

G Para más información consulta tu libro de gramática.

C

Ahora vas a practicar las formas del pretérito indefinido. El texto siguiente relata la historia de un famoso edificio mexicano usando el presente histórico. Reescribe los verbos en negrita en pretérito indefinido.

El Museo Universitario del Chopo ocupa uno de los espacios más originales y emblemáticos de la Ciudad de México, el antiguo edificio del Museo de Historia Natural, construcción que gracias a sus características técnicas y estéticas, es uno de los edificios paradigmáticos de la historia de la urbe.

Este edificio **se construye** en 1902 por una empresa metalúrgica alemana para una exposición en Düsseldorf. Ese mismo año, un empresario mexicano **decide** comprarlo para crear una sala de exposición de productos industriales. Para ello, **se trasladan** las piezas de acero del edificio por barco hasta la ciudad de Veracruz, desde donde **se transportan** por ferrocarril a un terreno del empresario. Allí **se vuelven** a montar todas las piezas entre 1903 y 1905. Años después, en 1910, la estructura de este edificio **sirve** para albergar al Pabellón Japonés de la Exposición Universal de México. En 1913 este edificio **se convierte** en el Museo de Historia Natural, hasta que en 1963 **se traslada** el museo y **queda** abandonado el edificio. A partir de entonces **entra** en un periodo de decadencia tal, que por un tiempo hasta **quieren** desmantelarlo y venderlo como chatarra. Afortunadamente la Universidad Nacional Autónoma de México **rescata** la construcción en 1973, y le **da** su nombre actual de Museo Universitario del Chopo.

(Adaptado de http://www.ciudadmexico. com.mx/atractivos/chopo.htm) [último acceso 4.2.09]

Vocabulario

la urbe *city*

el acero *steel*

el ferrocarril *rail*

montar *to assemble*

albergar *to house*

la chatarra *scrap*

rescatar *to rescue*

Actividad 5.5 _____

En esta actividad vas a estudiar usos del pretérito imperfecto y las expresiones de tiempo que lo acompañan.

Apuntes

Pretérito imperfecto: usos

El pretérito imperfecto se usa para:

1 Descripciones en el pasado.

   Mi casa **tenía** muchos jardines y patios.

2 Acciones habituales en el pasado con el verbo de la acción en imperfecto.

   No **salíamos** mucho de casa.

3 Acciones habituales con "soler" en imperfecto + verbo en infinitivo (más usado en España que en Latinoamérica).

   Solía reunirme con las amigas.

4 Acciones habituales con "acostumbrar (a)" en imperfecto + verbo en infinitivo.

   Acostumbraban a dar un paseo cada mañana.

 Para más información consulta tu libro de gramática.

A

En el texto de la página siguiente, una gallega llamada María Nieves Vales Agilda nos cuenta a qué se dedicaba con sus amigas cuando ella era joven. Léelo e indica todos los verbos que utiliza para hablar de sus actividades habituales. No marques los verbos que indican descripciones puntuales de cosas que hizo.

Apuntes

Pretérito imperfecto: formas

Estas son las formas de los verbos regulares:

hablar	comer	decidir
hab**laba**	com**ía**	decid**ía**
hab**labas**	com**ías**	decid**ías**
hab**laba**	com**ía**	decid**ía**
hab**lábamos**	com**íamos**	decid**íamos**
hab**labais**	com**íais**	decid**íais**
hab**laban**	com**ían**	decid**ían**

Estas son las formas de dos verbos irregulares de uso frecuente:

ser	ir
era	iba
eras	ibas
era	iba
éramos	íbamos
erais	ibais
eran	iban

 Para más información consulta tu libro de gramática.

Nací en Cos, en el municipio de Abegondo, pero hasta que empecé a trabajar mi vida transcurrió entre esta aldea y la ciudad.

Por las tardes, las niñas de mi pandilla y sobre todo las del instituto nos dedicábamos a pasear. Las chavalas estábamos muy controladas, sobre todo cada vez que salíamos solas, y para los padres era muy importante lo de llegar temprano a casa. Por eso en invierno volvíamos a casa a las ocho de la tarde, mientras que en verano podíamos estar en la calle hasta las diez.

Cuando bajábamos hasta la calle Real, lo único que hacíamos era pasear y gastar los zapatos. Los días de lluvia, nos metíamos en una cafetería donde pasábamos buenos ratos, aunque a menudo también solíamos reunirnos en los domicilios de cada una de nosotras.

Siempre que nos quedábamos solas, poníamos música y leíamos a escondidas fotonovelas que comprábamos con nuestros ahorros.

Muchas veces me llevaba a mis amigas de la ciudad a pasar el fin de semana en mi aldea. La Semana Santa, sobre todo, era bastante aburrida y yo por eso invitaba cada año a mis amigas a pasar esos días en mi casa.

Hice el Bachiller Elemental y el Superior en el instituto Da

Guarda, en el que terminé mis estudios a los 18 años. A partir de entonces empezamos a tener un poco más de libertad. Los fines de semana aprovechábamos para ir al cine, especialmente al Riazor, porque estaba de moda en aquella época. En aquellos tiempos también bailábamos mucho en los bailes y fiestas de la comarca. Fueron unos años muy felices.

(Adaptado de http://blog.laopinioncoruna.es/laciudadquevivi/2008/04/26/las-ninas-que-leian-fotonovelas/) [último acceso 4.2.09]

Vocabulario

el municipio   *borough*

la aldea   *hamlet*

la pandilla   *gang*

la chavala   *young girl*

pasar buenos ratos   *to have a nice time*

el domicilio   *home*

la fotonovela   *romantic story in the form of photographs with captions*

los ahorros   *savings*

la comarca   *region*

B

Ahora lee de nuevo el texto y haz una lista de las expresiones de tiempo que acompañan a las acciones habituales.

 # Escritorio

En esta sesión vas a trabajar los textos descriptivos y para ello aprenderás a describir un lugar usando recursos expresivos como las comparaciones o analogías y metáforas.

Actividad 5.6 _____

Para empezar nos vamos a centrar en otra comunidad que ha dejado una huella importante en muchas ciudades españolas: la comunidad judía.

A

Lee el siguiente texto para hacerte una idea general de lo que trata. Luego, decide cuál de los títulos siguientes describe mejor su contenido. Justifica tu respuesta haciendo referencia a elementos específicos del texto.

(a) El barrio del Alcázar

(b) Expulsados

(c) Una casa judía

(d) Arquitectura medieval hispánica

Me acuerdo de una casa judía en un barrio de mi ciudad natal que se llama del Alcázar, porque ocupa el espacio, todavía parcialmente amurallado, donde estuvo el alcázar medieval, la ciudadela fortificada que perteneció primero a los musulmanes y desde el siglo XIII a los cristianos.

En el recinto elevado del Alcázar, casi inaccesible desde las laderas del sur y del este, estuvo primero la mezquita mayor y luego, sobre su mismo solar, la iglesia de Santa María, que aún existe. Este barrio, ceñido al sur y al oeste por el camino que circunda la muralla en ruinas y por los terraplenes de las huertas, tiene calles estrechas y empedradas y pequeñas plazas en las que puede haber una casona con gran arco de piedra y dos o tres moreras o álamos. Las casas más antiguas del barrio son del siglo XV. Están encaladas, salvo los dinteles de las puertas, que muestran el tono amarillento de la piedra arenisca en la que fueron tallados, que es la misma que la de los palacios y las iglesias. Ventanas altas y estrechas con rejas tupidas como celosías y grandes muros cerrados de tapias con jardines recuerdan el hermetismo de la casa musulmana heredado intacto por los conventos de clausura.

En esos caserones habitaban los nobles que regían la ciudad. Al amparo de esos mismos muros estaba la Judería: los nobles necesitaban el dinero de los judíos, sus habilidades administrativas, la destreza de sus artesanos, de modo que tenían interés en protegerlos contra las esporádicas explosiones de furia de la chusma beata.

Alguien me habló de esa casa judía y yo di vueltas por el barrio del Alcázar hasta que pude encontrarla. Está en un callejón estrecho, como encogida en él. Tiene una puerta baja, y en los dos extremos de la gran piedra del dintel hay talladas dos estrellas de David, inscritas en un círculo, no tan gastadas por el tiempo que no pueda percibirse con exactitud el dibujo. Es una casa pequeña, aunque sólida, que debió de pertenecer no a una familia opulenta, sino a un escribano o a un pequeño comerciante, por ejemplo.

La casa, en el callejón, tiene algo de receloso y escondido, como la actitud de alguien que para no llamar la atención baja la cabeza y encoge los hombros y procura caminar cerca de la pared. Las dos estrellas de David son la única prueba que atestigua la existencia de una comunidad populosa, como las impresiones fósiles de una hoja exquisita que perteneció a la inmensidad de un bosque borrado por un cataclismo hace milenios.

(Resumido y adaptado de Muñoz Molina, A. (2001) *Sefarad*, Madrid, Santillana, pp. 535–44)

Vocabulario

amurallado,-a   *walled*

la ciudadela fortificada   *fortified citadel*

el recinto   *enclosure*

la ladera   *hillside*

el solar   *land*

ceñido,-a   *encircled*

circundar   *to surround*

el terraplén   *bank*

la huerta   *orchard*

empedrado,-a   *paved*

la casona   *large house*

la morera   *mulberry tree*

el álamo   *poplar*

encalado,-a   *whitewashed*

el dintel   *lintel*

la piedra arenisca   *sandstone*

la reja   *grill (on a window)*

tupido,-a   *closely woven*

la celosía   *lattice window*

la tapia   *wall*

el convento de clausura   *enclosed convent*

al amparo de   *under the protection of*

la destreza   *skill*

la chusma   *riffraff*

beato,-a   *(here:) sanctimonious*

el callejón   *alley*

encogido,-a   *curled up*

el escribano   *clerk*

receloso,-a   *apprehensive*

encoger   *to shrink*

Antonio Muñoz Molina (Úbeda, Jaén, 1956)

Escritor español y académico de la Real Academia de la Lengua Española desde 1995. Autor de famosas novelas como *El invierno en Lisboa* o *El jinete polaco*, y ganador de prestigiosos premios literarios. Mágina, un territorio inventado que aparece en varias de sus novelas, es una representación de su Úbeda natal. Está casado con la también escritora Elvira Lindo, autora de la serie de libros infantiles *Manolito Gafotas*.

B

Ahora lee el texto más detenidamente y contesta las siguientes preguntas.

1   ¿Qué características tienen las casas del siglo XV todavía existentes en el barrio del Alcázar?

2   ¿Qué elementos de estas casas recuerdan el hermetismo de la casa musulmana?

3   ¿Quiénes vivían en estas casas?

4   ¿Cuáles son las características de la casa judía que Muñoz Molina encontró en el barrio del Alcázar?

5   ¿Cómo describe el autor la casa para indicar que quería pasar desapercibida?

La expulsión de los judíos

Los judíos constituyeron en la España medieval una de las comunidades más prósperas. Esa prosperidad llegó a causar cierto resentimiento en algunas comunidades cristianas. Con el final de la Reconquista los Reyes Católicos decidieron expulsar a los judíos para asegurar la cohesión de Castilla y Aragón y reafirmar su identidad como reinos cristianos. El Gran Inquisidor, Tomás Torquemada, preparó un documento que firmaron los Reyes en 1492 ordenando a todos los judíos abandonar el reino bajo pena de muerte. La cifra exacta (entre 50.000 y 200.000 personas) no se conoce con seguridad, pero miles de familias fueron expulsadas de España (o Sefarad, como ellos le llamaban) en un plazo de cuatro meses. Emigraron a Francia, Flandes, Alemania, Marruecos, y más tarde a las Américas, pero la inmensa mayoría de los expulsados (los 'Sefarditas'), se agruparon en lo que era entonces el imperio otomano (por ejemplo, Salónica, Estambúl), donde preservaron su identidad hispánica a través de la lengua. Los 'romances' (viejas baladas) en lengua sefardí se cantan todavía en algunas comunidades.

Actividad 5.7

En esta actividad aprenderás a usar recursos expresivos tales como las comparaciones o analogías y las metáforas, elementos muy utilizados en las descripciones.

A

Primero vas a crear tus propias comparaciones y metáforas utilizando las ilustraciones como estímulo. Completa las frases de la tabla, como en el ejemplo.

Ejemplo

Comparación/Analogía

Este árbol parece/es como el abuelo del bosque.

Metáfora

Este árbol es el abuelo del bosque.

(a) Las montañas parecen / son como...

(i) Las montañas son...

(b) El cielo parecía / era como...

(ii) El cielo era...

(c) El mar parecía / era como...

(iii) El mar era...

Apuntes

Comparaciones, analogías y metáforas

Una vez seleccionados los elementos y las características que quieres resaltar en tu descripción, puedes hacer que tu expresión sea viva y sugerente mediante comparaciones o analogías originales, o mediante metáforas. En las metáforas se usa una palabra con el significado de otra para expresar alguna característica que tienen en común. Por ejemplo, en "Este roble es el abuelo del bosque" describir el roble como un abuelo comunica la gran edad del roble, incluso quizás que sea el más viejo del bosque. Normalmente se usa el verbo "ser", pero también se puede sustituir directamente el elemento descrito con lo que se le compara. Por ejemplo, "El abuelo del bosque crujía dolorosamente con el viento" se refiere al viejo árbol, cuya corteza es vieja y seca, y por tanto, cruje.

B

Ahora practica las siguientes comparaciones o analogías con "como". Enlaza las expresiones a continuación y luego haz frases como en el ejemplo.

Ejemplo

Las calles se dibujan como el esqueleto de la ciudad.

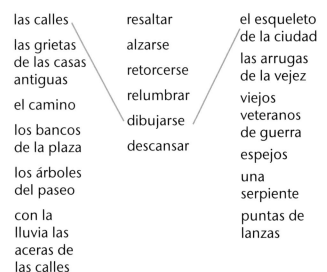

las calles

las grietas de las casas antiguas

el camino

los bancos de la plaza

los árboles del paseo

con la lluvia las aceras de las calles

resaltar

alzarse

retorcerse

relumbrar

dibujarse

descansar

el esqueleto de la ciudad

las arrugas de la vejez

viejos veteranos de guerra

espejos

una serpiente

puntas de lanzas

Vocabulario

la grieta   *crack, fissure*

resaltar   *to stand out*

alzarse   *to raise*

retorcerse   *to writhe, to squirm*

relumbrar   *to glow*

la arruga   *wrinkle*

la lanza   *spear*

C

Inventa asociaciones originales similares a las vistas en el paso anterior y completa de forma imaginativa las siguientes analogías como en el ejemplo.

Ejemplo

Las casas de la calle se alinean como soldados en formación.

(a) La torre de la iglesia se alzaba _____ .

(b) La vida pasa _____ .

(c) Mi pueblo renace _____ .

(d) Al anochecer, las bicicletas dormían _____ .

D

Ahora ya puedes formar metáforas a partir de las analogías inventadas en los pasos B y C.

Ejemplo

La vida es un viejo tren de vapor que no se detiene nunca.

Actividad 5.8

Otra manera de enriquecer un texto descriptivo es usar sinónimos. Los verbos más usados en descripciones son "ser", "tener" y la forma "hay". Sin embargo, conviene utilizar otros verbos o expresiones sinónimas para dar variedad y riqueza al texto.

Sustituye en este texto los verbos en negrita por las expresiones que se proponen a continuación.

> goza de • se extiende en un área de • figura como • se encuentra • representa • cuenta con • está compuesta de

Andalucía, la más famosa de las regiones españolas y una de las más conocidas en el mundo, **está** al sur de España, es decir, de Europa. **Es** 'el más rico tapiz cultural de Occidente'. **Tiene** una población de seis millones y medio de habitantes y **tiene** 87.000 km². Andalucía es, en extensión, la tercera parte de Japón, más grande que Austria, igual a Corea del Sur, Portugal o Hungría, dos veces Suiza y el triple que Bélgica. **Tiene** ocho provincias: Almería, Cádiz, Córdoba, Granada, Huelva, Jaén, Málaga y Sevilla. **Hay** un clima caluroso en verano, y el resto del año prácticamente primaveral. Salvo en las altas cumbres de la Sierra Nevada, muy raros son los días que se alcanzan los cero grados. Mosaico de culturas, con tres mil años de historia, Andalucía **es** uno de los destinos turísticos más importantes del mundo: su clima y su historia, sus monumentos y su infraestructura, su ambiente y su folklore, todo se aúna para hacer de ella un punto obligado de turismo.

Actividad 5.9

Ahora vas a describir tú una ciudad usando todos los recursos de estilo que acabas de estudiar. Una aerolínea latinoamericana ha lanzado un concurso de artículos para su revista de a bordo, *Alas*, que se reparte gratuitamente a todos los pasajeros. Las bases (reglas) del concurso especifican lo siguiente.

> Los artículos deben...
>
> - tener una longitud de unas 300 a 350 palabras y describir una ciudad.
>
> - ser entretenidos y presentar al mismo tiempo un interés cultural y personal.
>
> - ser informativos, pero utilizando un lenguaje expresivo.
>
> - interesar tanto al viajero de negocios como al turista.

A

Para empezar, vas a elegir una ciudad que signifique algo para ti y escribir un artículo sobre ella para presentarlo al concurso. El primer paso de todo trabajo de redacción consiste en analizar la tarea y tener muy claro el propósito de la misma. Vuelve a leer atentamente la lista anterior, pensando lo que significa cada uno de los puntos, y cómo podrías enfocar el tema para cumplir todos los requisitos.

Cómo organizar una tarea de escritura

En muchas ocasiones necesitamos seguir ciertas pautas preestablecidas en los textos que redactamos. Ejemplos típicos podrían ser los exámenes escritos, trabajos académicos, informes para una empresa, o artículos para una editorial. En estos casos es importante seguir metódicamente los pasos siguientes.

- Análizar la tarea, prestando especial atención a la audiencia: ¿Para quién y para qué se escribe?

- Preparar un esquema y decidir la longitud relativa de cada parte.

- Investigar los datos y la terminología necesarios (a veces conviene empezar esta fase antes de finalizar el esquema).

- Redactar el texto, comprobando siempre el estilo, la gramática, y la conformidad con el esquema inicial.

- Evaluar el producto final usando como guía las pautas originales de la tarea, y mejorar lo que pueda mejorarse.

B

El segundo paso es seleccionar y ordenar las ideas. Ahora que tienes claro lo que se espera de ti, necesitas decidir a grandes rasgos lo que vas a decir y ordenar las ideas básicas. A continuación te proponemos algunos elementos que se podrían incluir, pero si tienes otras ideas, no dudes en usarlas. En algunos casos también te indicamos los tiempos verbales que debes usar.

- Introducción factual / informativa (en presente).

- Introducción "con efecto" (por ejemplo, comenzando con una anécdota personal, una pregunta, etc.).

- Orígenes de la ciudad (en pretérito indefinido o presente histórico).

- Características del lugar (en presente). Por ejemplo: arquitectura, calles, ambiente, olores, colores, sonidos, etc.

- Descripción en el pasado (en imperfecto).

- Descripción de un lugar concreto de la ciudad, explicando los motivos (personales o generales) que lo hacen especial.

- Una historia que haya sucedido allí (en pretérito indefinido): una revolución, un misterio...

- Conclusión.

Cómo preparar un esquema

Recuerda que para preparar un esquema debes, en primer lugar, seleccionar las ideas que te parezcan más apropiadas y ordenarlas para crear el "esqueleto" del texto que vas a escribir. Luego debes comprobar que tu esquema es compatible con los requisitos del texto. Además, debes decidir cuántas palabras le vas a dedicar aproximadamente a cada parte y es importante que hagas esto antes de ponerte a escribir.

C

El tercer paso es la fase de investigación. Consulta los materiales de referencia que tengas disponibles para ampliar los elementos de contenido que hayas decidido incluir (por ejemplo, comprobando fechas históricas importantes, materiales de construcción, etc.) y luego prepara el vocabulario clave y comprueba las palabras nuevas en un diccionario.

D

Una vez realizadas las investigaciones necesarias comienza la fase de redacción. Puedes seguir estas etapas.

1   Ponte a escribir, comprobando al final de cada parte que tiene más o menos el número de palabras que habías planeado. Así conseguirás mantener una estructura equilibrada.

2   Cuida tu estilo: busca oportunidades para incorporar comparaciones, analogías y metáforas. Lee cada párrafo en voz alta para descubrir repeticiones y construcciones poco elegantes. Busca las palabras de uso común ("estar", "tener", "muy", "grande", etc.) e intenta sustituirlas por otras más originales ("encontrarse", "disponer de", "extremadamente", "inmenso", etc.).

3   Al terminar, lee de nuevo tu artículo pensando solamente en los errores gramaticales que cometes con mayor frecuencia (por ejemplo, las concordancias de género). Corrige todo lo que puedas.

E

La fase de autoevaluación es esencial para terminar. Lee tu artículo considerando una por una las condiciones que se estipulaban en las bases del concurso. Si descubres que algo podría estar mejor, cámbialo.

Autoevaluación

- ¿Tiene el texto la longitud correcta?
- ¿Describe una ciudad?

Para las preguntas siguientes, justifica tu respuesta con ejemplos específicos del texto que acabas de escribir:

- ¿Qué hace que tu texto sea entretenido?
- ¿Cuál es el interés cultural que ofrece?
- ¿Cuál es su interés personal?
- ¿En qué sentido es informativo?
- ¿Cuántos recursos diferentes (metáforas, comparaciones, sinónimos, etc.) has usado para hacerlo más expresivo?

Considera la audiencia a quién va dirigido tu artículo:

- ¿Qué pensarías de este artículo si estuvieras viajando por negocios y lo leyeras por primera vez en el avión?
- ¿Qué pensarías si lo leyeras en un viaje de vacaciones con tu familia?

Sillón de lectura

Actividad 5.10

A

Este poema es una composición popular medieval de tipo amoroso llamada "villancico". Léelo en voz alta para sentir mejor su ritmo.

Quiero dormir y no puedo,
que el amor me quita el sueño.

Manda pregonar el rey
por Granada y por Sevilla
que todo hombre enamorado
que se case con su amiga.
Que el amor me quita el sueño.

Quiero dormir y no puedo,
que el amor me quita el sueño.

[Que todo hombre enamorado
que se case con su amiga.]
¿Qué haré, triste cuitado,
que es ya casada la mía?
Que el amor me quita el sueño.

Quiero dormir y no puedo,
que el amor me quita el sueño.

(Frenk Alatorre, M. (ed.) (1982) *Lírica española de tipo popular*, Madrid, Cátedra, pp.106–7)

Vocabulario

pregonar   *to proclaim*

manda pregonar el rey = *el rey manda pregonar*

cuitado,-a (*arc.*)   *troubled*

B

Wallãda Bint al-Mustakfi (Córdoba, 994 –
Córdoba, 1091), hija del califa Muhammad III,
es conocida como "la Omeya". Escribió poesía
en la que expresó abiertamente sus opiniones y
deseos. En sus escritos reflejó los amores con sus
amantes. La poeta Wallãda permaneció siempre
soltera, lo cual puede interpretarse como una
forma de librarse de desaparecer literalmente
tras un velo al contraer matrimonio. Aquí tienes
una pequeña muestra de su obra.

Lee el poema en voz alta.

Visita

Cuando caiga la tarde, espera mi
visita,
pues veo que la noche es quien
mejor encubre los secretos;
siento un amor por ti que si los
astros lo sintiesen
no brillaría el sol,
ni la luna saldría, y las estrellas
no emprenderían su viaje nocturno.

(Al-Dajira (1995) *Tesoro de la poesía andalusí*,
Seminario Permanente Documentos Didácticos
de Aula y Junta de Andalucía, p.206)

Vocabulario

encubrir   *to hide*

el astro   *star*

emprender   *to undertake*

Tema 6   Pueblos de ayer y de hoy

En este tema aprenderás a describir civilizaciones del pasado. Vas a leer algunos textos sobre los aztecas y los mayas y sobre la conquista del Perú por los españoles. Practicarás nuevos usos del imperfecto y del pretérito indefinido para describir pueblos del pasado, y aprenderás las formas y usos del pluscuamperfecto.

Actividad 6.1

En esta actividad vas a conocer más de cerca a los aztecas, una gran civilización prehispánica que pobló el actual México.

A

A continuación tienes un texto sobre los aztecas. Léelo una vez sin diccionario y luego piensa cuáles de estas preguntas puedes contestar, pero no escribas las respuestas todavía.

1   ¿Cuándo se desarrolló esta civilización?

2   ¿En qué zona de América se instalaron?

3   ¿Por qué fueron famosos?

4   ¿Cómo eran?

5   ¿Por qué hacían sacrificios humanos?

6   ¿Cómo desapareció esta civilización?

Los aztecas

Los aztecas fueron uno de los pueblos más importantes de la América precolombina. Su civilización se desarrolló en el centro de México, durante los siglos XIV y XV, pero sus conquistas militares permitieron la formación de un gran imperio que llegó a cubrir toda la zona meridional de México.

Los aztecas fundaron su capital, Tenochtitlán, en 1325 en el centro de un lago, el Texcoco. Tenochtitlán estaba embellecida con multitud de edificios públicos y religiosos: palacios administrativos, escuelas, templos, baños de vapor, etc. Era una ciudad tan impresionante que cuando la vieron los conquistadores, dejaron muestras escritas de su asombro ante la magnificencia y la elegancia de la urbe. En la actualidad, la capital de México está construida sobre los restos de la antigua ciudad imperial.

Los aztecas eran en origen un pueblo guerrero. Su civilización no fue gran creadora de cultura, sino que más bien representó una síntesis de las civilizaciones anteriores a ella.

El desarrollo científico y tecnológico de los aztecas estaba al servicio de la población. Aunque no fueron grandes matemáticos, avanzaron enormemente en ámbitos como la ingeniería y la medicina. Desarrollaron la medicina gracias a los conocimientos anatómicos que les proporcionaron los sacrificios humanos. La ingeniería servía a las necesidades de la construcción urbanística: los aztecas construyeron acueductos, puentes y diques para proveer de agua a la ciudad y protegerla de las inundaciones.

Los aztecas eran aficionados a las fiestas. No existía el descanso semanal, pero había fiestas todos los meses y generalmente duraban más de un día. Se organizaban procesiones, cantos y bailes populares. Y no sólo disfrutaban los aztecas con las fiestas ceremoniales, sino que también eran grandes amantes del teatro. Las obras eran cómicas y solían representarse en los templos. Otra gran actividad artística azteca era la música, que aprendían los niños en conservatorios o *cuicalli*.

Un aspecto por el que son conocidos los aztecas es el de los sacrificios humanos. Los aztecas pensaban que tenían que ofrecer sacrificios a sus dioses para mantener viva la energía del sol con la sangre de los sacrificados. Para ellos, era la única manera de evitar la cólera de los dioses y el fin del mundo.

Pero la verdadera destrucción de su mundo no vino de la mano de sus dioses, sino que llegó desde Europa, en 1519, con los conquistadores españoles que, al mando de Hernán Cortés, sitiaron y destruyeron las ciudades principales aztecas, poniendo fin a su imperio.

B

Lee el texto de nuevo y busca ahora las palabras que no conozcas en el diccionario. Después completa tus respuestas del paso A.

Actividad 6.2

En esta actividad conocerás algunos de los logros de la civilización maya y aprenderás a usar el pretérito pluscuamperfecto.

A

Observa la frase siguiente. En la frase hay dos acciones pasadas, expresadas por los verbos "llegar" y "construir". Cronológicamente, ¿cuál de estas dos acciones ocurrió primero?

> Cuando llegaron los españoles a América, los incas ya habían construido una red de caminos que tenía 40.000 km de extensión.

B

El siguiente pasaje habla de los mayas y describe algunos de sus logros más importantes. Transforma los infinitivos en pretéritos pluscuamperfectos.

Los incas y aztecas desarrollaron grandes imperios en América, pero antes que ellos, los mayas ya (crear) _____ una civilización que fue sin duda la más sofisticada del continente. Sin embargo, para cuando los aztecas y los incas comenzaron a emerger entre los siglos XIV y XV, los mayas ya (caer) _____ como civilización.

Cuando la cultura maya comenzó a ser estudiada, los investigadores descubrieron que antes de su declive los mayas (alcanzar) _____ grandes logros: (refinar) _____ un calendario de 365 días, que fue el más preciso existente hasta la creación del calendario gregoriano; (descubrir) _____ el concepto del cero; (escribir) _____ documentos usando su propio sistema de escritura; (construir) _____ numerosas ciudades estado; (desarrollar) _____ una inmensa red comercial para importar y exportar sus productos y (hacer) _____ una contribución imborrable al patrimonio de la humanidad.

Vocabulario

para cuando   *by the time that*

el declive   *decline*

alcanzar   *to achieve*

la ciudad estado   *city-state*

imborrable   *unforgettable*

El calendario gregoriano

El calendario gregoriano es un calendario originario de Europa, que se utiliza actualmente de manera oficial en la mayoría de los países del mundo. Su nombre se debe a que lo estableció el Papa Gregorio XIII en 1582 para sustituir al calendario juliano instaurado por Julio César en el año 46 a.C. El calendario gregoriano divide la historia en dos periodos, antes y después de Cristo.

Actividad 6.3

En el texto siguiente, Bartolomé de las Casas, un ilustre fraile español defensor de los pueblos indígenas, denuncia los abusos de los conquistadores españoles en Perú. Lee el texto y ordena las frases según se mencionan los hechos en el texto, buscando las frases o párrafos del texto a las que se refiere cada una.

Ejemplo

1 – (i) Llegan los conquistadores a Perú: "En el año de mil quinientos treinta y uno fue otro gran tirano con sus hombres a los reinos del Perú".

(a) El ejército de los indígenas no tiene experiencia ni está equipado correctamente.

(b) El jefe indígena paga un rescate superior al que había prometido.

(c) Los abusos son tantos que se tardaría una eternidad en contarlos todos.

(d) Los acusan de rebeldía contra la Corona cuando ellos simplemente huían para salvar la vida.

(e) Los españoles nunca cumplen las promesas que hacen a los indígenas.

(f) Los indígenas reciben a los españoles con los brazos abiertos.

(g) Atabaliba exige hablar con el rey de España, pero no le hacen caso y lo matan.

(h) Los indígenas son obligados a entregar la comida que tenían reservada para casos de emergencia.

(i) Llegan los conquistadores a Perú.

(j) Atabaliba desafía a los españoles.

(k) Una vez que les han robado todo lo que tenían les prometen no robarles más.

(l) Viene el jefe indígena a resolver la situación.

DE LOS GRANDES REINOS Y GRANDES PROVINCIAS DEL PERÚ

En el año de mil quinientos treinta y uno fue otro gran tirano con sus hombres a los reinos del Perú. Allí cometió crueldades, matanzas y robos, sin fe ni verdad, destruyendo pueblos, apocando y matando a sus gentes. Causó tan grandes males en aquellas tierras, que nadie podrá terminar de contarlos hasta el día del Juicio Final.

En su infeliz entrada mató y destruyó a varios pueblos y les robó gran cantidad de oro. En una isla que está cerca de las mismas provincias, que se llama Pugna, muy poblada y graciosa, el señor de la isla y su gente los recibieron como a ángeles del cielo. Pero ellos, después de seis meses comiéndose todas las provisiones de esas gentes, descubrieron las reservas de trigo que tenían para alimentar a sus mujeres e hijos en los tiempos de sequía. Con muchas lágrimas, las gentes se las ofrecieron para que ellos se las comiesen, pero el pago que les dieron los españoles fue matarlos con sus espadas. A los que pudieron capturar con vida los hicieron esclavos, dejando casi despoblada la isla.

De allí se fueron a la provincia de Tumbala, y mataron y destruyeron todo lo que pudieron. Como todos huían de sus espantosas y horribles obras, ellos los acusaban de ser rebeldes al rey. Tenía este tirano la estrategia siguiente: pedía que vinieran todos a darle regalos de oro y plata y luego les decía que trajesen más, hasta que él veía que no tenían más o no traían más. Entonces decía que los recibía como vasallos de los reyes de España y los abrazaba y hacía tocar dos trompetas que tenía, dándoles a entender que ya no les iban a pedir más ni hacerles ningún daño.

Pocos días después, vino el rey universal y emperador de aquellos reinos, que se llamaba Atabaliba, con mucha gente desnuda y con sus armas inútiles, sin saber cómo cortaban las espadas y herían las lanzas y cómo corrían los caballos, o quiénes eran los españoles. Llegó al lugar donde ellos estaban, diciendo: "¿Dónde están esos españoles? Salgan acá, que no me moveré de aquí hasta que me rindan cuentas por los vasallos que me han matado, y los pueblos que me han despoblado, y las riquezas que me han robado". Ellos salieron a buscarlo con muchísimos hombres y lo capturaron. Después de apresarlo le pidieron un rescate: él prometió dar cuatro millones de castellanos y dio quince, y ellos prometieron soltarle. Pero al final, no cumpliendo su palabra (como nunca lo han hecho los españoles con los indios*), lo condenaron a ser quemado vivo. Cuando él se enteró, les preguntó: "¿Por qué me quemáis, qué os he hecho? ¿No me prometistes que me soltaríais si yo os daba el oro? ¿No os di más de lo que os prometí? Pues entonces, envíame a vuestro rey de España", y dijo otras muchas cosas que demostraban la gran injusticia de los españoles, pero ellos al final lo quemaron.

(Adaptado de www.ciudadseva.com/textos/otros/brevisi.htm) [último acceso 10.2.09]

* El término "indio" surgió por la confusión de los europeos que creían haber llegado a la India, cuando en realidad era América.

Vocabulario

el tirano *tyrant*	la lágrima *tear*	el rescate *ransom*
la matanza *massacre*	la espada *sword*	el castellano (o "peso de oro") *a coin weighing one hundredth of a pound of gold*
la fe *faith*	las obras *actions*	
apocar *to humiliate*	rebelarse *to rebel*	
el Juicio Final *Judgement Day*	el vasallo *vassal*	soltar *to release*
el trigo *wheat*	abrazar *to embrace*	quemar vivo,-a *to burn alive*
la sequía *drought*	rendir cuentas por *to account for*	desafiar *to challenge*

Los conquistadores españoles deshaciéndose del cuerpo de Moctezuma. *Códice Florentino*, siglo XVI

Bartolomé de las Casas

Bartolomé de las Casas (1484–1566) era un fraile dominicano que se hizo famoso por su defensa de los derechos de los indígenas de América contra los abusos de los conquistadores españoles. Su ideal era crear comunidades en las que españoles e indígenas trabajaran en armonía y convertir a estos últimos al cristianismo de manera pacífica. En su obra titulada *Brevísima relación de la destrucción de las Indias* (1552) se dirige al rey de España enumerando los horrores perpetrados por los invasores cristianos en América. Gracias a él fueron promulgadas las Leyes Nuevas de 1542, que prohibían la esclavitud y el trabajo forzado de los indígenas. Se le conoce también por el sobrenombre de "defensor de los indios".

Escritorio

En esta sesión vas a reflexionar sobre los elementos que contribuyen a dar cohesión a un texto y podrás aplicarlos a tu trabajo escrito. También practicarás cómo seleccionar el significado adecuado de una palabra en un diccionario monolingüe.

Actividad 6.4

En esta actividad vas a familiarizarte con la figura del lector de tabaquería en Cuba.

A

Antes de leer el texto entero, fíjate solamente en su introducción y conclusión (párrafos [1] y [7] respectivamente) y contesta las preguntas.

1 ¿Cuál de estas estructuras piensas que va a seguir el autor en su desarrollo del tema?

  (a) problema-solución

  (b) histórico-cronológico

  (c) lista de aspectos más relevantes

2 Subraya las dos frases que indican este tipo de estructura en los dos párrafos que acabas de leer. ¿Qué puedes observar?

3 ¿Qué idea de la introducción se repite en la conclusión y cuáles son las palabras clave que repite el autor?

El lector de tabaquería

por Leonardo Gravier, diciembre 2007

[1] Nuestro pueblo tiene el honor de estar unido nominal, histórica y culturalmente al tabaco. Por el tabaco se identifica a Cuba en todos los países y épocas. El tabaco fue fuente de riqueza por muchos años en nuestra patria. El tabaco fue eje de la rebeldía contra el despotismo colonial. El tabaco y su elaboración fue el crisol donde se fundió la cultura proletaria cubana y el origen de los movimientos sindicalistas. Un repaso histórico bastará para rescatar la figura del lector de tabaquería y su aporte a la cultura y a la cubanía.

[2] En Cuba la lectura en las tabaquerías tiene su origen en la lectura a los presidiarios. Entre los presos que ocupaban las dos galeras existentes en el arsenal del Apostadero de La Habana, se estableció la lectura al terminar los presos los trabajos del día. La mayoría de los reclusos eran tabaqueros, y por las visitas que recibían periódicamente aquellos reclusos se divulgó la noticia por las tabaquerías de la lectura en las galeras.

[3] Uno de los obreros más brillantes y enérgicos que aparece en la historia obrera de Cuba, Saturnino Martínez, era por aquella época tabaquero en la fábrica de Partagás. Concibió éste la idea de implantar también la lectura en las tabaquerías. La idea era genial y se avenía perfectamente a la labor del torcedor. El carácter monótono de la tarea, ejecutada en un ambiente de absoluto silencio, propiciaba la conversación entre los obreros. La lectura disminuía la conversación, pero más importante, elevaba el nivel moral e intelectual de aquellos obreros, gran parte de los cuales eran analfabetos.

[4] En enero de 1866 se inauguró la lectura en la fábrica Partagás. La única condición que impuso el propietario fue que las obras que fueran a leerse tendrían que tener su previa aprobación. La lectura se hacía en voz alta y las obras eran seleccionadas por los propios oyentes. Pronto los operarios de otras tabaquerías se apresuraron a adoptar la lectura en sus lugares de trabajo, aunque a veces tuvieron que enfrentar dificultades y la oposición de ciertos industriales.

[5] En Santiago de las Vegas la tabaquería de Gumersindo García Cuervo, la más importante en aquella época, tenía su lector pagado por la empresa (no por los torcedores, como era costumbre) pero exigía que el lector leyese la "Historia de España" de Lafuente además de las lecturas escogidas por los obreros. La lectura comprendía periódicos, poesía, ensayos científicos, y novelas. Los autores escogidos por los tabaqueros eran Victor Hugo, Chateaubriand, Lamartine, Shakespeare, Pérez Galdós, Cervantes, Newton, Pascal y otras luminarias de la cultura europea. Después de las horas de trabajo los tabaqueros discutían o comentaban las obras leídas durante el día. Los libros eran comprados por los propios tabaqueros, pero no había bibliotecas en las tabaquerías. Una vez leída la obra completa se subastaba entre los tabaqueros. [...] El cubano, siempre tan adicto a la política, solicitaba obras de Maquiavelo o filósofos políticos de Francia o EE.UU. Tan politizadas llegaron a ser las lecturas que Francisco Lersundi, Capitán General de la Isla, prohibió la lectura en voz alta.

Se ordenó a los agentes de la policía y a los capataces de las fábricas que vigilaran los talleres para que la lectura no se llevase a cabo. En tiempo de tiranía siempre la lectura en voz alta se ha visto afectada.

[6] El gran escritor español Ramiro de Maeztu, que fue fusilado en España en 1936 al comienzo de la Guerra Civil, fue lector de tabaquería y escribió varias crónicas sobre la lectura en las tabaquerías de Cuba. Escribía Maeztu que sus oyentes eran negros, mulatos, criollos o españoles; que no sabían ni leer siquiera. Mas éstos le asombraron al pedir que les leyera la obra del famoso dramaturgo Ibsen: *Hedda Gabler*. El mismo Víctor Hugo, al enterarse que sus novelas eran solicitadas con avidez por los tabaqueros, escribió una carta a los obreros de Partagás agradeciéndoles el interés – ¡Qué gran honor les hacía el Olimpo de los novelistas!

[7] No quiero alargar mucho este repaso de la presencia del lector de tabaquería en la vida cultural cubana. Sólo me queda decir que la lectura en las tabaquerías despertó en una clase analfabeta y artesanal el impulso de cultivar el intelecto y el espíritu. Fue a la cultura de Cuba como los paseos por los jardines del Liceo oyendo al maestro, los discípulos de Aristóteles o las pinceladas maestras en el taller de Verrocchio. El cubano tuvo el ingenio de adaptar una práctica tan antigua y poco aprovechada como la lectura en voz alta a un ambiente en el que pocos hubiesen augurado un arraigo y un beneficio tan rotundo.

(Santiago de las Vegas en línea: http://www.santiagodelasvegas.org/) [último acceso 20.7.08]

B

Lee ahora el texto completo. Cuando termines, empareja cada uno de estos títulos con su párrafo correspondiente.

(a) Origen de la práctica en las tabaqueras

(b) Qué leen en las fábricas

(c) Origen de la práctica en Cuba

(d) Los grandes de la literatura prestan su apoyo

(e) La práctica se extiende

Vocabulario

el eje   *(here:) core*

el crisol   *(here:) meeting point*

el movimiento sindicalista   *trade union movement*

rescatar   *to salvage*

el aporte   *contribution*

la cubanía   *Cuban identity and spirit*

presidiario,-a   *prisoner*

la galera   *prison*

recluso,-a   *prisoner*

el tabaquero   *(here:) a worker in the tabaquería*

implantar   *to establish*

avenirse   *(here:) to go well with*

el torcedor   *worker that twists the tobacco leaves*

en voz alta   *aloud*

el oyente   *listener*

apresurarse a   *to hurry*

la luminaria   *prominent figure*

subastar   *to auction*

el capataz   *foreman*

vigilar   *to watch*

llevar a cabo   *to take place*

fusilado,-a   *executed by firing squad*

criollo,-a   *creole*

asombrar   *to amaze*

la pincelada   *brush stroke*

el arraigo   *deep-rootedness*

Los torcedores

La industria tabaquera es de una importancia vital para Cuba. Entre las profesiones del tabaco más características figura el oficio de torcedor o torcedora. Los torcedores son las personas que seleccionan y tuercen las hojas a mano para darle al cigarro su forma característica. Aunque es un trabajo de mucha habilidad, los mejores torcedores son capaces de liar entre 60 y 150 habanos al día, según la forma y el tamaño de éstos. Actualmente es una tarea que realizan sobre todo las mujeres.

Actividad 6.5

Esta actividad te permitirá practicar el uso de conectores y pronombres para darle coherencia interna a un texto.

A

Empareja las cuatro expresiones en negrita de este párrafo con las explicaciones apropiadas de la lista.

> En Cuba la lectura en las tabaquerías tiene su origen en la lectura a los presidiarios. [1] **Todo empezó con** la visita en 1839 a La Habana de Jacinto Salas y Quiroga, [2] **quien** trató de establecer la costumbre de leer a los negros esclavos de las plantaciones, [3] **ya que** [4] **éstos** se encontraban en un estado de completa ignorancia.

(a)   Es un pronombre demostrativo que permite referirse a los esclavos negros sin tener que repetir "los esclavos negros".

(b)   Es un conector causal que sirve para conectar lo que hizo Salas Quiroga ("trató de establecer") con la causa o el motivo de su acción ("el estado de ignorancia de los esclavos").

(c) Es una expresión que da cohesión a la estructura global del texto indicando que aquí comienza una historia. Al leerla, el lector espera encontrar una serie de episodios cronológicos en el texto que sigue.

(d) Es un pronombre relativo que se refiere a Jacinto Salas Quiroga. Sirve para unir su llegada a La Habana con la explicación de lo que él hizo.

Apuntes

Conectores para dar coherencia a un texto

Existen muchas maneras de darle cohesión a un texto. Aquí tienes las más características.

1 Conectores para expresar...

- **causa, consecuencia, motivo**: ya que, dado que, como, puesto que, así que, en efecto. O cuando la causa no tiene efecto: a pesar de todo, si bien... no...

    No se pueden sacar conclusiones todavía, **ya que** se trata de un asunto bastante complejo.

    Si bien todos los vecinos se acercaron a ayudar, **no** consiguieron apagar el fuego.

- **relaciones temporales**: antes, luego, en seguida, mientras tanto, por aquellos años, etc.

    Agotada, se fue a la cama. **Mientras tanto** su madre aprovechó para lavarle la ropa.

- **distribución de ideas en una lista o argumento**: por un lado... por otro, unos... otros..., no sólo... sino..., tanto... como..., ni... ni....

    El resultado de esas medidas fue sorprendente, **tanto** en las regiones rurales que sufrían la sequía, **como** también en las ciudades, que habían sufrido muchas restricciones.

- **adición de elementos**: y, también, además, igualmente, asimismo, por otra parte.

    Se establecerán medidas de control en todos los comercios y se controlarán **igualmente** las industrias productoras.

- **contraste**: pero, en cambio, sin embargo, no obstante.

    Los obreros cubanos eran analfabetos. **No obstante**, conocían las grandes obras literarias gracias a la lectura en voz alta.

2 Pronombres

- **relativos**: que, lo cual, cuyo, los cuales, lo que, las que, etc.

    Descubrió muchas curiosidades en el ático de su abuela, entre **las que** se encontraba un viejo álbum de fotos.

- **personales**: él, ella, ellos, ellas, ello.

    Argentina es un país de gran variedad geográfica y cultural. Por **ello** se ha convertido en un destino turístico de primera clase.

- **demostrativos**: esto, éstas, ésos, aquello, etc.

    Se trata de ingredientes de primera calidad que pasan directamente del productor a la mesa. **Éstos** constituyen la base de nuestra cocina tradicional.

 Para más información consulta tu libro de gramática.

B

Ahora busca en el texto siguiente todos los elementos que le dan cohesión según lo aprendido en los Apuntes y clasifícalos como en el ejemplo.

Marcadores causales: *Como…*

Marcadores temporales:

Adición de elementos:

Demostrativos:

Contraste:

Relativos:

Otras expresiones:

Si bien la idea de Salas y Quiroga no tuvo acogida en los cafetales sí surtió gran efecto en la tabacalera. Por aquellos años escaseaban los obreros tabaqueros y por ello se buscó mano de obra adicional enseñando a torcer a los presidiarios. Ocurrió también que entre los presos que ocupaban las dos galeras existentes en el arsenal del Apostadero de La Habana, se estableció la lectura al terminar los presos los trabajos del día. Como la mayoría de los reclusos eran además tabaqueros la noticia de la lectura en las galeras pronto se divulgó por las tabaquerías. Es de recalcar que en los primeros tiempos de la lectura en las tabaquerías, los lectores y los encargados de coordinar los temas eran los propios tabaqueros, los cuales organizaron además un sistema en el que cada obrero contribuía con una cuota para cubrir el salario del obrero lector, ya que éste no podía trabajar mientras leía. Más adelante se fueron incluyendo grandes obras de novelística europea y profundos temas científicos. Todo esto, a petición de tabaqueros en su mayor parte analfabetos pero que figuraban como los más cultos de los obreros cubanos.

(Santiago de las Vegas en línea, http://www.santiagodelasvegas.org/) [último acceso 20.7.08]

Vocabulario

tener acogida   *(here:) to be taken up*

el cafetal   *coffee plantation*

surtir efecto   *to have an impact*

escasear   *to be in short supply*

mano de obra   *labour*

torcer   *to twist; (here:) applied to twisting the tobacco leaves*

es de recalcar   *it should be emphasised*

la cuota   *fixed sum of money*

C

Para terminar, completa este resumen del texto *El lector de tabaquería* usando las palabras del recuadro. Una de ella se puede usar dos veces.

también • ella • por todo ello • sin embargo • en efecto • por ese motivo • a pesar de todo • tanto… como • no sólo… sino que • que

La idea de leer en voz alta para un grupo de personas mientras trabajan o comen no es nueva. _____, los monjes de San Benito ya leían, _____ durante las comidas _____ cuando realizaban tareas manuales aburridas. En Cuba la lectura en las tabaquerías tiene su origen en la lectura a los presidiarios, ya que muchos de ellos eran tabaqueros. Saturnino Martínez, _____ trabajaba en la fábrica de Partagás, concibió la idea de implantar _____ la lectura en las tabaquerías. Gracias a _____, los tabaqueros cubanos se convirtieron en uno de los estratos más ilustrados de la clase obrera. _____ la idea no siempre fue bien recibida pero, _____ los obreros se politizaron mucho con las lecturas _____ se llegó a prohibir la lectura en voz alta en los periodos de mayor tiranía. _____, la práctica continuó viva en las tabaquerías. Grandes autores como Víctor

Hugo y Ramiro de Maéztu _____ conocieron su existencia _____ además le prestaron su apoyo. _____, se puede afirmar que la lectura en las tabaquerías representa los valores fundamentales de la cultura obrera cubana.

Actividad 6.6 _____

Ahora vas a practicar cómo seleccionar rápidamente el significado adecuado de una palabra en un diccionario monolingüe.

A

Muchas palabras tienen varios significados distintos. Es importante no adoptar la primera definición que encuentres en el diccionario. Debes leer la entrada completa y considerar el contexto en que has encontrado la palabra cuyo significado estás buscando.

Observa la frase: "En tiempo de tiranía siempre la lectura en voz alta se ha visto afectada".

El verbo "afectar" en español puede tener distintos significados y usos. Fíjate en la siguiente entrada de diccionario que contiene siete significados. Relaciona cada frase a continuación con el número correspondiente de la definición.

(a) Aunque él ya sabía que le habían dado el premio, afectó sorpresa cuando se lo anunciaron.

(b) El divorcio de su hijo la afectó considerablemente.

(c) Las catástrofes naturales afectan más a los países del tercer mundo.

(d) Los nuevos subsidios no afectan a las propiedades construidas antes del año 2002.

(e) Se afectó mucho cuando perdió su trabajo.

(f) Le gusta afectar una tranquilidad que no tiene.

afectar *v. tr.* **1** Ser ‹una cosa› aplicable [a una persona, a un animal o a una cosa]. SIN. incumbir, atañer. **2** Mostrar ‹una persona› [una actitud o una característica que no le es propia]. SIN. aparentar. **3** Hacer creer ‹una persona› [una cosa que no es verdad]. **4** Causar ‹una cosa› una impresión dolorosa [a una persona]. **5** Destinar ‹una persona› [una cantidad de dinero] a un fin público o privado. ‖ *v. tr. / intr.* **6** Tener ‹una cosa› un efecto negativo para [una persona, un animal o una cosa]. ‖ *v. prnl.* **7** Sentirse ‹una persona› dolorosamente impresionada.

(Diccionario Salamanca de la lengua española, http://fenix.cnice.mec.es/diccionario/)

B

Elige tú ahora el significado apropiado para estas dos palabras que aparecieron en el texto que leíste anteriormente.

1 El verbo "afectar" en la frase: "En tiempo de tiranía siempre la lectura en voz alta se ha visto afectada".

2 La palabra "ingenio" en la última frase: "El cubano tuvo el ingenio de adaptar una práctica tan antigua y poco aprovechada como la lectura en voz alta a un ambiente en el que pocos hubiesen augurado un arraigo y un beneficio tan rotundo". Usa la siguiente entrada de diccionario para seleccionar la definición más apropiada.

ingenio *s. m.* **1** Inventiva, inteligencia: *Es mucho mejor utilizar el ingenio que la fuerza.* **2** Persona que tiene esta cualidad. SIN. genio. **3** Habilidad, maña: *Le burló con su ingenio.* SIN. astucia. **4** Sentido del humor agudo y ocurrente: *Sus respuestas están llenas de ingenio.* SIN. agudeza, chispa, gracia. **5** Artefacto, máquina: *Ha inventado un ingenio completamente inútil.* **6** Explotación de caña de azúcar y fábrica donde se elabora.

(Diccionario Salamanca de la lengua española, http://fenix.cnice.mec.es/diccionario/)

C

Para comprobar que has elegido la opción apropiada cuando buscas palabras desconocidas puedes utilizar lo que llamamos búsquedas "de ida y vuelta".

1   Busca en un periódico en inglés tres palabras que no conozcas todavía en español. Anótalas en la primera columna de la tabla.

Palabra inglesa	Traducción al español	Re-traducción al inglés

2   Ahora busca en un diccionario bilingüe sus traducciones al español y anótalas en la segunda columna.

3   Finalmente, vete a la sección español-inglés del mismo diccionario y mira qué traducciones se proponen para las palabras que acabas de anotar en la segunda columna. ¿Corresponden a las palabras inglesas originales o son diferentes?

Si te salen resultados extraños, prueba con una opción diferente entre las que te propone el diccionario y repite el ejercicio hasta que las palabras de las columnas 1 y 3 sean idénticas o equivalentes.

Sillón de lectura

Actividad 6.7

Existen diversos relatos de cómo era la ciudad de Tenochtitlán, la gran ciudad de los aztecas. El centro de la ciudad estaba ocupado por los edificios de gobierno y de culto. El Templo Mayor era imponente y en su gran rectángulo había más de 70 edificios. El más grande era la pirámide de sus principales dioses: Huitzilopochtli, de la guerra, y Tláloc, de la lluvia.

Lee los extractos que siguen de la descripción que hace Bernal Díaz del Castillo, un importante cronista español que acompañó a los conquistadores, en *Historia verdadera de la Conquista de la Nueva España*, publicada en Madrid en 1632 y observa las estrategias que utiliza para poder describir el asombro ante lo nunca antes visto por los españoles.

Vocabulario

la calzada   *road*

el encantamiento   *(here:) spell*

el Amadís   El Amadís de Gaula *is a landmark work among the knight-errantry stories which were popular in sixteenth-century Spain and which the soldiers would have read*

de cal y canto   *solid*

ponderar   *to praise*

maldito,-a   *damned*

todo lo señoreaba   *dominating everything*

huir   *to flee*

el desbarate (arc.)   *from* desbaratar *(here:) ruin*

echar   *to throw out*

el agua dulce   *drinking water*

de trecho a trecho   *here and there*

los bastimentos   *provisions for a city*

las cargas y las mercaderías   *cargo and merchandise*

el puente levadizo   *drawbridge*

cues y adoratorios   *altars*

la azotea   *flat roof*

tornar   *to turn around*

el zumbido   *buzzing*

la legua   *league*

compasado,-a (arc.)   *measured*

el concierto (arc.)   *organisation, order*

[...] y desde que vimos tantas ciudades y valles poblados en el agua y en la tierra firme y otras grandes poblaciones y aquella calzada tan derecha y por nivel como iba México, nos quedamos admirados y decíamos que parecía a las cosas de encantamiento que cuentan en el libro Amadís, por las grandes torres y edificios que tenían dentro del agua y todos de cal y canto y aun algunos de nuestros soldados decían que si aquello que veían si era entre sueños y no es de maravillar que yo escriba aquí de esta manera, porque hay mucho que ponderar en ello. No sé cómo lo cuento, ver cosas nunca oídas, ni aún soñadas como veíamos. Esta simetría y planificación que tanto admiró a los conquistadores, provenía de una idea de organización política y social, de la división cuadripartita del grupo mexica*. Sin embargo, ésta a su vez había sido heredada del patrón urbano de Teotihuacán. Muchas calles eran canales por los que sólo se podía transitar en canoas [...]

(http://amolt.interfree.it/Messico/spagnolo_storia03.htm) [último acceso 12.2.09]

*Para los mexicas el mundo era un plato plano dividido en cuatro partes por una cruz, al centro de la cual había una piedra verde donde habitaban los hombres.

[...] desde aquel grande y maldito templo estaba tan alto que todo lo señoreaba muy bien y de allí vimos las tres calzadas que entran en Méjico, que es la de Istapalapa, que es por donde salimos huyendo la noche de nuestro gran desbarate, cuando Cuedlavaca, nuevo señor, nos echó de la ciudad, como adelante diremos, y la de Tepeaquilla. Y veíamos el agua dulce que venía de Chapultepec, de la que se proveía la ciudad, y en aquellas tres calzadas los puentes que tenían hechos de trecho a trecho, por donde entraba y salía el agua de la laguna; y veíamos en aquella gran laguna tanta multitud de canoas, unas que venían con bastimentos e otras que volvían con cargas y mercaderías; y veíamos que cada casa de aquella gran ciudad, y de todas las demás ciudades que estaban pobladas en el agua, de casa a casa no se pasaba sino por unos puentes levadizos que tenían hechos en madera, o en canoas; y veíamos en aquellas ciudades cues y adoratorios a manera de torres y fortalezas, y todas blanqueando, que era cosa de admiración, y las casas de azoteas, y en las calzadas otras o adoratorios que eran como fortalezas. Y después de bien mirado y considerado todo lo que habíamos visto, tornamos a ver la gran plaza y la multitud de gente que en ella había, unos comprando e otros vendiendo, que solamente el rumor y zumbido de las voces y palabras que allí había sonaba más que de una legua, e entre nosotros hubo soldados que habían estado en muchas partes del mundo, e en Constantinopla e en toda Italia y Roma, y dijeron que plaza tan bien compasada y con tanto concierto no la habían visto. [...]

(www.micrositios.net/cab/index) [último acceso 12.2.09]

Tema 7   Romances, leyendas y mitos

En este tema vamos a conocer distintas perspectivas sobre La Malinche, un personaje controvertido de la historia de México, así como las diferentes teorías que existen sobre las misteriosas líneas de Nazca en Perú. Además, leerás fábulas, cuentos y microcuentos y vas a escribir biografías de personajes históricos así como tus propios microcuentos. También pondrás en práctica el discurso indirecto para presentar distintas teorías, los tiempos del pasado y algunas fórmulas características de los cuentos infantiles.

La fundación de Tenochtitlán. Ilustración del *Códice Mendoza*, hacia mediados del siglo XVI

Actividad 7.1

En esta actividad vas a conocer la historia de La Malinche, una mujer clave en la historia de México.

A

A continuación tienes un resumen de la vida de La Malinche. Escribe las preguntas que necesitas hacer para obtener la información en cada caso, escogiendo las expresiones más adecuedas del recuadro.

> ### Ejemplo
>
> (a) ¿Dónde nació La Malinche?

> ¿Qué? • ¿Cómo? • ¿Dónde? • ¿De quién?
> • ¿A qué? • ¿Por qué? • ¿Con quién? •
> ¿Cuándo? • ¿Cuánto(s)/-a(s)? • ¿Adónde?
> • ¿Para qué?

(a) ¿ Dónde nació La Malinche?   en Paynala.

(b) ¿......................?   un cacique azteca.

(c) ¿......................?   1519 a 1522.

(d) ¿......................?   muy inteligente.

(e) ¿......................?   1522.

(f) ¿......................?   Juan Jaramillo.

(g) ¿......................?   veintitrés.

B

Ahora completa el texto siguiente con la información que te hemos dado en el paso anterior.

La Malinche nació en (a) _____ a principios del siglo XVI. Era hija de (b) _____ , pero fue vendida como esclava a la muerte de su padre a un jefe maya. Posteriormente fue entregada al conquistador Hernán Cortés.

La Malinche se convirtió en la amante de Cortés y permaneció junto a él desde (c) _____ hasta _____ .

Doña Marina, nombre que adquirió tras su conversión al cristianismo, hablaba no sólo maya, sino también náhuatl, la lengua de los aztecas. Por esta razón se convirtió en la intérprete de Cortés y en una pieza clave en la conquista del imperio azteca. Era una mujer (d) _____ , y muy respetada por los indígenas.

En el año (e) _____ Marina dio a Cortés su primer hijo varón, al que llamó Martín.

En 1524 Cortés "casó" a Doña Marina con (f) _____ , uno de sus capitanes, con quien tuvo una hija.

La Malinche murió poco después, a los (g) _____ años, en 1529.

Apuntes

Biografías de personajes históricos

Para hablar de personajes históricos es importante cubrir los siguientes aspectos:

- Datos personales básicos (fecha y lugar de nacimiento y muerte, familia, etc.)

- Alguna descripción de su personalidad o de su aspecto físico.

- Datos de lo que hicieron en sus vidas y de por qué se hicieron famosos.

- Contexto histórico/social/cultural en que vivieron (se puede incluir algún detalle de su vida diaria).

Se usa el **pretérito indefinido** para indicar **los momentos y acciones** importantes de su vida:

> La Malinche **nació** a principios del siglo XVI.

> **Se convirtió en** la amante de Hernán Cortés.

> **Murió** en 1529.

Se usa el **imperfecto** para los **elementos descriptivos** que completan el relato:

> La Malinche **era** inteligente y muy respetada por los indígenas.

> **Hablaba** no sólo maya, sino también náhuatl.

 Para más información consulta tu libro de gramática.

C

En la página siguiente tienes algunos datos adicionales sobre La Malinche. Combínalos con la información que ya tienes y escribe una biografía de La Malinche entre 250 y 300 palabras. Para darle cohesión a tu texto, trata de usar las expresiones del recuadro, relacionando la información de manera fluida y elegante. No importa si utilizas algunas expresiones más de una vez. Puedes empezar así:

La Malinche, también conocida como Malineli Tenepatl, o Doña Marina, nació en Paynala a principios del siglo XVI.

también • sin embargo • además (de) • al poco tiempo • muy pronto • [...] años más tarde • en ese mismo año • por eso/ por ello • cuando • todavía • al principio

Datos adicionales sobre La Malinche

- Nombres: Malineli Tenepatl, Malintzin, La Malinche o Doña Marina

- Origen posible: nacida en Paynala (azteca), clase alta

- Guerra entre mayas y aztecas → Niña cedida como esclava (tributo al ganador: práctica normal)

- Bilingüe: náhuatl (lengua materna) + maya (sus amos)

- 15.03.1519: regalada a Hernán Cortés (esclava) por los caciques de Tabasco

- Idea de Cortés: Malinche bilingüe → intérprete (náhuatl–maya)

- Jerónimo de Aguilar (náufrago español rescatado por Cortés) = Intérprete no. 2 (maya–castellano)

- Muy pronto: Malinche (náhuatl + maya + castellano) = única intérprete

- Servicios a españoles: 1. Intérprete; 2. Asesoramiento intercultural (costumbres etc.); 3. "inteligencia" y "diplomacia" (posiblemente)

- Hijos: 1. Martín (de Cortés), 2. María Jaramillo (de Juan Jaramillo, capitán de Cortés)

Actividad 7.2

A

La figura de La Malinche ha causado grandes debates entre los mexicanos. El texto siguiente resume cuáles han sido los temas más controvertidos y responde críticamente a algunos de los mitos existentes. Léelo con detenimiento y asegúrate de comprender las distintas perspectivas que se presentan sobre La Malinche.

¿Traidora o fundadora?

La Malinche acumula un buen número de leyendas, de suposiciones menos comprobables, y de asociaciones más o menos justas al personaje, como puede ser la palabra despreciativa 'malinchismo' o el considerarla como la primera madre de México. Estas leyendas, suposiciones y asociaciones quizá puedan agruparse en cuatro tipos:

1 **Las relativas a la novelesca historia de su infancia**: Nacida en noble cuna. Secuestrada y vendida como esclava siendo niña, por un conflicto familiar en el que su madre y su hermano la traicionan. Encuentro de la cautiva con el conquistador, que la hace su mujer y la encumbra... Y vuelta a su lugar de nacimiento, donde, en lugar de vengarse de su madre y su hermano, se preocupa porque sean bautizados y los cubre de regalos... No es de extrañar que algunos cronistas puedan haber exagerado o adornado la historia, que es digna de las novelas de caballerías que los conquistadores adoraban.

2 **Las que aluden a una supuesta historia de amor con Cortés**: Seguramente no hubo tal romance; las relaciones humanas en el siglo XVI no pueden juzgarse con criterios actuales, y menos aún con criterios novelescos. Cortés

tuvo un hijo con Malintzin, pero también tuvo otro con Tecuichpo, la hija de Moctezuma, que había sido mujer de Cuauhtémoc, el último gobernante de la ciudad de México-Tenochtitlán. Posiblemente la relación amorosa de Cortés con Malintzin fue mucho menos intensa de lo que se quiere a veces suponer.

3 Las que la culpan de traición a los suyos, de venta de la patria: Es evidente que Malintzin no tenía ninguna patria que vender. Cortés se aprovechó precisamente de que no existiera unidad, y sí gran enemistad, entre los pueblos con los que entraba en contacto. Los pueblos mesoamericanos no estaban organizados en reinos, y menos aún en imperios, sino que formaban una diversidad de asentamientos llamados *ãltepēl*. La palabra "malinchismo", con la que se adjetivan las acciones de un individuo contra su propia cultura (normalmente para beneficio propio), o la preferencia por lo extranjero, es un concepto muy posterior a la conquista.

4 Las que la señalan como madre fundadora: Malintzin también tiende a evocar el nacimiento de una nueva patria y, en un sentido general, la maternidad. Se la asocia, por ejemplo, a la leyenda de La Llorona, el fantasma clásico de una madre desconsolada, que en sus apariciones por la ciudad de México, grita "¡Ay, mis hijos!"

(Adaptado de http://es.wikipedia.org/wiki/La_Malinche) [último acceso 22.7.08]

Nota: La asociación de La Malinche con el nacimiento de una nueva patria que menciona el texto se debe a que el hijo que tiene con Hernán Cortés marca el origen de una nueva raza mestiza (mezcla de europeos con indígenas) en México. Este hecho es motivo de celebración para unos y el principio del fin para otros. La asociación con La Llorona se refiere a la seducción primero y el abandono posterior sufrido por ambas mujeres.

Vocabulario

despreciativo,-a   *(here:) derogatory, pejorative*

el malinchismo   *term applied to those who act against their own culture*

novelesco,-a   *like something out of a novel*

noble cuna   *noble birth*

cautivo,-a   *prisoner*

encumbrar   *to ennoble*

vengarse   *to take revenge*

el cronista   *chronicler*

la novela de caballerías   *chivalresque novel*

la enemistad   *enmity*

el asentamiento   *settlement*

adjetivar   *to use adjectivally*

desconsolado,-a   *inconsolable*

B

Ahora vas a explicar en tus propias palabras las cosas que se han dicho sobre La Malinche. Primero lee la sección de Apuntes sobre el discurso indirecto, fijándote en los distintos verbos que se pueden usar y resume cada uno de los cuatro párrafos del texto que acabas de leer usando el discurso indirecto sin repetir dos veces el mismo verbo. El primer resumen está empezado para ayudarte.

El discurso indirecto

Para referirse a las opiniones y palabras de otras personas utilizamos la siguiente estructura:

Verbo "decir" o similar en tercera persona + "que" + opinión o palabras de la otra persona.

> Pedro **dice** que los segovianos son muy agradables.

> Tus padres **comentaron** que había mucho tráfico en la carretera.

> Juan **mantiene** que nunca ha pedido dinero a nadie.

> Ana **respondió** que no podía venir porque le dolía la cabeza y su madre **añadió** que tenía que levantarse temprano al día siguiente. Yo **apunté** que el día siguiente era domingo, pero ellas me **aseguraron** que tenía un compromiso.

Otros verbos que se utilizan son: comentar, mencionar, repetir, asegurar, apuntar, advertir, añadir, mantener, responder y afirmar.

1 Infancia novelesca

Algunos cronistas mantienen que La Malinche volvió a su lugar de nacimiento y perdonó a su familia por haberla traicionado. El autor comenta que...

2 Historia de amor

3 Traición a los suyos

4 Madre fundadora

En esta actividad vas a seguir practicando el discurso indirecto. Esta vez el tema del que hablan unos y otros es el origen de las líneas de Nazca, en Perú.

A

Estas misteriosas figuras no se pueden ver desde el suelo; sólo es posible apreciarlas desde un avión. Mira los dibujos y relaciona las figuras con el nombre del animal o figura geométrica que representan.

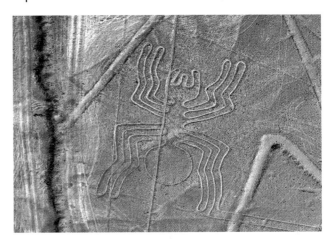

(a)

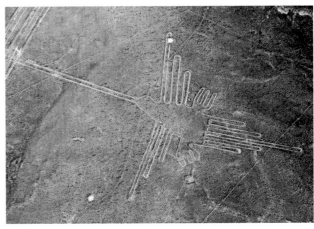

(b)

(*continúa*)

(c)

(d)

(e)

araña • colibrí • mono • orca • trapecio

La cultura nazca

La cultura nazca se desarrolló entre el 100 a.C. y el 450 d.C. en los valles sureños de la costa peruana, una zona desértica. Lo más conocido de los nazcas son las grandes líneas geométricas y de animales que se descubrieron al sobrevolar el territorio próximo a la moderna ciudad de Nazca. Algunos de estos diseños son de gran longitud (cientos de metros, incluso hay uno que mide 2 km) y se ignora su función.

B

Existen dos teorías para explicar la existencia de las figuras nazcas. Léelas con atención:

1   Teoría extraterrestre: las figuras son obra de extraterrestres que se instalaron en la Tierra hace muchos siglos.

2   Teoría arqueológico–antropológica: las figuras son obra de los nazcas, una civilización indígena.

Ahora lee las siguientes explicaciones que se han dado en relación a las líneas de Nazca. Decide cuáles forman parte de la teoría extraterrestre y cuáles pertenecen a la arqueológico–antropológica.

(a)   El primer Homo sapiens surgió de la mezcla de los hombres primitivos nazcas con seres de otros planetas.

(b)   Los cráneos encontrados en las tumbas reproducen prácticas habituales en tribus primitivas de todo el mundo, por ejemplo el alargamiento del cráneo de los bebés, que se consideraba un signo de belleza.

(c) El agua era muy importante para una civilización que vivía en el desierto. Las figuras geométricas trapezoidales dirigían su vértice a las montañas desde donde venía el agua, allá a lo lejos, en los Andes. Los indios hacían procesiones sobre estas líneas pidiendo agua a los dioses en épocas de grandes sequías.

(d) Las figuras de animales gigantes servían para dar la bienvenida a las naves espaciales.

(e) Los cráneos encontrados en las tumbas tienen una forma alargada que no pertenece a los humanos.

(f) Los indios nazcas hacían procesiones de carácter religioso para pedir favores a sus dioses. Generalmente recorrían andando las líneas de las figuras geométricas tocando instrumentos musicales.

(g) Los alienígenas aterrizaban usando determinadas líneas de las figuras geométricas y varios días o meses después despegaban usando otras líneas diferentes.

(h) Las figuras geométricas eran las señales de la pista de aterrizaje.

(i) Las figuras de animales gigantes son muestras de la "arquitectura nazca". Representan animales admirados comúnmente por los nazcas por sus especiales propiedades: el mono es ágil, la araña tiene una gran capacidad defensiva, etc.

Vocabulario

los extraterrestres (o alienígenas) *aliens*

el cráneo *skull*

el alargamiento *lengthening*

trapezoidal (*adj.*) *quadrilateral, similar to a trapezoid*

la sequía *drought*

aterrizar *to land*

despegar *to take off*

C

Ahora vas a realizar un ejercicio de síntesis. Escribe un pequeño resumen (entre 150 y 200 palabras) de las dos teorías. Ten en cuenta los siguientes puntos:

- No olvides que se trata de las teorías de otras personas, así que puedes utilizar las estructuras "según..." y "dicen que...". Por ejemplo: "Según las teorías de los arqueólogos / los defensores de..."; o "Los científicos / los arqueólogos, etc., dicen que...".

- También puedes ordenar y distribuir las ideas usando las estructuras distributivas: "una... otra...", "por un lado... por otro...", etc.

Puedes empezar tu resumen así:

Para explicar las figuras de Nazca existen dos teorías. Según la teoría extraterrestre…

Cómo sintetizar sin parafrasear

Para sintetizar un texto o una serie de textos hay que extraer la información esencial y volver a organizarla de una manera lógica, pero diferente de su presentación original. La estructura de esa nueva versión depende del objetivo que se quiera cumplir con el nuevo texto, pero no se deben copiar ni parafrasear expresiones literales del original. A los hablantes no nativos a veces les cuesta trabajo encontrar sus propias palabras, por eso lo mejor es intentar olvidar las palabras originales y recordar solamente el significado global de las ideas (algunos lo consiguen usando su lengua materna para preparar el esquema). Luego se compone la síntesis como si fuera un texto completamente nuevo, reutilizando solamente las palabras clave.

Actividad 7.4

Vamos a estudiar ahora un tipo de narración muy particular, la fábula, y para ello, vas a leer la de *El zorro y el cuervo*.

A

Primero lee estas frases e indica cuáles de las siguientes características son típicas de la fábula.

1 La acción de la fábula se sitúa...

   (a) en otros planetas

   (b) fuera del tiempo y del espacio

   (c) en un pasado muy remoto

   (d) en países muy lejanos

2 La fábula es una historia corta que...

   (a) ofrece un ejemplo de comportamiento

   (b) narra un hecho curioso

   (c) se cuenta por la noche para asustar a los niños

   (d) explica cómo se resolvió un crimen

3 Los personajes de las fábulas suelen ser...

   (a) personas

   (b) monstruos

   (c) animales

   (d) dioses

4 Al final de las fábulas suele haber...

   (a) un chiste para hacer reír a los lectores

   (b) un final inesperado para sorprender

   (c) una fórmula fija, como 'colorín colorado'

   (d) una moraleja o frase corta que da un consejo

B

Ahora lee esta fábula e indica cuál de estas tres moralejas es la más apropiada para ella.

(a) "No debes comer y abrir la boca al mismo tiempo, porque es de mala educación".

(b) "No debes confiar en las personas que te alaban demasiado, porque en realidad quieren engañarte".

(c) "Si tienes algo de comida, cómetela rápidamente, antes de que otro te la quite".

Un cuervo encontró una vez un pedazo de queso. Lo tomó y se subió a un árbol para poder comérselo tranquilamente. Y mientras estaba así, pasó un zorro. Cuando éste vio el queso comenzó a pensar de qué manera se lo podría quitar al cuervo. Y empezó a hablarle: "Amigo Cuervo, la gente me ha hablado mucho de todas tus grandes virtudes y ahora que te veo con mis propios ojos puedo comprobar que todo lo que dicen es verdad. Todos dicen que el color negro de tus plumas, ojos y pico es muy vistoso y brillante, y casi se torna azul, como la pluma del pavo real, que es el ave más hermosa del mundo. Y también dice la gente que tu vuelo es ligero y elegante y que el viento no te puede detener, aunque sea muy fuerte. Y todas estas cosas que dice la gente son muy ciertas, pero también dicen que tu canto es feo y desapacible. Y yo no lo puedo creer, por eso te ruego que cantes para mí, para alejar tan terrible duda".

El cuervo escuchó todos estos halagos. Pensó que el zorro era su amigo. Entonces abrió el pico para cantar y se le cayó el queso. El zorro lo tomó rápidamente. Se marchó, y el cuervo se quedó sin el queso.

(Adaptado y modernizado de Manuel, J. (1960) *El conde Lucanor*, Sopena Argentina, Buenos Aires, pp.25–7)

Actividad 7.5 _____

Ahora vas a observar cómo los diferentes tiempos de pasado se usan para estructurar la narración de esta fábula.

A

Completa la lista con las acciones que ocurren en la fábula en orden cronológico, e identifica en qué tiempo verbal están.

1   El cuervo encontró un pedazo de queso.

2   _____

3   El cuervo se subió a un árbol.

4   _____

5   _____

6   _____

7   El zorro empezó a hablar.

8   El cuervo escuchó los halagos del zorro.

9   _____

10 Al cuervo se le cayó el queso.

11 _____

12 _____

13 El cuervo se quedó sin el queso.

B

Lee las siguientes frases, que ofrecen información adicional para la fábula, y vuelve a leer la fábula para decidir en qué parte podrías interrumpir la narración para incluirlas.

- El zorro estaba muy contento: por fin tenía algo para comer.

- El pedazo de queso era bastante grande y estaba en el suelo.

- Este zorro era malo y astuto, y tenía mucha hambre.

- El árbol era uno de los más frondosos y verdes de todo el bosque.

C

Ahora analiza tus respuestas. Observa las frases que acabas de añadir al texto.

(a) ¿En qué tiempo están los verbos?

(b) ¿Qué tipo de información añaden al texto: descriptiva o narrativa?

Apuntes

Pretérito indefinido e Imperfecto: usos en narración y descripción

Pretérito indefinido

El pretérito indefinido se usa en el hilo de la narración para hablar de una serie de acciones completas.

> El príncipe la **vio** y **se enamoró** de ella.

Imperfecto

El imperfecto se usa en las descripciones

- de los personajes
- de su entorno físico
- del contexto de la acción.

> **Tenía** el pelo largo y rubio.

> El palacio **estaba** en una montaña y dos leones **guardaban** día y noche la única puerta que tenía.

> El príncipe **tenía** miedo, **sabía** que la bruja estaba furiosa y que los monstruos que la ayudaban **querían** matarlo.

Para más información consulta tu libro de gramática.

Escritorio

En esta sesión vas a trabajar con dos tipos de narración. Comenzarás examinando un cuento tradicional desde una perspectiva moderna, y luego tendrás la oportunidad de practicar un género narrativo muy versátil: el microcuento. Esto te permitirá seguir consolidando los tiempos verbales del pasado, los conectores temporales, y todos los recursos narrativos y descriptivos que has estudiado hasta ahora.

Actividad 7.6

Una de las formas más tradicionales y características del relato tradicional es el cuento infantil.

A

Vas a leer un cuento literario moderno del escritor catalán Quim Monzó (Barcelona, 1952–) donde el autor recrea la historia infantil *El príncipe encantado* de manera sorprendente. Léelo primero centrándote en su significado y en el efecto que te produce el relato.

El sapo

De color azul, el príncipe sólo lleva los pantalones, ajustados. También lleva un jubón de colorines, una capa corta y roja, una gorra ancha, gris y con una pluma verde, y botas de media caña por encima de los pantalones azules y ajustados.

Le gusta pasear a caballo por los bosques, que son todos de coníferas, densos y húmedos y con brumas bajas. Muy de vez en cuando detiene el caballo y se pone a meditar.

¿Qué medita el príncipe? Medita qué hará en el futuro, cuando herede el reino, cómo gobernará, qué innovaciones introducirá y qué mujer elegirá para que se siente a su lado, en el trono.

Pero eso de encontrar una mujer suficientemente digna y equilibrada pinta muy difícil. El príncipe sale poco. Sus amigos, príncipes como él, salen todas las noches, de taberna en taberna y de fiesta en fiesta, hasta las tantas. En las fiestas y tabernas se hartan de conocer a princesas y plebeyas. Todos los mediodías, después de levantarse, los príncipes se encuentran para tomar el aperitivo, con los ojos enrojecidos escondidos tras gafas de sol y la cabeza como una losa. Siempre llegan a la misma conclusión: princesas o plebeyas, tanto da; son todas iguales.

Por eso no sale nunca con los demás príncipes. Le da miedo acompañarlos y descubrir que, efectivamente, tienen razón.

Nunca ha confesado a nadie cómo espera encontrar a su princesa ideal. Porque sabe que se reirían. La encontrará encantada: en forma de sapo. Está convencido. Precisamente por eso será diferente de todas las demás, porque se habrá mantenido alejada de la banalidad y la degradación de los humanos. Esta convicción ha ido reforzándosele con el curso de los años con un hecho curioso y sintomático: nunca ha logrado ver un solo sapo.

Por eso la mañana que, tras horas de galopar, se detiene a orillas de un río y ve un sapo sobre una roca cubierta de musgo, echa pie a tierra con el corazón desbocado. Por fin ha encontrado un sapo, cara a cara, en directo. El sapo lo saluda:

Croac.

Ni por un instante duda que es a ese bicho al que debe darle un beso. El príncipe inclina el cuerpo y adelanta la cara. El sapo está justo frente a él. La papada se le hincha y deshincha sin cesar. Ahora que lo ve tan de cerca siente que lo invade el asco; pero no tarda en reponerse y acerca los labios al morro del anfibio.

Mua.

En menos de una milésima de segundo, con un ruido ensordecedor, el sapo se convierte en un prisma de cien mil colores, que multiplica infinitamente las caras, hasta que todas las caras y colores se convierten en una muchacha de cabellos dorados. Por fin el príncipe ha encontrado a la mujer que siempre ha buscado.

—Por fin has llegado —dice ella—. Si supieras cómo he esperado al príncipe que debía librarme del hechizo.

—Lo comprendo. Te he buscado siempre, desde que era niño. Y siempre he sabido que te encontraría.

Se miran a los ojos, se cogen las manos. Es para siempre, y los dos son conscientes de ello.

—Era como si el momento no fuera a llegar nunca —dice ella.

—Pues ya ha llegado.

—Qué bien, ¿no?

El príncipe mira el reloj. ¿Qué más debe decirle? ¿De qué deben hablar? ¿Debe invitarla enseguida a su casa o se lo tomará a mal? En realidad no hay ninguna prisa, tienen toda la vida por delante.

—En fin.

—Sí.

—Ya ves...

—Tanto esperar y de repente, plaf, ya está.

—Sí, ya está.

—Qué bien, ¿no?

(Resumido y adaptado de Monzó, Q. (2005) *El porqué de las cosas*, Barcelona, Anagrama)

Vocabulario

el sapo   *toad*

el jubón   *jerkin*

heredar   *to inherit*

pintar muy difícil   *to be tricky business*

hartarse de + verbo   *to tire of*

hasta las tantas   *until very late at night, until the small hours*

la losa   *paving stone*

tanto da   *it makes no difference*

el musgo   *moss*

cara a cara y en directo   *live and face-to-face*

desbocado,-a   *out of control (normally used for horses)*

la papada   *chin*

hincharse   *to blow up, to swell*

el asco   *disgust*

el morro *(familiar)*   *mouth*

el hechizo   *magic spell*

B

Ahora contesta las preguntas siguientes y completa la tabla.

1   ¿Cómo le da fundamentalmente la vuelta Quim Monzó a este cuento infantil?

2   ¿Cuál crees tú que es el mensaje central de este cuento?

3   El humor en este cuento radica en la mezcla inesperada de elementos tradicionales y modernos. Identifícalos en la tabla para completarla.

	Elementos tradicionales	Elementos modernos
Ropa y aspecto físico		
Lugares		
Lenguaje	densos; húmedos; brumas; tras horas de galopar, se detiene a orillas de un río; si supieras cómo he esperado	qué innovaciones introducirá; equilibrada; la banalidad y la degradación; en directo; anfibio, milésima de segundo + coloquialismos (pinta muy difícil, hasta las tantas, ese bicho, morro, plaf)
Comportamientos		
Trama o historia		

C

El cuento *El sapo* está narrado en tiempo presente. Reescribe en tiempo pasado los párrafos que están señalados en el texto, usando correctamente el imperfecto, el pretérito indefinido y el pluscuamperfecto. La primera frase está hecha como ejemplo.

De color azul, el príncipe sólo llevaba los pantalones, ajustados.

Actividad 7.7 _____

En esta actividad vamos a practicar otro género narrativo: el microcuento. El microcuento es un género que han cultivado algunos de los escritores más conocidos de la literatura hispana contemporánea como Augusto Monterroso, Eduardo Galeano, Mario Benedetti, Ana María Matute, Max Aub o Quim Monzó.

A

Lee esta breve selección de microcuentos e intenta determinar cuáles son los rasgos característicos de este género seleccionando en la lista los que son verdaderos y los que son falsos.

> "Cuando despertó, el dinosaurio todavía estaba allí."
>
> Augusto Monterroso

> "Los amantes"
>
> Ellos son dos por error que la noche corrige.
>
> Eduardo Galeano

> "El miedo"
>
> Una mañana nos regalaron un conejo de Indias. Llegó a casa enjaulado. Al mediodía, le abrí la puerta de la jaula. Volví a casa al anochecer y lo encontré tal y como lo había dejado: jaula adentro, pegado a los barrotes, temblando del susto de la libertad.
>
> Eduardo Galeano

> El drama del desencantado que se arrojó a la calle desde el décimo piso, y a medida que caía iba viendo a través de las ventanas la intimidad de sus vecinos, las pequeñas tragedias domésticas, los amores furtivos, los breves instantes de felicidad, cuyas noticias no habían llegado nunca hasta la escalera común, de modo que en el instante de reventarse contra el pavimento de la calle había cambiado por completo su concepción del mundo, y había llegado a la conclusión de que aquella vida que abandonaba para siempre por la puerta falsa valía la pena de ser vivida.
>
> Gabriel García Márquez

> Se sabe de un viajero de comercio a quien le empezó a doler la muñeca, justamente debajo del reloj de pulsera. Al arrancarse el reloj, saltó sangre: la herida mostraba huellas de unos dientes muy finos.
>
> Julio Cortázar, *Historias de cronopios y famas*

Los microcuentos...	Verdadero	Falso
son historias que caben en una página.		
no tienen conclusión.		
invitan a la reflexión.		
tienen muchos personajes.		
son una forma de literatura oral.		
no suelen tener introducción.		
sólo hay una imagen que actúa como metáfora.		
trabajan con el inconsciente.		
son siempre anónimos.		
son versiones resumidas de relatos más largos.		

B

Ahora vas a escribir tú dos microcuentos. A continuación te damos algunas pistas que te pueden servir de guía.

En este primer microcuento vas a utilizar la técnica de la cadena, como en el ejemplo.

Ejemplo

El camión verde chocó con la furgoneta blanca que salía de la floristería; la furgoneta blanca chocó con el Volvo marrón que el abuelo llevaba al dentista; el Volvo marrón chocó con el Mini rosa de la Barbie de pelos amarillos; el Mini rosa chocó con la moto azul del musculoso repartidor de pizzas. La pulga se dio a la fuga.

Vocabulario

la pulga   *flea*

darse a la fuga   *to run away (as in 'hit and run')*

1   Ahora completa tú este otro cuento de la misma manera.

El mosquito salió a pasear, pero una araña lo capturó en su tela y se lo comió. La araña…

2   Inventa un microcuento de una o dos frases, basado en estas imágenes.

Sillón de lectura

Actividad 7.8

Aunque muy conocida en toda Latinoamérica, la leyenda de La Llorona no ha transcendido de la misma manera que la canción mexicana del mismo nombre. Observa la letra de la canción y busca los elementos relacionados con alguna de las versiones de la leyenda que conozcas.

La Llorona

Salías del templo un día Llorona
cuando al pasar yo te vi *(bis)*
Hermoso huipil llevabas Llorona
que la virgen te creí. *(bis)*

Ay de mi Llorona, Llorona
Llorona llévame al río *(bis)*
tápame con tu rebozo Llorona
porque me muero de frío. *(bis)*

Ay de mi Llorona, Llorona
Llorona de ayer y de hoy *(bis)*
ayer maravilla fui Llorona
y ahora ni sombra soy. *(bis)*

No sé qué tienen las flores, Llorona,
las flores del camposanto; *(bis)*
que cuando las mece el viento,
Llorona,
parece que están llorando. *(bis)*

Dicen que no tengo duelo Llorona
porque no me ven llorar *(bis)*
hay muertos que no hacen ruido
Llorona
y es más grande su penar. *(bis)*

Dos besos llevo en el alma Llorona
que no se apartan de mí, *(bis)*
El último de mi madre Llorona
y el primero que te di. *(bis)*

Vocabulario

el huipil   *colourful embroidered blouse worn by indigenous women*

el rebozo   *shawl*

la sombra   *shadow*

mecer   *to sway*

el duelo   *pain*

el camposanto   *graveyard*

el penar   *sorrow*

Tema 8 Memorias y recuerdos

En este tema vas a trabajar con textos relacionados con la memoria histórica. La primera parte está dedicada a la Guerra Civil española y la segunda a los corridos mexicanos, y en particular, los inspirados por la Revolución. También tendrás oportunidad de escribir el argumento de un corrido.

Actividad 8.1

A

A continuación tienes un texto relacionado con la Guerra Civil española. Léelo y contesta las preguntas.

1 ¿A quién se refiere el término "niño/a de la guerra" en el texto?

2 ¿Qué era lo primero que les hacían a los niños cuando llegaban a Inglaterra?

3 ¿Qué les habían dicho sus padres al marchar?

4 ¿Cuál es la relación de Michael Portillo con los niños de la guerra?

5 ¿Qué ocurrió cuando estalló la Segunda Guerra Mundial?

6 ¿En conjunto, cómo se valora la experiencia de estos niños en el texto?

Los niños de la guerra

A finales de 1936 se creó el *National Joint Committee for Spanish Relief* para ayudar a las mujeres y los niños de la zona republicana. Su presidenta era la conservadora duquesa de Atholl. El gobierno británico se negaba a dejar entrar en el Reino Unido a refugiados españoles no combatientes, pero a raíz del bombardeo de Guernica consintió la entrada de los niños, a condición de que su cuidado y mantenimiento dependiera directamente del *National Joint Committee*.

El 21 de mayo de 1937, 3.826 niños y niñas entre **7** y **15** años, acompañados de 95 maestras, 122 auxiliares y 15 sacerdotes, salieron del puerto de Santurce, Bilbao, en el buque *Habana*, escoltado por la Marina británica. Llegaron al puerto de Southampton la tarde del día siguiente.

LUIS SANTAMARÍA. Niño de la guerra. Inglaterra. Sale en el *Habana* con tres de sus hermanos. Casado con una niña de la guerra. Vive en Londres.

"Llegamos a Southampton y allí nos esperaban una serie de dignatarios, amigos de la República, prensa... Estuvimos quizá un día, mientras nos iban haciendo a todos una inspección médica; nos miraban las manos a ver si teníamos sarna, a ver si teníamos piojos, a ver si habíamos sido vacunados, y si te encontraban algo te ponían una cinta roja en la muñeca o bien una blanca, y entonces te mandaban al hospital o al campamento".

Inicialmente los niños fueron trasladados a un cercano campamento, que había tenido uso militar, llamado *North Stoneham*, pero después el *Committee* tuvo que buscar otros emplazamientos. La Iglesia católica acogió a **1.200** en sus conventos y orfelinatos. La *Salvation Army* se ocupó de **450** en su albergue de *East London*. El resto fue a parar a más de **70** colonias en todo el país, sostenidas por comités de voluntarios locales.

ESPERANZA ORTIZ DE ZÁRATE. Niña de la guerra. Inglaterra.

"Yo estaba muy contenta, echaba de menos a mis padres pero yo no me daba cuenta, para mí era como una vacación, bueno, es que nos había dicho mi padre que veníamos de vacaciones y que volveríamos en tres meses, y yo me lo tragué todo".

Antes de que estallara la Segunda Guerra Mundial ya **2.822** niños de los **3.826** que fueron a Inglaterra habían regresado a España. En bastantes casos no habían sido reclamados por sus familias y se encontraron con una realidad muy dura. Durante esos **2** años habían estado repartidos a lo largo de todo el país, alojándose en colonias, mansiones, hoteles vacíos, viejas rectorías rurales y hasta en un castillo medieval.

CORA BLYTH. Viuda de Luis Portillo.

Cuando estudiaba en la Universidad de Oxford lengua española entró en contacto con las colonias de los niños vascos para practicar el castellano, y se convirtió en una entusiasta voluntaria, lo que le unió de por vida al destino de esos niños. En una de estas 70 colonias conoció a Luis Portillo, joven catedrático de Derecho en la Universidad de Salamanca, con el que se casó. El matrimonio tuvo tres hijos, uno de ellos es Michael Portillo, ex ministro del gobierno de Margaret Thatcher.

La guerra mundial lo trastocó todo para esos **1.000** niños que no pudieron regresar. Los niños más pequeños fueron repartidos en sistema de acogida familiar, dándose varios casos de adopción. Los que ya tenían entre **16** y **18** años se fueron integrando en granjas y fábricas.

Dentro de lo que cabe, la experiencia de "los niños de Inglaterra" no resultó tan negativa gracias a la atención que les prestaron estos voluntarios ingleses y republicanos españoles, que fueron sus maestros e incluso suplieron el cariño de sus familias.

(Resumido y adaptado de Martín Casas, J. et al., (2002) *El exilio español (1936–1978)*, Barcelona: Editorial Planeta, pp.43–8 y 252–9)

Vocabulario

el buque   *ship*

escoltado,-a   *escorted*

los dignatarios   *authorities*

la sarna   *scabies*

los piojos   *head lice*

la cinta   *(here:) band*

la muñeca   *(here:) wrist*

el emplazamiento   *location*

el albergue   *shelter*

la colonia   *community, camp*

echar de menos a alguien   *to miss someone*

tragarse una historia   *to believe an unlikely story*

el catedrático de Derecho   *professor of Law*

de por vida   *for a lifetime, for ever*

trastocar   *to change, to transform*

dentro de lo que cabe   *all things considered*

La Guerra Civil española

El 17 de julio de 1936 se produjo el levantamiento de un sector del ejército contra el Gobierno legal y democrático de la Segunda República Española. Así se inició una guerra civil que asoló el país durante tres años. El 26 de abril de 1937, la Legión Cóndor alemana y la aviación italiana realizaron un ataque aéreo sobre Guernica, capital cultural e histórica del País Vasco, que ha quedado plasmado para siempre en el famoso cuadro *Guernica* de Picasso. La guerra concluyó el 1 de abril de 1939 con la victoria de los rebeldes, que establecieron entonces un régimen dictatorial de carácter fascista gobernado por el General Franco hasta su muerte en 1975.

Apuntes

Anécdotas e historias personales

Este tipo de historias personales encuadradas dentro de importantes acontecimientos históricos nos dan una idea de las experiencias concretas del ciudadano normal en aquellos momentos. Caracterizan este tipo de texto el uso de un lenguaje informal, las series de enumeraciones que describen la situación, y ocasionalmente los toques de humor. Se suelen centrar en aspectos cotidianos (la alimentación, la salud, el ocio) que no siempre se cubren en los libros de historia.

B

1   Lee el texto con más detalle y explica con frases completas a qué se refiere cada una de las cifras siguientes, que aparecen en negrita en el texto.

Ejemplo

7–15

Los números siete y quince se refieren a la edad de los niños que fueron enviados a Inglaterra.

(a)   1.200

(b)   450

(c)   70

(d)   2.822

(e)   3.826

(f)   2

(g)   1.000

(h)   16–18

2   Busca en el texto los términos españoles para *orphanage* y *foster care*.

C

Ahora cuenta lo que opinas tú.

1 ¿Por qué crees tú que los ciudadanos británicos ayudaron de esta manera?

2 ¿Cómo piensas que se sentían las familias que enviaron a sus hijos a Inglaterra?

3 ¿Y cómo imaginas que vivieron los niños al principio esta experiencia?

4 ¿Cómo crees que el origen familiar de Michael Portillo pudo haber influido en su decisión de dedicarse a la política?

Actividad 8.2

Vamos a examinar otra manifestación de la memoria histórica pero esta vez en la literatura oral. Los corridos mexicanos, que vas a estudiar en esta actividad, relatan principalmente sucesos reales de la historia del país.

A

El texto siguiente explica lo que es un corrido. Léelo y contesta las preguntas a continuación.

El corrido mexicano

El corrido es un canto del género épico-narrativo que deriva del romance castellano y de la jácara. Del romance conserva su carácter narrativo, y de la jácara, el énfasis exagerado del machismo, la jactancia y engreimiento propio de jaques y valentones. Abarca igualmente relatos sentimentales del tipo amoroso y los de aquellos sucesos que sobresalen en la vida local, regional o nacional. Esto último, tuvo particular importancia en México hasta antes del establecimiento de los modernos medios masivos de comunicación, cuando los corridos circulaban, entre el pueblo, impresos en hojas sueltas que eran vendidas por quienes los interpretaban en plazas públicas y mercados, desempeñando, en parte, el papel de difusores de noticias.

El corrido comenzó a cantarse, como expresión popular, a fines del siglo XIX, haciendo el relato cantado de las hazañas de quienes se rebelaban contra el gobierno porfirista. Alcanzó su máximo desarrollo durante la época comprendida entre el inicio de la revolución maderista (1910) y la liquidación del movimiento cristero (1929).

A partir de entonces, el corrido tiende a volverse artificioso, sin espontaneidad; pues con un criterio muchas veces mediocre, o con afán lucrativo, se componen corridos casi con el único objeto de reseñar la victoria efímera de algún deportista, o, lo que es peor, para elogiar desmedidamente a determinado candidato – desde el nivel municipal hasta el nacional – en su campaña política. Sin embargo, esta decadencia no quiere decir que hayan desaparecido por completo los verdaderos corridistas, quienes con su fantasía creadora, y ante los acontecimientos que más conmueven a la sociedad, siguen cultivando este importante género de la música vernácula mexicana.

El corrido mexicano ha llegado a una estructura clásica que comprende los siguientes aspectos, aunque no necesariamente en el mismo orden:

(a) Solicitud de permiso para iniciar el canto.

(b) Ubicación en lugar y fecha.

(c) Presentación del, o los personajes. O en su caso, el motivo del corrido.

(d) Desarrollo.

(e) Desenlace.

(f) Moraleja.

(g) Despedida.

Hay casos como el del corrido de "Rosita Alvírez", en que el desenlace se plantea junto con la fecha en el primer verso:

> Año de 1900
>
> presente lo tengo yo
>
> en un barrio de Saltillo
>
> Rosita Alvírez murió.

donde puede apreciarse la manera inteligente en la que el autor despierta el interés por saber de qué murió Rosita.

Se acostumbra que el tema melódico sea igual para todas las estrofas, con breves interludios, durante los que descansan los cantadores.

Según el asunto que aborde, el corrido puede también denominarse: historia, narración, relato, ejemplo, tragedia, mañanas o mañanitas, recuerdos, versos o coplas.

(http://mx.geocities.com/baldemusic/generospopulares/corrido.html) [último acceso 6.4.09]

Vocabulario

el romance   *traditional Hispanic ballad*

la jácara   *a song form of Arab origin, often humorous and rude*

la jactancia   *boasting*

el engreimiento   *arrogance*

el jaque   *challenge*

el valentón   *man who makes a show of his own good looks and bravery*

abarcar   *to cover*

los medios masivos de comunicación   *mass media*

la hazaña   *feat*

el movimiento cristero   *Mexican movement in defence of the autonomy of the Church*

con afán lucrativo   *for profit*

desmedidamente   *unduly*

la ubicación   *location*

el tema melódico   *tune*

la estrofa   *verse*

abordar   *(here:) to treat*

las mañanitas (*Méx.*)   *song usually sung on someone's birthday*

1 ¿Por qué se menciona el machismo en esta descripción del corrido?

(a) porque se dice que los mexicanos son machistas

(b) porque sólo los cantan los hombres

(c) porque procede de las jácaras, un género literario que exagera lo masculino

2 Originalmente, ¿cuál era la función primordial de los corridos?

(a) difundir noticias

(b) entretener al público

(c) elogiar a los políticos y a los famosos

3 Según el autor, ¿cuál ha sido su función después de 1929?

(a) entretener al público

(b) elogiar a los políticos y a los deportistas

(c) cantar aventuras amorosas

4 ¿Cuáles de estas características reflejan la "decadencia" del género según el autor? (puedes marcar más de una respuesta)

(a) sus autores los componen solamente para ganar dinero

(b) están compuestos en una mezcla de español e inglés

(c) son composiciones artísticamente mediocres

5 ¿Qué ilustra el extracto del corrido Rosita Alvírez que nos cita?

(a) el hecho de que los corridos suelen referirse a personajes reales

(b) la manera en que saben captar el interés de los oyentes

(c) el lenguaje de los corridos

6 ¿A qué característica formal específica se refiere el término "corrido"?

(a) los revolucionarios cantaban corridos galopando en sus caballos

(b) se canta en un compás muy rápido

(c) todas las estrofas tienen la misma melodía

Actividad 8.3

A

Para ilustrar esta descripción general vamos a examinar un ejemplo concreto. El corrido que vas a leer cuenta una de las batallas más importantes de la Revolución mexicana: la toma de Zacatecas, donde Pancho Villa, con ayuda de Pánfilo Natera, derrotó al general Benjamín Argumedo y tomó la ciudad de Zacatecas.

Lee este extracto del comienzo y el final del corrido.

De la toma de Zacatecas

Voy a cantar estos versos,
de tinta tienen sus letras,
voy a cantarles a ustedes
la toma de Zacatecas.

Mil novecientos catorce,
mes de junio veintitrés,
fue tomado Zacatecas
entre las cinco y las seis.

Gritaba Francisco Villa
en la estación de Calera:
vamos a darle la mano
a don Pánfilo Natera.

[...]

Al disparo de un cañón,
como lo tenían de acuerdo,
empezó duro el combate
por el lado derecho e izquierdo.

[...]

Fue tomado Zacatecas
por Villa, Urbina y Natera,
Ceniceros y Contreras,
Madero Raúl y Herrera.

[...]

Gritaba Francisco Villa:
¿Dónde te hallas Argumedo?
¿Por qué no sales al frente,
tú que nunca tienes miedo?

[...]

Estaban todas las calles
de muertos entapizadas
y las cuadras por el fuego
todititas destrozadas.

[...]

Andaban los federales,
que no hallaban ni qué hacer,
buscando enaguas prestadas
pa' vestirse de mujer.

Subieron a las iglesias
a repicar las campanas
y las bandas por las calles
sonorizaban con dianas.

Cuatro ramitos de flores
puestos en cuatro macetas,
por la División del Norte
fue tomada Zacatecas.

(Cancionero Mexicano Anónimo, Corridos de la Revolución Mexicana, http://www.elportaldemexico.com/
arte/musica/cancioneropopularanonimo.htm) [último acceso 23.7.08]

Vocabulario

la toma   *capture*

entapizado,-a [tapizado,-a en español
    peninsular]   *lined with, covered in*

la cuadra   *block of houses*

todititas (*Mex.*)   *every single*

los federales   *the federal army led by General
    Argumedo*

la enagua   *petticoat*

pa'   *shortened version of* para

repicar   *to ring (for bells)*

la diana   *reveille*

la maceta   *flowerpot*

B

Abajo tienes la lista de elementos que se suelen encontrar en un corrido tradicional. ¿Cuáles de ellos aparecen en este corrido que acabas de leer? Indica en cuál de las estrofas o versos se encuentra cada uno.

Elementos del corrido	¿Aparece en este corrido?	Estrofa o verso donde aparece
(a) Solicitud de permiso para iniciar el canto.	Sí.	Estrofa no.1. (más que una solicitud de permiso es un anuncio: "voy a cantarles a ustedes / la toma de Zacatecas")
(b) Ubicación en lugar y fecha.		
(c) Presentación de los personajes o del motivo del corrido		
(d) Desarrollo		
(e) Desenlace		
(f) Moraleja		
(g) Despedida		

C

Ahora contesta estas preguntas.

1 ¿Cuándo se produjeron los hechos?

2 Haz una lista de todos los nombres propios que se mencionan en el corrido, indicando cuáles se refieren a lugares y cuáles a personas. Explica quiénes son (o crees que pueden ser) las personas nombradas (por ejemplo, amigos o enemigos de Villa).

3 ¿Qué dos estrofas se refieren al enemigo? ¿Cómo se relacionan esas dos estrofas con lo que leíste antes sobre el estilo de los corridos?

Actividad 8.4

A

A continuación vas a leer extractos de un artículo donde Fernando Camacho Servín comenta la obra *Ni aquí ni allá*, un trabajo de investigación sobre el corrido moderno realizado por la investigadora mexicana María Luisa de la Garza, que analizó más de 500 temas para su libro. Después de leer, completa las frases a continuación con toda la información necesaria del texto.

Con el corrido, los migrantes fijan su postura ante la vida: investigadora

Los temas han evolucionado, ahora se canta el temor a la migra, asegura la experta

Fernando Camacho Servín

[…] Por medio del corrido, género musical no siempre bien valorado, los migrantes mexicanos en Estados Unidos definen su visión de la justicia y la vida, y fijan su postura ante una realidad difícil que los juzga por partida doble. Con él, dicen, no somos traidores a nuestra patria, ni tampoco delincuentes o "invasores". […]

"El corrido es un género muy vivo y muy importante para gran parte de la sociedad mexicana, sobre todo de clase económica baja, que plasma en él sus preocupaciones sobre temas diversos. Por medio de él define su identidad nacional y al mismo tiempo vemos la condición humana viva", explica la investigadora. […]

Aunque el corrido no ha cambiado mucho en sus aspectos formales, los temas sí han ido evolucionando. Si en los años 30 la preocupación era que la crisis los había dejado sin trabajo en el país vecino, ahora el leitmotiv de las canciones es la nostalgia por la tierra y la familia, y el temor a la persecución de la migra.

(Universidad Nacional Autónoma de México, www.jornada.unam.mx/2007/12/28/index.php) [último acceso 23/7/08]

Vocabulario

la migra   *United States immigration police*

el migrante (*Méx.*)   *immigrant*

por partida doble   *twice over*

traidor,-ra   *traitor*

plasmar   *to express*

1   Los migrantes son juzgados por partida doble porque, según algunos mexicanos, _____, mientras que según los estadounidenses, _____.

2   El corrido en Estados Unidos tiene dos funciones: permite a los migrantes _____ y también _____.

3   En los años 30 los corridos compuestos en Estados Unidos solían hablar de _____.

4   Ahora los corridos hablan de _____.

5   En cuanto a su forma, los corridos _____.

Los narco-corridos

En las últimas décadas, la forma del corrido se ha comenzado a usar para relatar las operaciones de contrabando de narcotraficantes famosos en la frontera norte, describiendo (de forma cínica o romantizada) los grandes riesgos que corren. Este tipo de corrido, muy controvertido, presenta unas descripciones cada vez más explícitas de las operaciones del narcotráfico. A pesar de la mala imagen que dan del país, los narco-corridos son muy populares entre los mexicanos, porque sus promotores han conseguido aprovechar el poderoso efecto que ejerce la estética del corrido sobre el público mexicano. Las canciones se escriben normalmente por dinero (hasta 500 dólares por un corrido), que pagan los propios narcotraficantes. Se pueden obtener legalmente a través de los canales normales de distribución, y sus intérpretes (por ejemplo, Los Tigres del Norte) las cantan libremente por todo el mundo.

B

Ahora vas a preparar tú la trama básica de un corrido sobre el tema de la inmigración. Escribe entre 200 y 250 palabras contando la historia de una madre mexicana que emigra a Estados Unidos para huir de la pobreza, y que al final consigue mejorar su vida. Tu relato no tiene que estar en verso (sólo es el resumen de un corrido), pero debe presentar la historia al estilo de los corridos, cubriendo los aspectos siguientes. No te olvides de utilizar los tiempos del pasado que has aprendido.

1   Ubicación en lugar y fecha

2   Presentación de los personajes

3   Desarrollo (aventura heroica que muestre la valentía de la heroína)

4   Desenlace

5   Moraleja

 # Escritorio

En esta sesión vas a redactar un diario personal en español y además, te familiarizarás con las características de los blogs y podrás expresar tus propias experiencias, opiniones o sentimientos en una entrada de blog.

Actividad 8.5 _____

A

Primero vas a leer un fragmento de un diario personal para fijarte en las características del género al que pertenece. No te preocupes si no entiendes algunas de las expresiones coloquiales que aparecen ya que vas a trabajar con ellas más adelante.

Hoy no he dado golpe en todo el día. Para empezar, el despertador no ha sonado y me he levantado casi una hora tarde. ¡Con lo mal que me sienta empezar el día corriendo!

He salido de casa a toda prisa y ni siquiera he desayunado. El tráfico estaba de pena y, claro está, ya no he llegado a la primera clase, y encima, era una clase de dos horas. Con lo que me fastidia tener que pedir apuntes. Pero, ¡qué se le va a hacer! Así que, me he tomado un café y me he puesto a leer un rato.

Cuando he ido a la segunda clase, resulta que el profesor estaba enfermo. ¡Después de estar anoche hasta las dos acabando los ejercicios! Si lo sé no me trago el atasco de esta mañana. Luego, para colmo, me ha pillado Juan por los pasillos y con lo que raja…

Por fin la última clase. Pero, apenas llevábamos diez minutos en clase cuando ha empezado a sonar la alarma de incendios. ¡Lo que faltaba! Total que, mientras hemos desalojado el edificio, y han comprobado que todo estaba bien, tan sólo ha quedado tiempo para volver al aula y recoger las cosas. ¡Y para esto he salido de casa hoy corriendo y sin desayunar!

Vocabulario

el despertador   *alarm clock*

de pena   *terrible*

fastidiar   *to annoy*

resultar   *to turn out*

tragar (*familiar*)   (*here:*) *to put up with*

el atasco   *traffic jam*

Características de un diario personal

- Uso de la primera persona.
- Narración de los acontecimientos en secuencia cronológica.
- Marcadores de tiempo como: "esta mañana", "anoche", "ayer", etc.
- Uso extenso de expresiones coloquiales, estilo informal, y expresiones idiomáticas (como si se estuviera hablando).

B

Una de las características de los diarios es la utilización de expresiones coloquiales. Busca ejemplos de expresiones coloquiales en el texto y da sinónimos o explica el significado de cada una de ellas. Busca las expresiones que no entiendas en un diccionario bilingüe o monolingüe.

Ejemplo

no he dado golpe = no he hecho nada

C

En el texto aparece un par de veces la estructura siguiente, que se utiliza para enfatizar una sensación, un sentimiento o un hecho evidente.

con lo + adjetivo / adverbio + **que** + verbo

¡Con lo mal que me sienta!

Haz frases utilizando esta estructura a partir de las palabras de la siguiente lista.

Ejemplo

bueno / estar / el café recien hecho
¡Con lo bueno que está el café recién hecho!

(a) aburrido / ser / su tío

(b) tristes / parecer / los lugares sin sol

(c) melancólico / ponerse / él sin su familia

(d) sano / ser / montar en bici

(e) enamorada / estar / mi hermana

(f) buenas / estar / las gambas

(g) bien / expresarse en alemán / los niños

(h) bien / cocinar / los hombres

Actividad 8.6

Escribe unas 150–200 palabras sobre un día especial en tu vida. Puedes hablar de:

- tus sentimientos
- algo que en el día te ha causado alegría, temor, aburrimiento...
- lo que pasó a lo largo del día
- algo o alguien que te ha parecido significativo.

Actividad 8.7

En esta actividad vamos a examinar algunas características de los blogs, que son una versión moderna del diario personal.

A

A continuación vas a leer algunos extractos del blog llamado "Chica con falda roja", pero antes lee el párrafo siguiente que explica el nombre del blog y contesta las preguntas.

"Chica con falda roja"

"Me gustan las mujeres que pinta Edward Hopper, apoyadas en la barra de un bar, sentadas en la cama de un hotel o en la mesa de un café, de pie ante una puerta o frente a una ventana, cansadas de no se sabe qué… Me gusta cómo llaman los pintores a esos cuadros: niña con sombrero, chica con falda roja…"

1　¿Qué tipo de persona piensas que pueda ser el autor/a que ha escrito este blog?

2　Imagina por un momento que estás buscando un nombre para tu blog personal. Inventa un nombre basado en la misma idea, pero apropiado a tu personalidad ¿qué nombre elegirías? (e.g. barbudo con bicicleta, rubia con guitarra, etc.)

B

El texto siguiente es una entrada del blog "Chica con falda roja". Léelo y haz una lista de las características que te parecen típicas de este tipo de texto.

Sábado, 8 de noviembre

Mi adicción a la letra impresa me ha proporcionado muchas satisfacciones y algún contratiempo. Uno de los problemas de pasar horas enfrascada en la lectura es que acabas citando a diestro y siniestro y la gente se mosquea; en medio de una conversación aludes a Bernhard, a Amis o a Canetti y te miran pensando, hay que ver lo pedante que es esta tía. Y lo peor es que tú lo haces con una naturalidad pasmosa: simplemente hablas de la gente que frecuentas.

Un día, harta de aguantar esos comentarios, me puse a darle vueltas y no tardé mucho en encontrar una solución. Desde entonces nada de citar a autores de culto, todo queda en casa. Ya no digo que estoy de acuerdo con Chejov cuando afirmaba que "si le tienes miedo a la soledad, no te cases". Ahora digo: – "Como suele decir mi padre, si le tienes miedo a la soledad…" (aunque también pongo en boca de mi padre a otros autores rusos).

"Si ya lo decía mi madre…" (aunque quien lo haya dicho sea la Duras, la Lessing o cualquier otra autora que frecuente en esos momentos).

"En mi familia siempre lo han dicho…" (y me apoyo en el novelista del XIX que me apetezca).

"Mi hermana la pequeña siempre me dice que…" (y aquí entran casi todos los cuentistas norteamericanos).

"Mi hermana la mayor siempre mantiene que…" (suelo utilizarla para Marías, Vila-Matas y similares).

"Mi tía, la modista, me repite continuamente que…" (y acudo a los escritores alemanes de entreguerras).

Hasta ahora nunca había tenido problemas. Nadie se sorprendía de que tuviera una familia tan ingeniosa. Lo malo es que he terminado haciéndolo también en casa de mis padres. Y empiezan a mirarse como extraños.

(Divagado por Bo Peep @ 19:33 – Todos callan)

Vocabulario

el contratiempo *setback*

enfrascado,-a *absorbed in an activity*

mosquearse (*familiar*) *to get annoyed*

pasmoso,-a *incredible*

harto,-a *fed up with something*

darle vueltas a (*familiar*) *to think about something*

la modista *dressmaker*

acudir a *to turn to*

Características de los blogs

Función

- Mostrar su contenido a todo el que quiera leerlo.

Estructura y presentación

- Uso frecuente de un seudónimo, o "nombre de guerra".

- Normalmente las entradas aparecen en orden cronológico inverso.

- Suelen tener también fotos, vídeos y enlaces a otras páginas web.

Temas más frecuentes

- Narración breve de historias y anécdotas.

- Alusiones a la actualidad, a la vida cotidiana, a artistas, obras de arte, política, etc.

- Emociones y sentimientos.

- Opiniones.

- Reflexiones filosóficas.

Estilo

- Uso de la primera persona.

- Uso de un lenguaje coloquial y familiar.

- Importancia del humor.

- Referencias internas o alusiones que sólo pueden entender los lectores habituales del blog.

C

Lee las siguientes entradas del blog e indica las características que puedas observar en ellas según lo que has leído en la ficha anterior. Justifica tus respuestas con ejemplos específicos de las tres entradas.

Ejemplo

Uso de la primera persona (8 nov: "Mi adicción a la letra impresa…")

Texto A

Viernes, 7 de noviembre

Durante mi embarazo acudía todas las tardes al parque del Retiro. Paseaba sola durante más de una hora y, aunque era invierno y las temperaturas eran bajas, el amplio chaquetón que me cubría me resguardaba del frío y me disimulaba mi ya más que incipiente barriguita. Una tarde se me acercó un muchacho de gesto triste y aspecto solitario, se puso a caminar a mi lado y a darme conversación. En un momento dado me preguntó si iba muy a menudo por allí y le contesté que sí, que estaba embarazada y que mi médico me había recomendado esos paseos diarios. "¡Ah!, bueno, entonces adiós", me dijo y se alejó a toda prisa.

Quince días después volvió a abordarme. Era evidente que no me había reconocido y comenzó el cortejo de forma parecida. De nuevo volvió a hacerme la pregunta fatídica y de nuevo volví a contestarle en los mismos términos. "¡Ah!, bueno, no me importa", me dijo para mi asombro y siguió hablando como si tal cosa. Siempre me he preguntado qué le ocurriría en esas dos semanas que le hizo cambiar de opinión.

(Divagado por Bo Peep @ 12:01 – Todos callan)

Vocabulario

abordar a alguien   *to approach someone*

cortejo   *wooing, courting*

fatídico,-a   *fateful, ominous*

Texto B

Miércoles, 5 de noviembre

En mis años de Facultad llegué a la conclusión de que había cuatro tipos de alumnos. Los que decían:

A)

—He suspendido.

—He aprobado.

B)

—Me han suspendido.

—Me han aprobado.

C)

—He aprobado.

—Me han suspendido.

D)

—Me han aprobado.

—He suspendido.

Los que despertaban mis simpatías eran los del grupo A. Eso sí, a la hora de pedir apuntes no discriminaba.

(Resumido y adaptado de: www. chicaconfaldaroja.blogspot.com) [último acceso 12.2.09]

D

Escribe un título breve para cada texto.

E

Los autores de blogs a menudo recurren al uso de seudónimos para preservar el anonimato. Sin embargo, a través de la lectura de un blog, se puede inferir mucha información personal sobre su autor/a. Escribe un breve párrafo con todo lo que sabemos sobre la "chica con falda roja" y compara la imagen que surge con la que te habías formado de ella en el paso A.

Ejemplo

Le gusta leer. …

Actividad 8.8

La diferencia esencial entre un diario personal tradicional y un blog es que el diario sólo se escribe para uno mismo, o como mucho, para los amigos más íntimos, mientras que el blog se escribe para todo tipo de público.

A

Ahora vas a escribir una entrada para tu blog, siguiendo el modelo de "Chica con falda roja". Aquí tienes algunos temas posibles (pero puedes elegir cualquier otro si lo prefieres):

- Un evento importante en tu vida (el nacimiento de un hijo, el primer día de trabajo).

- Tus reflexiones a partir de algún detalle de la vida cotidiana (un accidentado viaje al supermercado, tus observaciones en un trayecto de autobús).

- Una pequeña excursión a un lugar inusual (la casa de un escritor, un museo dedicado a una afición minoritaria).

Una vez elegido el asunto, hay que planificar la escritura. Fíjate en el siguiente modelo de plan de escritura, basado en la entrada del 7 de noviembre de "Chica con falda roja", y elabora el tuyo con tus propias ideas.

1 **Tema o asunto principal**

   La gente peculiar que a veces conoce uno por casualidad: el chico del Retiro.

2 **Preliminares o antecedentes**

   Paseos de embarazada por el Retiro.

3 **Historia o anécdota**

   (a) primer encuentro

   (b) segundo encuentro.

4 **Final o conclusión con impacto**

   "Siempre me he preguntado qué le ocurriría en esas dos semanas que le hizo cambiar de opinión".

B

Ahora escribe la entrada de tu blog (entre 250 y 300 palabras) basándote en el modelo que ofrece "Chica con falda roja". Intenta utilizar las expresiones que has aprendido en la sesión, el lenguaje coloquial y las estructuras para expresar sentimientos.

Autoevaluación

Para terminar, vas a evaluar el texto que acabas de escribir usando las preguntas siguientes:

- ¿Has seguido los pasos de tu borrador inicial?

- ¿Has utilizado un lenguaje familiar y coloquial?

- ¿Has podido darle un toque de humor?

- ¿Has podido añadirle, para concluir, un final con impacto, o una reflexión original?

- Vuelve a mirar la lista de la Actividad 8.7 y observa si tu blog tiene alguna característica más de las que se presentan en la lista.

≣ Sillón de lectura

Actividad 8.9

En su novela *Réquiem por un campesino español*, Ramón J. Sender (Huesca, 1901 – California, 1982) describe la vida y la injusta muerte de Paco el del Molino, un campesino español imaginario de los años treinta. El extracto que presentamos aquí relata algunas anécdotas de su infancia. ¿Qué rasgos específicos del carácter de Paco se pueden inferir de estas tres anécdotas?

Tenía el padre de Paco un perro flaco y malcarado. Los labradores tratan a sus perros con indiferencia y crueldad, y es, sin duda, la razón por la que esos animales los adoran. A veces el perro acompañaba al chico a la escuela.

Paco andaba por entonces muy atareado tratando de convencer al perro de que el gato de la casa tenía también derecho a la vida. El perro no lo entendía así, y el pobre gato tuvo que escapar al campo. Cuando Paco quiso recuperarlo, su padre le dijo que era inútil porque las alimañas salvajes lo habrían matado ya. Los buhos no suelen tolerar que haya en el campo otros animales que puedan ver en la oscuridad, como ellos. Perseguían a los gatos, los mataban y se los comían. Desde que supo eso, la noche era para Paco misteriosa y temible, y cuando se acostaba aguzaba el oído queriendo oír los ruidos de fuera.

Si la noche era de los buhos, el día pertenecía a los chicos, y Paco, a los siete años, era bastante revoltoso. [...] Era ya por entonces una especie de monaguillo. Entre los tesoros de los chicos de la aldea había un viejo revólver con el que especulaban de tal modo, que nunca estaba más de una semana en las mismas manos. Cuando por alguna razón lo tenía Paco, no se separaba de él, y mientras ayudaba a misa lo llevaba en el cinto bajo el roquete. Una vez, al cambiar el misal y hacer la genuflexión, resbaló el arma, y cayó en la tarima con un ruido enorme. Un momento quedó allí, y los dos monaguillos se abalanzaron sobre ella. Paco empujó al otro, y tomó su revólver. Se remangó la sotana, se lo guardó en la cintura, y respondió al sacerdote:

—Et cum spiritu tuo.

Terminó la misa, y Mosén Millán llamó a Paco, le riñó y le pidió el revólver. Entonces ya Paco lo había escondido detrás del altar. Mosén Millán registró al chico, y no le encontró nada. Paco se limitaba a negar, [...]. Al final, Mosén Millán se dio por vencido, pero le preguntó:

— ¿Para qué quieres ese revólver, Paco? ¿A quién quieres matar?

—A nadie.

Añadió que lo llevaba para evitar que lo usaran otros chicos peores que él. Este subterfugio asombró al cura.

Mosén Millán se interesaba por Paco pensando que sus padres eran poco religiosos. Creía el sacerdote que atrayendo al hijo, atraería tal vez al resto de la familia. Tenía Paco siete años cuando llegó el obispo, y confirmó a los chicos de la aldea. Después de la confirmación habló el obispo con Paco en la sacristía. El obispo le llamaba galopín. Nunca había oído Paco aquella palabra. El diálogo fue así:

— ¿Quién es este galopín?

—Paco, para servir a Dios y a su ilustrísima.

El chico había sido aleccionado. El obispo, muy afable, seguía preguntándole:

— ¿Qué quieres ser tú en la vida? ¿Cura?

—No, señor.

— ¿General?

—No, señor, tampoco. Quiero ser labrador, como mi padre.

(Sender, R.J. (1988) *Réquiem por un campesino español*, Barcelona, Ediciones Destino, pp.25–8)

Vocabulario

malcarado,-a   *ugly-faced*

atareado,-a   *busy*

la alimaña   *vermin*

el buho   *owl*

temible   *frightening*

aguzar   *to sharpen*

revoltoso,-a   *naughty*

el monaguillo   *altar boy*

el cinto   *waist*

el roquete   *soutane*

el misal   *missal*

la genuflexión   *genuflexion (taking one knee to the floor as a sign of respect in church)*

resbalar   *to fall off*

la tarima   *floor*

abalanzarse   *to rush*

remangarse   *to tuck up*

darse por vencido   *to give up*

asombrar   *to amaze*

el obispo   *bishop*

confirmar   *to confirm (administer the sacrament of confirmation)*

el galopín   *little scoundrel*

su ilustrísima   *respectful form of address for bishops*

aleccionar   *to instruct*

afable   *approachable*

labrador,-ra   *farmhand*

Trabajo y sociedad

Esta unidad aborda el tema del trabajo en el mundo hispanohablante, diferentes profesiones y maneras de trabajar, y los cambios que se han producido en el trabajo a causa de las nuevas tecnologías. También trata el tema de la inmigración y el impacto que tiene en el mundo laboral.

Aprenderás cómo rellenar impresos y extraer información específica de documentos oficiales, cómo elaborar un currículum y una carta de presentación, y cómo resumir un texto y escribir un informe.

Estudio de arquitectos, Costa Rica

Tema 9 Entornos de trabajo

En este tema vas a trabajar con una selección de textos sobre diferentes profesiones y maneras de trabajar. También estudiarás los rasgos del lenguaje formal e informal y practicarás cómo extraer información de documentos oficiales y cómo rellenar impresos.

Actividad 9.1

¿Cuál es tu actitud ante el trabajo? Realiza este test para descubrirla.

EL PERFECTO EMPLEADO

Trabajar no es un entretenimiento. Ni una habilidad. Para buscar trabajo (o conservarlo) es conveniente poseer criterios o actitudes muy determinados. Estas 10 preguntas te ayudarán a descubrir tus propias capacidades. Marca tus respuestas y después mira los resultados.

1 ¿Qué importancia tiene el trabajo en tu vida?

B. Mucha.

D. Poca.

A. Total.

C. Bastante.

E. Ninguna.

2 ¿Cómo te gusta hacer tu trabajo?

A. Tiene que ser perfecto.

B. Lo mejor posible.

E. Como sea.

D. Pasable.

C. Razonablemente bien.

3 Si tienes oportunidad de elegir, prefieres…

E. Hacer lo que me digan.

C. Consultar con mi jefe.

A. Tomar la iniciativa.

B. Decidir yo mismo.

D. Hacerlo como siempre.

4 Piensas que un trabajo…

A. Evoluciona siempre.

C. Puede mejorar.

E. No debe cambiar nunca.

B. Está sometido a cambios.

D. Tiene que adaptarse.

5 Confiésalo, ¿cuál es tu actitud en el trabajo?

E Soy genial. No me pillan.

D. Lo que diga el convenio.

B. Pueden contar conmigo.

A. No fallo nunca.

C. Si quiero, lo hago.

6 ¿Qué piensas del trabajo en equipo?

C. Según.

A. Es la única forma.

B. Mejora los resultados.

E. Yo solo me basto.

D. Da muchos problemas.

7 No te cortes. Defínete en relación con tus compañeros de trabajo.

B. En equipo valgo más.

C. Me entiendo bien.

E. Todos me admiran.

D. No me entienden.

A. Son geniales.

8 Cuando te planteas un objetivo…

D. Eso está hecho.

A. Decido fríamente.

E. Tengo mucha intuición.

C. Soy optimista.

B. Veo los pros y los contras.

9 Ante un negocio o un problema…

A. Tengo una estrategia global.

E. Cierro los ojos.

D. Allá que voy.

B. Pienso en el entorno.

C. Siempre surgen problemas.

Puntuación: 5 puntos para las respuestas A, 4 puntos para las B, 3 puntos para las C, 2 puntos para las D y 1 punto para las E.

Resultados: Suma los resultados de todas las preguntas. Si tu puntuación final es superior a 30, enhorabuena. Si no tienes trabajo, ten confianza porque lo vas a conseguir pronto. Si lo tienes, seguro que lo disfrutas. Si tienes entre 20 y 30 puntos, no debes sentirte muy a gusto con tu trabajo. Tal vez tus actitudes se ajustan mal a tu puesto. Si estás buscando empleo, debes mejorar para salir del montón. Menos de 20 puntos indica que tienes un problema serio con tu trabajo. Piensa en cambiar. Si estás parado, debes replantearte tu actitud.

(*El País*, El País Internacional SA)

Vocabulario

no me pillan   *I won't get caught*

el convenio   *collective agreement on wages and working conditions*

trabajo en equipo   *team work*

bastarse   *to be able to manage*

cortarse (*familiar*)   *to be shy, underplay yourself*

allá que voy   *I'm there / Here I come*

el entorno   *environment, setting*

Actividad 9.2 _____

En esta actividad vas a acercarte al modelo de trabajo y producción de La Verde, una cooperativa andaluza que se dedica a la agricultura ecológica. Verás que tanto la organización como las obligaciones y beneficios de los socios son bastante diferentes a otros tipos de empresas.

A

¿Sabes algo de las cooperativas? Primero decide cuáles de las siguientes características pueden aplicarse a una cooperativa.

1   La junta directiva toma las decisiones estratégicas para la empresa.

2   No hay accionistas.

3   Los salarios de los empleados se negocian anualmente con la directiva.

4   Este tipo de empresa suele cotizar en Bolsa.

5   Los beneficios se reparten equitativamente entre todos los socios.

6   Todos los socios participan en la toma de decisiones.

Vocabulario

la junta directiva   *board of directors*

el/la accionista   *shareholder*

cotizar en Bolsa   *to be listed on the Stock Exchange*

equitativamente   *fairly*

el socio   *partner, member*

B

Ahora lee el texto y contesta las siguientes preguntas.

1   ¿Cómo y cuándo se formó la cooperativa La Verde?

2   ¿Dónde se ubica y qué extensión tiene?

3   ¿Qué tipo de agricultura hace La Verde?

4   ¿Qué recibe mensualmente cada uno de los socios?

5   ¿Qué dos iniciativas ha impulsado La Verde para intentar que el agricultor se beneficie al máximo de su trabajo y dedicación?

6   ¿Cuál es la actitud de la cooperativa respecto a los beneficios?

La cooperativa La Verde de Villamartín

La cooperativa La Verde surgió a finales de los ochenta como un proyecto de agricultura ecológica ligada al autoconsumo; a la posibilidad, para alguna gente, de cuidar una pequeña huerta y vivir de ella. En Villamartín, cerca del río Guadalete, el Sindicato de Obreros del Campo (SOC) tenía una fuerte presencia: ocupaba fincas, realizaba grandes asambleas abiertas y estaba formado por gente joven y entusiasta. Un grupo inicial de diez de estos jóvenes del SOC impulsaron el proyecto de crear una cooperativa, siguiendo la idea sindical de pasar a controlar los medios de producción.

Desde entonces se han esforzado, sobre todo, en consolidar la capacidad de autoconsumo de cada uno de los socios. Para ello, fueron aumentando la extensión de tierra de cultivo, en su mayoría perteneciente a la Confederación Hidrográfica, que hoy es de unas 11 hectáreas, más otras cuatro dedicadas a caminos, edificios y pastos permanentes para el ganado. Aseguran no preocuparse por la propiedad de la tierra; piensan que el beneficio ha de salir del trabajo, del usufructo de la tierra.

Para hacer una agricultura coherente con estos planteamientos, La Verde ha trabajado duro en recuperar los usos de la agricultura tradicional, dedicándose a buscar, recuperar y clasificar las variedades de especies autóctonas. El resultado ha sido una gran autonomía para la cooperativa, pues disponen del 80% de las semillas que necesitan

y pueden intercambiar y venderlas a otros agricultores.

Lo que han conseguido con su constancia es aumentar la fertilidad de la tierra y rentabilizarla con un grado de eficiencia altísimo. Ahora, a lo largo del año, produce en torno a 45 especies distintas de hortalizas: berenjenas, tomates, zanahorias, cebollas…, además de árboles frutales, como perales y manzanos. También han logrado fijar una asignación mensual para cada socio, que se completa con el autoconsumo de los productos de la huerta y la tienda (procedentes de intercambios) —leche, carne, huevos, verduras, frutas— y se distribuyen en función de las necesidades del grupo de personas o familia con quienes conviva el socio en cuestión.

Pero esto no es suficiente para que el agricultor se beneficie al máximo de su trabajo y dedicación. Por eso La Verde se ha preocupado de ayudar a impulsar una red de consumo local sin intermediarios para sus productos, que se venden en la sierra y bahía de Cádiz y en Granada y que ellos mismos distribuyen. En estas ciudades y pueblos están vinculados con asociaciones de consumidores y tiendas ecológicas que les aseguran la venta de una parte de la producción y van creando conciencia a la vez que costumbre entre los consumidores. También se han asociado con otras dos cooperativas de la zona y varios pequeños productores de la comarca para crear la marca Verde Oliva. De esta forma pretenden

hacerse con la transformación, comercialización y distribución, y controlar todo el proceso de los alimentos que producen.

La organización interna de la cooperativa con un grupo reducido como el suyo, es relativamente fácil. Se reúnen todas las semanas en una asamblea que programa el trabajo para este periodo. También realizan otra reunión al mes, para poner en común la contabilidad y planificar a más largo plazo; y, por último, está la Asamblea Anual, dedicada más al análisis y reflexión globales sobre la marcha de la cooperativa, a definir estrategias económicas y los planes de cultivo. Procuran fomentar la rotación de tareas, de manera que nadie sea insustituible y todos contribuyan en todos los aspectos.

Después de estos doce años, su recuento anual de beneficios sigue siendo cercano al cero. Algo, en parte, premeditado: en el reparto de la riqueza quieren evitar a toda costa la acumulación y también, en lo posible, el contratar a gente. Sólo lo

hacen cuando se ven desbordados por el trabajo o para tareas muy concretas. Su postura al respecto es que, si consideran que la cooperativa produce riqueza para un socio más, hay que buscarlo e incorporarlo en las mismas condiciones que a los demás. Esto implica responsabilidades y beneficios, y que sea el grupo quien resuelva su propio empleo solidariamente.

(Adaptado de www.soc-andalucia.com/cooperativas/cooperativas1.htm) [último acceso 10.3.09]

Vocabulario

ligada a (de "ligar")   *tied to*

el sindicato   *trade union*

ocupar fincas   *to occupy land*

Confederación Hidrográfica   *government agency that manages and controls the exploitation of rivers*

el pasto   *pastures*

el usufructo   *usufruct (= right to use and enjoy something belonging to another)*

el planteamiento   *approach*

rentabilizar   *to achieve a return on*

la asignación   *allowance*

el intermediario   *middle-man, intermediary*

vincular   *to link*

la marcha   *running*

insustituible   *irreplaceable*

el recuento anual de beneficios   *yearly returns*

verse desbordado por el trabajo   *to be snowed under with work*

la postura   *position, stance*

El Sindicato de Obreros del Campo (SOC)

Primer sindicato legalizado en Andalucía después de la dictadura franquista, en 1976, el SOC es un sindicato obrero nacionalista, en la tradición libertaria y anarquista andaluza, que promueve la defensa del mundo rural y los intereses de los jornaleros sin tierra de Andalucía. Se opone a las elecciones sindicales en el campo ya que la legislación española solo permite el voto a los empleados con un mínimo de seis meses de contrato, y esto excluye al 98% del medio millón de jornaleros andaluces que trabajan con contratos temporales. Sus acciones se caracterizaron en el pasado por las protestas a los terratenientes, ocupaciones de fincas e incluso huelgas de hambre. En tiempos más recientes, ha trabajado a favor de los inmigrantes y de los jóvenes jornaleros que se incorporan a la construcción ante la falta de oportunidades en el campo.

Según encuestas del SOC, el 2% de los propietarios agrarios en Andalucía poseen el 50% de la tierra, y el 20% de los propietarios se lleva el 80% de las ayudas de la Unión Europea.

(Adaptado de http://es.wikipedia.org/ y www.soc-andalucia.com/) [último acceso 10.3.09]

Vocabulario

el/la libertario,-a   *libertarian*

el/la jornalero,-a   *day labourer*

el/la terrateniente   *landowner*

la finca   *farm or country estate*

la huelga de hambre   *hunger strike*

C

Completa la tabla con las obligaciones y beneficios de los socios de la cooperativa La Verde.

Obligaciones	Beneficios
participar en una reunión semanal ...	asignación mensual ...

Ahora escribe un párrafo sobre las obligaciones y otro sobre los beneficios, explicando en tus propias palabras los puntos que has incluido en la tabla. Puedes empezar así:

Obligaciones

El socio de la cooperativa La Verde trabaja con un grupo de socios en la agricultura ecológica. Cada semana tiene que...

Beneficios

El socio de la cooperativa La Verde recibe un salario cada mes...

Reformular en tus propias palabras

Para evitar usar las mismas palabras y expresiones del texto original, puedes seguir estos pasos:

1 Subraya o haz una lista de las ideas principales del texto.

2 Busca el significado de las palabras o expresiones que no conozcas.

3 Escribe una palabra o expresión equivalente al lado de cada idea.

4 Vuelve a escribir el texto, o el resumen del texto, usando las palabras y expresiones equivalentes que tú has buscado.

Actividad 9.3

En esta actividad vas a descubrir en qué consisten algunos trabajos y profesiones que quizá no existen en el país donde vives.

A

Lee la descripción y decide si esta persona es notario, gestor o estanquero.

"Mi trabajo incluye varias cosas, como la elaboración de contratos, escrituras o testamentos. A mi oficina vienen personas que necesitan dar de alta una empresa o a un trabajador, obtener una licencia comercial, o cualquier tipo de tramitación que necesite un ciudadano ante cualquier organismo público."

Vocabulario

la escritura   *deed*

el testamento   *will*

dar de alta   *to register*

la tramitación = *going through the necessary procedures to obtain or process a document*

el organismo público   *public organisation / body*

B

Ahora relaciona cada definición con la profesión que describe.

1 Funcionario público autorizado para dar fe de contratos, testamentos y otros actos extrajudiciales conforme a las leyes.

2 En Uruguay, persona que se dedica a lavar el pelo, modelarlo, plancharlo y peinarlo, pero que aún no ha llegado al grado de estilista.

3 En España, persona que regenta un establecimiento en el que se venden artículos cuyos precios han sido fijados por el estado, como tabaco o sellos.

4 En Perú y Centroamérica, vigilante o guardián que se coloca normalmente en la entrada de un edificio o propiedad para mejorar la seguridad.

5 En Sudamérica, persona que se dedica a hacer cola para después vender su puesto en la cola a otros que prefieren no tener que esperar tanto.

(a) brushinista

(b) notario

(c) colero

(d) guachimán

(e) estanquero

C

¿Hay alguna profesión que sea típica de tu país? Explica en qué consiste.

Actividad 9.4

En esta actividad vas a leer un texto periodístico sobre la situación laboral de los graduados españoles, y otro texto sobre las opiniones expresadas en un foro de internet. Observarás que los dos textos están escritos en un registro muy diferente, uno más formal y neutro y el otro más informal.

A

Lee las frases siguientes y ordénalas del 1 al 5 según se mencionan en el texto de la página 145.

(a) En cuanto a las horas de dedicación al estudio, los graduados españoles y franceses son los que más horas semanales dedican a actividades académicas.

(b) Los graduados españoles son los que menos utilizan en sus trabajos los conocimientos adquiridos durante sus estudios y los que presentan menor movilidad internacional por estudios.

(c) Solo el 60% de los graduados españoles e italianos habían abandonado el hogar paterno cinco años después de haber terminado sus estudios.

(d) Muchos graduados españoles declaran no estar satisfechos con los estudios que han realizado y no volverían a estudiar lo mismo en el mismo centro. Algunos incluso declaran que no volverían a estudiar.

(e) Los graduados alemanes, noruegos y suizos perciben más del doble que los españoles y los checos, que son los graduados con los salarios más bajos de varios países europeos estudiados por la Unión Europea.

Los titulados españoles, los que menos cobran de Europa

martes, 3 de julio, 2007

(PD/Agencia EFE).- Los titulados españoles, junto con los checos, perciben los salarios más bajos de una lista de trece países europeos. Según un informe realizado por la Unión Europea, "el bajo nivel salarial relativo" de los graduados españoles es "muy marcado" y solo en la República Checa los salarios de los graduados son ligeramente más bajos que en España. En Alemania, Suiza y Noruega casi se duplican los salarios españoles; y en valores reales, las diferencias son "abismales"; por ejemplo, en Suiza, el sueldo medio es superior a 4.000 euros frente a los 1.414 euros (por contrato, sin incluir horas extraordinarias) de los graduados españoles.

En España, como en Italia, los graduados que siguen viviendo con sus padres cinco años después de acabar los estudios superiores representan casi el 40 por ciento, mientras que la cifra en el resto de países no llega al 20 por ciento, siendo casi nula en Noruega y Finlandia, y muy baja en Alemania y Países Bajos.

Junto con Francia, España es el país en el que los alumnos dedican más horas semanales a actividades académicas y de estudio. Así, frente a las 37 horas del caso español, en países con estudios superiores "altamente valorados a nivel internacional", como Reino Unido y Países Bajos, la dedicación es de 30 horas por término medio.

Entre los graduados europeos, los españoles son los menos satisfechos con los estudios realizados, y solo el 50% declara que volvería a estudiar la misma carrera en la misma universidad, frente a porcentajes superiores al 60% en casi todos los países. Un importante 10% de los graduados españoles no volvería a seguir estudios de ningún tipo (porcentaje que en el resto de países es casi nulo). Este resultado podría explicarse por la mala situación laboral de algunos graduados en España, según el informe.

España es el país en el que los titulados manifiestan "con más énfasis" la poca utilización que hacen en el puesto de trabajo de las competencias adquiridas, y los españoles son los graduados con menor movilidad internacional por motivos de estudio.

(Adaptado de http://manuelporto.blogspot.com/2007/07/los-titulados-espaoles-los-que-menos.html) [último acceso 10.3.09]

Vocabulario

el titulado	*graduate*	el sueldo	*salary*
percibir	*to receive*	las horas extraordinarias	*overtime*
ligeramente	*slightly*	la cifra	*figure*
abismal	*vast, enormous*	frente a	*compared to, as against*

B

Ahora lee las contribuciones a este foro y escribe al lado de cada autor o autora si está de acuerdo o no con la idea de que los titulados españoles están desaprovechados.

> **Josep BCN:** ...
>
> **Belén:** ...
>
> **Lerdo:** ...

Los titulados españoles desaprovechados

He leído en El País que más de un tercio de los de 25 a 64 años trabaja en empleos que no necesitan alta cualificación. Somos en eso lo peor de Europa. Solo Irlanda y Estonia aún hacen más derroche. ¿Estudiar? ¿Para qué? O estudiar siempre es provechoso a la larga...

Editado por Josep BCN en 12-Apr-2008 a las 02:40 PM.

Yo estoy trabajando y estudiando. Cuando termine me puedo promocionar dentro de mi trabajo y ascender. La verdad es que no estoy tan desaprovechada.

Yo no lo veo así. Además con la UE los universitarios con idiomas pueden trabajar en toda Europa. Muchos estudiantes relacionados con la medicina se han ido a UK porque no había personal. Lo que pasa es que hay que promocionar más los idiomas, eso es lo que se necesita, pero yo creo que no estamos desaprovechados.

Editado por Belén en 12-Apr-2008 a las 02:54 PM.

"¿Estudiar? ¿Para qué? O estudiar siempre es provechoso a la larga..."

¿¿Tan a la larga que lo aprovechas en la jubilación??

Editado por Lerdo en 12-Apr-2008 a las 07:10 PM.

(www.mushofutbol.com) [último acceso 10.3.09]

Vocabulario

desaprovechar   *to waste, under-use*

el derroche   *waste, squandering*

provechoso   *useful, profitable, worthwhile*

Apuntes

El lenguaje de los foros de internet

En los foros y chats de internet se utiliza un discurso híbrido entre el oral y el escrito, que a menudo mezcla características de los dos. A veces el lenguaje es más cercano al oral, ya que incluye frases desestructuradas, preguntas directas, repeticiones y referencias que no están dentro del texto. Además los textos son individuales y reflejan las opiniones del autor.

C

Reflexiona ahora sobre la situación de los licenciados en tu país. ¿Están aprovechados o desaprovechados? ¿Es parecida la situación a la que se describe en los dos textos anteriores? Escribe una breve contribución al foro expresando tus opiniones.

Actividad 9.5

El uso del registro adecuado es muy importante tanto en la comunicación escrita como oral. Una de las dudas más comunes es el nivel de formalidad en el lenguaje oral, si es apropiado tutear, o tratar de tú, a alguien o tratarlo de usted. En el texto siguiente se proponen algunas normas básicas sobre el uso de "tú" y "usted", y se indican las diferencias entre el uso en España y en América Latina.

A

Antes de leer el artículo piensa en qué ocasiones crees que deberías usar "tú" o "usted" en español y anótalas en la tabla.

Se usa "tú"...	Se usa "usted"...
familia	camareros
niños pequeños	jefe
...	...

B

Ahora lee el artículo y completa la tabla con todos los ejemplos que se mencionan en el texto. Después comprueba tus respuestas.

¿De "tú" o de "usted"?

Esta es una de las dudas más habituales en España al dirigirse verbalmente a otra persona, en especial en los primeros encuentros. Hay quienes consideran que debe generalizarse el tuteo, salvo en casos extremos, pues facilita la confianza entre quienes se hablan, mientras que el usted coarta y enfría la conversación; otros, en cambio, creen que el usted ha de ser la regla general, por exigirlo así las buenas maneras, quedando el tuteo restringido a circunstancias muy concretas.

El *usted*

Es cierto que el *usted* implica distancia pero, sobre todo, es una demostración de respeto. Tutear a alguien que espera ser tratado de *usted* es ofenderlo. En caso de duda, trate de *usted* a la persona con la que inicia una conversación.

Aunque la frontera que delimita el uso de una u otra fórmula es cada vez más difusa, se propone utilizar el *usted* con las siguientes personas:

– Aquellas a quienes no conozca o le acaben de ser presentadas formalmente.

– Quienes tengan una edad claramente superior a la suya.

– Quienes le merezcan un especial respeto por su categoría social o profesional.

– Aquellas que estén obligadas a contestarle de usted: camareros, taxistas, o empleados del servicio doméstico. Es de muy poca educación tutear a estas personas que, por razón de la tarea que desempeñan, no pueden hacer lo mismo con nosotros sino que tienen que hablarnos de usted.

La prudencia recomienda pecar de exceso de educación antes que atribuirnos confianzas que nadie nos ha concedido. En caso de duda, siempre se cumple recurriendo al *usted*. Mientras que para descender a un nivel más coloquial hay tiempo en cualquier conversación, la inversa resulta más difícil. Hay que generar un clima de confianza y cordialidad, pero hay que hacerlo de una manera consensuada y aceptada por ambos; si no es así, puede producirse el efecto contrario al pretendido.

El tuteo

De todos modos, también es cierto que en este tema los usos sociales han evolucionado con una gran rapidez, y el tuteo hoy es algo habitual en situaciones en que antes resultaba impensable. En épocas no tan lejanas, los hijos trataban de *usted* a sus padres durante toda la vida, mientras que ahora incluso es frecuente que propongamos el tuteo si éste no nos es ofrecido por nuestro interlocutor: "¿Qué tal si nos tuteamos?", pregunta cuya respuesta es casi siempre afirmativa.

Ahora bien, debemos recordar que, en cualquier circunstancia, los preceptos de la etiqueta siguen concediendo a la mujer o a la persona de mayor edad o categoría el privilegio de proponer a las demás el paso al tuteo.

(continúa)

Cada vez hay más ocasiones en las que el tuteo inicial es la norma: con niños o jóvenes, cuando, estando entre amigos, nos presentan a otro, o entre compañeros de trabajo (especialmente los más jóvenes).

La cordialidad en el trato debe ser simétrica y concordante. Prolongar una conversación en la que una persona trate a otra de *tú* y ésta le siga respondiendo de *usted* es una escena forzada.

Tú y usted en América Latina

El tuteo en América sigue reglas más rígidas que en la Península. Mientras que hoy en día en España se ha extendido mucho el uso de *tú* en situaciones semiformales, en América Latina el tuteo entre desconocidos es raro y existe solamente entre los jóvenes.

Existe también mucha variación regional. En las áreas costeras el tuteo es, por lo general, más común y relajado; en cambio, en las áreas andinas, sobre todo en Colombia, no es común que un padre tutee a su hijo, ni es frecuente el tuteo entre hermanos. Entre amigos, generalmente del sexo opuesto, se da normalmente después de un tiempo de conocerse. En Argentina, Uruguay, Paraguay y partes de Centroamérica se utiliza la forma vos en lugar de tú (de hecho en algunas regiones se emplean ambas formas). A este uso se le llama voseo.

La cuestión de cuándo usar la forma más o menos formal no presenta dificultad en lo que respecta a la forma plural, ya que en América Latina, como en las islas Canarias y algunas partes de Andalucía, solo se usa *ustedes* en la segunda persona del plural.

(Adaptado de López, C. (1997) *El libro de oro de saber estar*, Madrid, Ediciones Nobel)

Vocabulario

coartar   *to inhibit*

restringido   *restricted, limited*

pecar de exceso   *to go over the top*

el efecto contrario al pretendido   *the opposite effect to that intended*

de una manera consensuada   *in a mutually acceptable way, in a way agreed by both parties*

ahora bien   *however*

los preceptos de la etiqueta   *the rules of etiquette*

concordante   *reciprocal*

C

Algunos idiomas tienen formas equivalentes al *tú* y al *usted*, pero otros idiomas, como el inglés, no cuentan con esta distinción. La cortesía o familiaridad tiene que expresarse de forma diferente, mediante el uso de expresiones, entonación o gestos. Piensa en cómo se comunica en tu idioma el nivel de formalidad.

Apuntes

Los registros

La palabra "registro" se usa para describir el tipo de lenguaje que se usa dependiendo de la situación, el medio de comunicación y la audiencia a la que va dirigido.

Hay tres registros básicos:

- el **informal**, también llamado coloquial o espontáneo, que se usa entre amigos o familiares;

- el **formal**, que emplea vocabulario y expresiones más sofisticadas y se usa en trabajos académicos o contextos de negocios, por ejemplo;

- el **neutro**, que no es ni formal ni informal y se usa en el lenguaje cotidiano.

Cada registro se caracteriza por el vocabulario escogido (jerga, vocabulario técnico o especializado, etc.), tipo de frases o estructuras, y formas de dirigirse al interlocutor ("tú" o "usted").

Escritorio

En esta sesión vas a trabajar con textos y documentos oficiales para aprender a identificar la información clave. También tendrás oportunidad de practicar cómo rellenar impresos oficiales que pueden ser útiles para los extranjeros en España.

Actividad 9.6

El "Número de Identificación de Extranjero" o NIE es el equivalente al Documento Nacional de Identidad (DNI) que todos los españoles poseen.

A

Lee la información que proporciona el Ministerio del Interior sobre el NIE y cómo obtenerlo, y completa las siguientes frases.

1 Necesitan el NIE...

2 El NIE sirve para...

3 Se puede solicitar el NIE en...

4 Para solicitar el NIE hay que...

Buscar información concreta en textos difíciles

Para identificar la información importante en un texto difícil es aconsejable usar la técnica del subrayado. Primero hay que leer el texto entero, buscando y subrayando las palabras clave relacionadas con el tema o información que nos interesa. Después hay que concentrarse en esas secciones leyendo esas frases con detenimiento y asegurándose de que se entiende el significado correctamente.

Número de identificación de extranjero

Los extranjeros que, por sus intereses económicos, profesionales o sociales, se relacionen con España, serán dotados, a efectos de identificación, de un número personal, único y exclusivo, de carácter secuencial.

El número personal será el identificador del extranjero, que deberá figurar en todos los documentos que se le expidan o tramiten, así como las diligencias que se estampen en su tarjeta de identidad o pasaporte.

Se admitirán las siguientes solicitudes de asignación de NIE:

*   las presentadas en España personalmente por el interesado;

*   las que se presenten en las Representaciones Diplomáticas u Oficinas Consulares españolas ubicadas en el país de residencia del solicitante.

Para la asignación del citado número deberán aportar los siguientes documentos:

*   Impreso-solicitud normalizado.

*   Pasaporte completo, tarjeta de identidad o documento acreditativo de su nacionalidad.

(www.mir.es/SGACAVT/extranje/ciudadanos_UE/nie.html) [último acceso 24.3.09]

El lenguaje de los documentos oficiales

En los documentos oficiales se utiliza un lenguaje formal y conciso en el que abundan las estructuras impersonales y pasivas. Según el tipo de documento, se emplea un vocabulario especializado, con datos concretos, citas y notas a pie de página.

Cuando el documento contiene instrucciones, a menudo se utiliza el futuro con valor de imperativo para indicar obligatoriedad. Esto indica que estas instrucciones son en realidad órdenes categóricas, porque de no cumplirse, no se podrá conseguir lo que se desea.

Por ejemplo:

Deberán aportar los siguientes documentos.

Se admitirán las siguientes solicitudes.

B

Busca en tu diccionario monolingüe el significado de estas palabras o expresiones de carácter oficial que has visto en el texto.

Ejemplo

a efectos de [hay que buscar entre las acepciones de la palabra "efecto"]: con la finalidad de.

> a efectos de • figurar • expidan • tramiten • diligencia • asignación • solicitante • citado • acreditativo

Buscar palabras y expresiones en el diccionario monolingüe

Para encontrar el significado de una palabra o expresión en el diccionario monolingüe, hay que seguir los siguientes pasos:

1   Buscar la palabra o palabra principal de la expresión.

2   Hay que buscar entre las acepciones que ofrece el diccionario la que más se ajusta al sentido de la palabra que buscamos en ese contexto o expresión.

3   Si hay alguna palabra clave en la definición que no entendemos, debemos buscar también el significado de esa palabra.

Por ejemplo:

a efectos de: Primero hay que buscar la palabra "efecto" y después mirar todas las expresiones que incluyen la palabra "efecto" hasta encontrar "a efectos de". El significado es "con la finalidad de'".

solicitante: La definición de solicitante es "persona que solicita". Hay que buscar qué significa "solicitar". Solicitar es "pedir algo de forma respetuosa, rellenando una solicitud o instancia". Si no se conoce el significado de "rellenar" o "solicitud", hay que buscar estas palabras. Rellenar es "cubrir con los datos necesarios espacios en blanco en formularios, documentos, etc.", y solicitud es "formulario en el que se solicita algo".

C

Con la ayuda de tu diccionario monolingüe, completa las siguientes familias léxicas con todas las palabras que encuentres derivadas de la primera. La primera ya está hecha como ejemplo. Asegúrate de que conoces el significado de todas las palabras.

identificación	solicitud	documento	persona
identificar, identificador, identificarse con, identidad	...	...	...

Actividad 9.7

Otro documento oficial importante es la Tarjeta Sanitaria, que puede ser necesaria para recibir atención médica en España.

A

Lee el folleto y decide si necesitas pedir la Tarjeta Sanitaria para poder recibir atención médica cuando estás de vacaciones en Andalucía.

Tarjeta Sanitaria

La Tarjeta Sanitaria es el documento que identifica individualmente a los usuarios ante el Sistema Sanitario Público de Andalucía. Cada persona, independientemente de su edad, debe poseer su propia tarjeta.

Los residentes en Andalucía que no cuentan con tarjeta deben solicitarla. Es importante que los niños tengan su propia tarjeta, desde su nacimiento.

También es necesario solicitar una nueva tarjeta cuando la anterior se ha perdido o deteriorado.

Puede obtener y entregar el formulario de solicitud en su Centro de Atención Primaria.

Documentos a presentar para solicitar la tarjeta (original y fotocopia):

- DNI o NIE del titular.
- "Cartilla de la Seguridad Social", incluyendo la hoja de beneficiarios.
- DNI o NIE de los beneficiarios mayores de 14 años y Libro de Familia si hay algún beneficiario menor de esa edad.

El único requisito para solicitar la tarjeta es residir en Andalucía. Las personas extranjeras tienen que pedir la tarjeta sanitaria si están de alta en la Seguridad Social Española (si trabajan en España o son beneficiarios de un trabajador). Las personas con derecho a asistencia a través de mutualidades también pueden pedir la tarjeta.

(https://ws003.juntadeandalucia.es/pls/intersas) [último acceso 10.3.09]

Vocabulario

Centro de Atención Primaria   *Primary Care Centre*

Cartilla de la Seguridad Social   *Social Security card / book*

estar de alta   *to be registered with*

la mutualidad   *friendly society (mutual association providing sickness benefits, etc.)*

Documentos de identificación en España

El **Documento Nacional de Identidad** o **DNI** es un documento personal, obligatorio a partir de los catorce años, que acredita la identidad, datos personales y nacionalidad española del titular. Debe ser presentado en todos los actos civiles, comerciales, administrativos o judiciales en que se requiera. Desde el 2008, existe en España el DNIe, o DNI electrónico, que permite realizar operaciones electrónicas plenamente legales, especialmente trámites con las administraciones públicas, sin tener que ir en persona y hacer cola, evitando posibles fraudes por suplantación de identidad.

El **pasaporte** es un documento personal que acredita, fuera de España, la identidad y nacionalidad del titular.

El **libro de familia** es un documento que acredita el matrimonio, nacimiento de los hijos o hijos adoptados por los dos cónyuges, la defunción de los esposos y la nulidad, divorcio o separación del matrimonio.

La **tarjeta de la Seguridad Social** (antiguamente cartilla de la Seguridad Social) es el documento que acredita que una persona está afiliada a la Seguridad Social y contiene su Número de la Seguridad Social, que le da derecho a recibir los beneficios y pensiones establecidos por la ley.

La **Tarjeta Sanitaria Individual** es el documento que identifica y acredita a una persona como usuario del sistema sanitario de la Seguridad Social.

B

Ahora rellena esta solicitud para obtener la tarjeta sanitaria.

(https://ws003.juntadeandalucia.es/docs/ayuda/
solicitud_tarjeta_andalucia.pdf)
[último acceso 20.4.09]

Servicio Andaluz de Salud
CONSEJERÍA DE SALUD

FECHA DE ENTREGA DEL DOCUMENTO
Y SELLO DEL CENTRO

___/___/___

SOLICITUD DE TARJETA SANITARIA INDIVIDUAL DE ANDALUCÍA

Motivo de la solicitud (Marcar con una X la opción adecuada)

☐ **Primera vez**　　☐ **No recibida**　　☐ **Pérdida o robo**　　☐ **Error de datos impresos**　　☐ **Deterioro**

(Adjuntar DNI/Libro de Familia y copia del documento de afiliación a la Seguridad Social del Titular)

Supone ALTA en BDU: SI ☐　　**NO** ☐　　　　　　　　　　　　　　(A cumplimentar por el centro)

DATOS PERSONALES DEL SOLICITANTE

Apellidos: .... Nombre: ....

Nº Tarjeta Sanitaria de Andalucía: .... NAF Titular (1): ....

Género: ☐ Hombre　☐ Mujer　　　　Fecha de nacimiento: ....

Documento de Identificación (2): ☐ DNI ☐ Pasaporte ☐ NIE　Número: ....

Comunidad Autónoma de nacimiento: ....

País de nacimiento: ....

Mutualidad:　　　　☐ No　　　☐ MUFACE　☐ MUGEJU　☐ ISFAS

Comunidad Autónoma en la que tenía médico hasta ahora: ....

Convenio Internacional: ☐　　　☐ Tarjeta Europea　　Número: ....

Domicilio habitual (3): ....

Código Postal: .... Provincia: .... País: ....

Municipio: ....

Localidad: ....

Teléfonos: ....

Correo electrónico: ....

DATOS DEL MÉDICO SOLICITADO

Firma del solicitante:

Clave: ▓▓▓▓▓▓▓▓▓▓　　(A cumplimentar por el centro sanitario)

Médico: ....

Centro: ....

Mod. 181/06 UNE A4

(1): Número de Afiliación a la Seguridad Social del titular
(2): Indicar tipo de documento y el número del mismo. El DNI es obligatorio para españoles mayores de 14 años
(3): Debe ser un domicilio andaluz

▄▄ Sillón de lectura

Actividad 9.8

Lee este fragmento de uno de los cuentos de *Alguien que anda por ahí* del escritor argentino Julio Cortázar (Bruselas, 1914 – París, 1984).

¿Cómo crees que es el trato del empleado hacia María Elena? ¿Es cortés? ¿Usa "tú" o "usted" con ella?

Segunda vez

Saludó al empleado y entró en la oficina; apenas había pasado la puerta cuando el otro empleado le mostró una silla delante de un escritorio negro. Había varios empleados en la oficina, solamente hombres, pero no vio a Carlos. Del otro lado del escritorio un empleado de cara enfermiza miraba una planilla; sin levantar los ojos tendió la mano y María Elena tardó en comprender que le estaba pidiendo la convocatoria, de golpe se dio cuenta y la buscó un poco perdida, murmurando excusas, sacó dos o tres cosas de la cartera hasta encontrar el papel amarillo.

—Vaya llenando esto —dijo el empleado alcanzándole el formulario. —Con mayúsculas, bien clarito.

Eran las pavadas de siempre, nombre y apellido, edad, sexo, domicilio. Entre dos palabras María Elena sintió como que algo le molestaba, algo que no estaba del todo claro. No en la planilla, donde era fácil ir llenando los huecos; algo afuera, algo que faltaba o que no estaba en su sitio. Dejó de escribir y echó una mirada alrededor, las otras mesas con los empleados trabajando o hablando entre ellos, las paredes sucias con carteles y fotos, las dos ventanas, la puerta por donde había entrado, la única puerta de la oficina. *Profesión*, y al lado la línea punteada; automáticamente rellenó el hueco. La única puerta de la oficina, pero Carlos no estaba ahí. *Antigüedad en el empleo*. Con mayúsculas, bien clarito.

Cuando firmó al pie, el empleado la estaba mirando como si hubiera tardado demasiado en llenar la planilla. Estudió un momento el papel, no le encontró defectos y lo guardó en una carpeta. El resto fueron preguntas, algunas inútiles porque ella ya las había contestado en la planilla, pero también sobre la familia, los cambios de domicilio en los últimos años, los seguros, si viajaba con frecuencia y adónde, si había sacado pasaporte o pensaba sacarlo. Nadie parecía preocuparse mucho por las respuestas, y en todo caso el empleado no las anotaba. Bruscamente le dijo a María Elena que podía irse y que volviera tres días después a las once; no hacía falta convocatoria por escrito, pero que no se le fuera a olvidar.

—Sí, señor —dijo María Elena levantándose—, entonces el jueves a las once.

—Que le vaya bien —dijo el empleado sin mirarla.

(Cortázar, J. ([1997]1981), *Alguien que anda por ahí*, Barcelona, Bruguera, pp.43–5)

Vocabulario

enfermiza   *sickly*

la planilla   *form*

la convocatoria   *(here:) job advertisement*

pavadas (f.pl)   *nonsense*

punteado, a   *dotted*

firmó al pie   *she signed at the bottom (of the page)*

como si hubiera tardado demasiado   *as if she had taken too long*

Actividad 9.9 _____

Lee este fragmento del poema *El niño yuntero*, perteneciente al libro *Viento del pueblo* escrito por Miguel Hernández (Orihuela, 1910 – Alicante, 1942) en 1937, en plena Guerra Civil española.

¿Cuál es el tono de este poema? ¿Qué palabras lo indican o sugieren en el poema?

 El niño yuntero

Carne de yugo, ha nacido
más humillado que bello,
con el cuello perseguido
por el yugo para el cuello.

Nace, como la herramienta,
a los golpes destinado,
de una tierra descontenta
y un insatisfecho arado.

Entre estiércol puro y vivo
de vacas, trae a la vida
un alma color de olivo
vieja ya y encallecida.

Empieza a vivir, y empieza
a morir de punta a punta
levantando la corteza
de su madre con la yunta.

Empieza a sentir, y siente
la vida como una guerra,
y a dar fatigosamente
en los huesos de la tierra.

Contar sus años no sabe,
y ya sabe que el sudor
es una corona grave
de sal para el labrador.

Trabaja, y mientras trabaja
masculinamente serio,
se unge de lluvia y se alhaja
de carne de cementerio [...]

(Ballesta, J.C. (ed.) ([1972]1977) *Miguel Hernández: El hombre y su poesía*, Madrid, Gredos, pp.124–6)

Vocabulario

el yugo   *yoke*

el arado   *plough*

el estiércol   *manure*

encallecida   *hardened, calloused*

la yunta   *yoke*

ungir   *to anoint*

alhajarse   *to adorn oneself*

Tema 10 Retos laborales

En este tema vamos a ver algunos de los cambios que se han producido en el mundo laboral en tiempos recientes. En algunos casos se han generado nuevas oportunidades de negocio y, en otros, diferentes maneras de trabajar o problemas asociados al trabajo. Verás que con frecuencia las nuevas tecnologías han tenido un papel clave en estas transformaciones.

Actividad 10.1

En esta actividad vas a conocer una iniciativa empresarial de gran éxito nacida en Costa Rica.

A

Antes de leer el texto sobre la empresa costarricense Maridos de Alquiler®, piensa en las cuestiones siguientes.

1   ¿Qué te sugiere el nombre de la empresa?

2   ¿Quiénes crees que son sus clientes?

B

Ahora lee el texto y comprueba si tus intuiciones concuerdan con la realidad de la empresa. Contesta las preguntas de acuerdo con la información del artículo.

1   ¿Por qué se ha escogido como nombre de la empresa "Maridos de Alquiler"?

2   ¿A qué tipo de personas les pueden resultar útiles sus servicios?

3   ¿A qué crees que hace referencia la última frase "ya se les han presentado situaciones incómodas"?

Vocabulario

la brocha   *brush*

el llamado   *call*

ganarse el arroz y los frijoles   *to earn your bread and butter, make a living*

pujante   *up-and-coming*

la franquicia   *franchise*

la fuga de agua   *water leak*

cosechar   *to harvest*

cobrar   *to get paid*

la culebra   *snake*

una llanta estallada   *a flat tyre*

quedarse varado   *to be left stranded*

el maestro de obra   *master builder*

la albañilería   *building*

la plomería   *plumbing*

el overol   *overalls*

el letrero   *sign*

Una idea que surgió de un problema

Hace poco más de seis años, Aparicio Cordero Rodríguez dejó su puesto como gerente de mercadeo en una empresa para atender a un hijo gravemente enfermo. Sus ahorros se fueron en gastos médicos y quedó desempleado. Un día, en el 2000, una mujer le preguntó si conocía a alguien que le pintara de emergencia una pared de la casa. Aunque no sabía de brochas, Cordero se ofreció para hacer el trabajo y, cuatro meses después, tenía tres ayudantes para atender otros llamados.

La idea, que nació como una forma desesperada de ganarse el arroz y los frijoles, se convirtió en un innovador y pujante negocio llamado Maridos de Alquiler. El primer año como marido de alquiler, este vecino de San Antonio de Belén viajaba en bus, con herramientas y escalera, para atender a sus clientes. Hoy, la empresa cubre todo el país y pronto abrirá nuevas franquicias en México, Guatemala, Panamá, El Salvador y España. "Maridos de Alquiler®" atiende solicitudes de carpintería, instalaciones de gas y jardinería, así como telefonía, computadoras, lavado de alfombras o mensajería urbana. Los trabajos más comunes que atienden son fugas de agua y cortocircuitos, y están disponibles 24 horas al día.

Aparicio Cordero, fundador de la empresa, ha cosechado muchas anécdotas durante los seis años que viene metido en esto de cobrar por ser "marido". Los "maridos" han tenido que bañar perros, sacar culebras de las casas, limpiar ventanas y hasta abrir carros porque alguien dejó las llaves adentro. En ocasiones corren para cambiar una llanta estallada o

llevarle gasolina a un chofer descuidado que se quedó varado. "Una vez, una señora nos llamó para enterrar un perro antes de las 3 de la tarde, cuando sus chiquitos llegaban de la escuela", cuenta.

Los "maridos" son capaces de hacer casi cualquier trabajo, aunque algunos están más especializados, como Sergio Sánchez Lestón, maestro de obras y, por lo tanto, un experto en albañilería, electricidad y plomería. Su trabajo actual le ha permitido ganarse la vida y mantener a su familia con alguna comodidad, y en estos días está construyendo casa propia.

A otros, como a William Meneses, siempre les ha gustado ayudar. "Yo siempre arreglaba cositas pequeñas, en las casas de los vecinos. Hace unos meses escuché sobre Maridos de Alquiler y me comuniqué con ellos. Ahora estoy muy bien laboralmente, hay una excelente relación entre los compañeros", resalta Meneses.

En general se trata de gente sin complejos que se pasea, con su overol amarillo y un llamativo letrero en la espalda, por supermercados, bancos y farmacias, ante las risas discretas de los dependientes. Sin embargo, la peculiar tarea también puede tener su lado conflictivo, y ya se les han presentado situaciones incómodas.

(Adaptado de artículos publicados en *Periódico Al Día*, domingo 24 de septiembre, 2006 y Revista Dominical, *Periódico La Nación,* domingo 14 de enero, 2001, San José, Costa Rica, en www. maridosdealquiler.net/) [último acceso 26.3.09]

Actividad 10.2

Las nuevas tecnologías han hecho posible trabajar desde casa, lo que en español se conoce como *teletrabajo*. En esta actividad estudiarás en qué consiste el teletrabajo y qué ventajas e inconvenientes tiene para empresas y trabajadores.

A

Primero lee esta definición de teletrabajo.

¿Qué es el teletrabajo?

Se trata de una opción laboral en la que los empleados trabajan a distancia (fuera de la oficina) sirviéndose para ello de las **nuevas tecnologías**. Tres grupos sociales se ven claramente beneficiados por el teletrabajo: personas **discapacitadas** que necesitan atención personalizada, trabajadores en **países extranjeros** que se relacionan a diario con la central de su empresa y, por último, las **madres y padres** de familia. Para estos últimos, el teletrabajo es una forma ideal para combinar su vida personal y profesional.

(www.telva.com/2008/02/19/ trabajoactualidad/1203429058.html) [último acceso 26.3.09]

Vocabulario

la central   *headquarters*

B

Ahora lee esta lista de ventajas y desventajas del teletrabajo y escribe cada una de ellas en el punto que describe (a – k) en el texto de la página siguiente. Dos de ellas están hechas ya como ejemplos.

(i)   Mayor autonomía y flexibilidad.

(ii)   Aumenta la productividad.

(iii) Reduce la infraestructura necesaria.

(iv)   Elimina el control sobre los empleados.

(v)   Distrae de los objetivos.

(vi)   Flexibilidad en los horarios.

(vii) Permite la expansión geográfica.

(viii) Menos desplazamientos.

(ix)   Disminuyen los problemas internos.

(x)   Mejora la vida familiar.

(xi)   Disminuyen las relaciones laborales.

Vocabulario

distraer   *to distract*

el desplazamiento   *trip, journey*

pasó a la historia   *(here:) is a thing of the past*

el atasco   *traffic jam*

la exigencia   *demand*

el asunto   *matter*

la sede   *head office*

conllevar   *to entail*

Ventajas e inconvenientes del teletrabajo

Ventajas para el trabajador

En la relación laboral marcada por el teletrabajo, el empleado sale ganando. Son numerosos los beneficios que obtiene en relación a su calidad de vida y de trabajo.

(a) _____ La hora de entrada pasó a la historia. El *teletrabajador* marca él mismo el momento de comenzar y terminar su actividad.

(b) _____ ¡Adiós a los horarios incompatibles con la pareja o los hijos! La flexibilidad horaria está en relación directa con esta idea, para beneficio de toda la familia.

(c) _____ No habrá que preocuparse de atascos o incidencias en el transporte público, lo que no sólo es una ventaja para el empleado, sino también para el medioambiente.

(d) **Mayor autonomía y flexibilidad**. Ya no tendrás que depender de días libres o permisos para solucionar asuntos propios.

Ventajas para la empresa

No sólo los empleados se benefician del teletrabajo. Entre las ventajas que les supone a las empresas podemos destacar las siguientes:

(e) _____ Se ahorra inversión en tecnología y espacio físico en la sede de la empresa.

(f) _____ Gracias a la contratación de empleados en países extranjeros, la empresa podrá abrir nuevos horizontes.

(g) _____ Para que el empleado sea productivo, habrá que marcarle objetivos para que se alcancen las exigencias de la empresa.

(h) _____ No será necesario ejercer de *policías* con los trabajadores, sobre todo en cuanto a horarios y eficacia en el uso de su tiempo.

(i) **Disminuyen los problemas internos**. Las incompatibilidades entre compañeros o entre empleado y superior se ven reducidas debido a la separación geográfica.

¿Qué inconvenientes conlleva?

(j) _____ La separación espacial supone un enfriamiento en las relaciones entre compañeros o con los superiores.

(k) _____ Un *teletrabajador* puede olvidar los objetivos finales de su labor y distraerse de sus tareas.

(Adaptado de www.telva.com/2008/02/20/trabajoactualidad/1203521168.html) [último acceso 26.3.09]

C

Lee la entrevista siguiente y, usando la información recogida en la entrevista y en el texto anterior, "Ventajas e inconvenientes del teletrabajo", escribe un breve resumen comparando la forma de trabajar de los teletrabajadores con la de los empleados que van a trabajar a su empresa. Puedes incluir los puntos siguientes:

- desplazamientos
- horarios
- familia
- autonomía
- organización del trabajo
- motivación
- productividad
- nuevas tecnologías

Entrevista a Carmen López, jefa de producto de Hewlett-Packard

Nació en Madrid hace 36 años y es licenciada en Físicas por la Universidad Complutense de Madrid.

—Muchos españoles compaginan mal su vida familiar y laboral. ¿Se acabarán los problemas con el teletrabajo?

—No, pero es una ayuda porque se tiene un horario más flexible.

—Pero a muchos jefes no les gusta nada la idea: les parece más rentable controlar de cerca a sus empleados.

—Esa es una política anticuada: por pasar más horas en la oficina no eres más productivo. Es una cuestión de confianza y madurez de jefes y empleados.

—¿Qué tipo de empleos permiten combinar la presencia física en la oficina con horas de trabajo en casa?

—Aquellos que se realizan con ordenador portátil, internet y móvil, como los puestos de ventas, marketing, etc.

—El Gobierno va a aprobar un decreto para que los funcionarios realicen hasta un 40 por ciento de su jornada laboral desde casa. ¿Qué te parece la idea?

—¡Un gran adelanto! Espero que anime a las empresas privadas a seguir su ejemplo.

—¿Son los teletrabajadores igual de productivos que el resto de los empleados?

—Se es más productivo en casa porque se trabajan más horas, se ahorra tiempo de transporte, y te concentras mejor que en la oficina.

—¿Se deteriora el espíritu de equipo?

—Puedes mantener el contacto por teléfono o e-mail, pero es importante reunirse con los compañeros cada cierto tiempo.

—¿A qué tipo de empleados sí y a quiénes no se les debe facilitar la opción de trabajar algunos días en casa?

—Deben elegirlo los trabajadores, aunque se lo desaconsejo a los que les cuesta concentrarse.

—¿Debe correr la empresa con los gastos de la oficina en casa: portátil, ADSL…?

—Es justo que la empresa corra con los gastos técnicos, porque el empleado pone el local, la electricidad, la calefacción…

—¿Cree que optar por esta opción merma las posibilidades de ascenso?

—Es indiferente, pero depende del jefe.

(Adaptado de www.telva.com/2008/02/20/ trabajoellasmandan/1203524810.html) [último acceso 30.3.09]

Vocabulario

compaginar   *to combine*

rentable   *profitable*

anticuado,-a   *old-fashioned*

les cuesta (de "costar")   *they find hard/difficult to*

correr con los gastos   *to pay for the expenses*

el local   *the premises*

mermar   *to diminish*

el ascenso   *promotion*

Actividad 10.3 _____

Para algunas personas la concepción del trabajo ha cambiado en las últimas décadas: de un medio para obtener lo suficiente para vivir, el trabajo se ha convertido para muchos en un objetivo en sí mismo que dicta el resto de sus vidas. De "trabajar para vivir", muchos han pasado a "vivir para trabajar". Los dos textos siguientes tratan de este problema.

A

Lee cada uno de los dos textos siguientes, y completa los diagramas con las palabras clave de cada párrafo.

Adicción al trabajo

Texto A

Adicción al trabajo

Los adictos al trabajo suelen ser hombres, profesionales liberales de entre 30 y 40 años, muy perfeccionistas y con un excesivo afán de éxito. Hombres de negocios, médicos, abogados y economistas son el caldo de cultivo ideal para esta enfermedad, aunque los afectados difícilmente se reconocen enfermos. Sus casas son extensiones de la oficina, y a menudo olvidan sus obligaciones familiares y sociales. Les aterroriza disponer de tiempo libre y les cuesta descansar durante las vacaciones.

Son varios los motivos que pueden llevar a una persona a ser un adicto al trabajo, aunque los más comunes son: una fuerte presión social para conseguir el éxito, exceso de ambición, y la incapacidad para dirigir su propio trabajo, establecer un orden de prioridades o decir no al jefe. A veces, también, un ambiente familiar insatisfactorio.

Es difícil prevenir este tipo de problema al que suelen ir asociados otros como la ansiedad crónica, el infarto, la úlcera y la ruptura conyugal. La única forma de hacerlo es acotar las demandas laborales dando la importancia que han de tener al tiempo libre y al ocio.

(Adaptado de www.mundogar.com/ideas/reportaje.asp?ID=1218) [último acceso 16.2.09]

Vocabulario

el afán   *eagerness*

el caldo de cultivo   *breeding ground*

disponer de   *to have at one's disposal*

el infarto   *heart attack*

la ruptura conyugal   *marriage breakdown*

acotar   *to limit*

Texto B

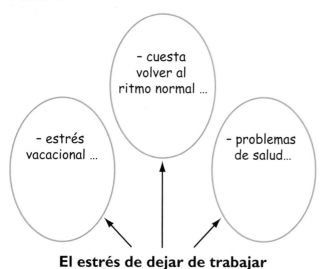

El estrés de dejar de trabajar

El estrés de dejar de trabajar

Los expertos lo han bautizado "estrés vacacional" o "bajón veraniego", y es un síndrome cada vez más frecuente entre los trabajadores al acercarse el descanso estival. Acostumbrados a la hiperactividad, los veraneantes se encuentran despojados de repente de una de sus seguridades más valiosas: la rutina.

En opinión de la psicóloga Elisa Sánchez "todo ocurre porque nuestro cuerpo se acostumbra, durante el año, a unos ritmos que disminuyen durante las vacaciones, y después cuesta volver al ritmo normal." En los últimos tiempos se ha añadido a esto un problema adicional, causado por el uso de las nuevas tecnologías. "Hay personas que no consiguen desconectar. Se pasan las vacaciones leyendo correos electrónicos y contestando llamadas. En vacaciones hay que desconectar, en todos los sentidos", comenta Sánchez.

La realidad es que demasiadas veces se estrenan los días de descanso estival con problemas anímicos y, en algunos casos, también de carácter médico, porque nuestro sistema inmunológico, al ralentizar el ritmo de vida, está más expuesto y vulnerable. Algo parecido ocurre también con nuestras emociones. No es casualidad que una tercera parte de los matrimonios que se separan en España lo haga durante la vuelta de las vacaciones. Acostumbrados a atender más a las obligaciones laborales que a la pareja, la familia, o los amigos, la abundancia de tiempo libre y la convivencia más intensa pueden derivar bien en satisfacción o en conflicto.

(Adaptado de Francesco Manetto 12/07/2008, El País.com en: www.elpais.com/articulo/sociedad/ estres/dejar/trabajar/elppgl/20080712elpepisoc_1/ Tes) [último acceso 21.4.09]

Vocabulario

el bajón estival   *summer slump*

despojar   *to strip*

estrenar   *(here:) to start*

anímico   *relating to mood*

ralentizar   *to slow down*

atender a   *to pay attention to, tend to*

la convivencia   *coexistence*

B

Ahora imagina que una persona que conoces sufre algunos de los problemas descritos en los dos artículos anteriores. Escribe una carta o mensaje electrónico a un amigo pidiéndole consejo y explicándole qué le pasa a esta persona y cómo te afecta a ti.

Apuntes
Pedir consejo
Estas son las estructuras más comunes para pedir consejo:

Estructuras	Ejemplos
qué/cómo/etc. + presente	¿Qué hago? ¿Cómo se lo digo?
qué/cómo/etc. + poder + infinitivo	¿Qué podemos hacer? ¿Cómo lo podemos pagar?
qué/cómo/etc. + condicional	¿Qué le dirías tú? ¿Dónde pondrías tú esta foto?
aconsejar/sugerir/recomendar + que + subjuntivo	¿Qué me aconsejas? ¿Qué les recomiendas que hagan?

Escritorio

En esta sesión vas a aprender a escribir cartas formales y a usar algunas abreviaturas que se usan frecuentemente en la correspondencia.

Actividad 10.4 _____

A

Lee la carta de la página siguiente, en la que una trabajadora solicita a su empresa una reducción de jornada laboral, e identifica las diferentes partes de la carta.

Partes de una carta formal:

Asunto • Fecha • Despedida • Destinatario • Firma • Saludo • Cuerpo

5 de julio de 2008

Att: Doña Elvira García
Directora de Recursos Humanos

Asunto: Reducción de Jornada Laboral

Estimada Doña Elvira García:

Mediante la presente deseo solicitar una reducción de jornada laboral por motivos familiares.

Después de tratar este asunto con mi superior y con el objetivo de que nuestro departamento se vea afectado lo menos posible, hemos llegado a la conclusión de que la jornada laboral que mejor se adapta a las necesidades de ambas partes es la que transcurre en horario de 10 de la mañana a 3 de la tarde.

La duración solicitada de esta reducción es de 3 meses y desearía que fuera efectiva a partir del 5 de septiembre de 2008, por lo que, a fin de evitar posibles molestias, se lo comunico con tiempo anticipado.

Quedo a su disposición para cualquier información adicional que necesite y para cualquier formulario que deba rellenar.

Atentamente,

Fdo: Pilar Mendoza

(Adaptado y resumido de www.contenidoweb.info/otros/cartas/carta_peticion.htm)
[último acceso 30.3.09]

Vocabulario

transcurrir   *(here:) to take place*
la molestia   *inconvenience*

B

En las cartas formales se utilizan una serie de fórmulas y expresiones convencionales, como por ejemplo el saludo "Estimada Doña Elvira García". Luego localiza en el texto otras frases convencionales y clasifícalas en la tabla según aparezcan en el saludo, el cuerpo o la despedida de la carta. Primero clasifica las siguientes expresiones.

Agradeciendo de antemano su atención
• El motivo de la presente es... • Muy señor mío: • Atentos saludos de • Sin otro particular • Señores:

Saludos	Cuerpo	Despedida
Estimada Doña Elvira García: ...	...	Quedo a su disposición ...

Cómo escribir cartas formales

Las cartas dirigidas a empresas u otras instituciones para solicitar un empleo, pedir un producto o hacer una reclamación tienen determinadas características. Se suele emplear un registro formal, siendo casi universal el uso de usted o ustedes para dirigirse al destinatario de la carta. En lo que se refiere al estilo, se suele recurrir a un gran número de frases hechas que se usan exclusivamente en este tipo de comunicación (por ejemplo, "obra en nuestro poder su carta...", "les agradeceremos nos informen", etc.).

La estructura de la carta es casi siempre igual: primero, se explica el motivo de la comunicación, haciendo referencia a la correspondencia anterior, al anuncio del producto o servicio en cuestión, etc. Luego se realiza la solicitud o se proporciona la información que se necesita, según el caso. Por último, se escribe la despedida utilizando ciertas frases hechas que se usan en este contexto.

C

Ahora aprenderás algunas de las abreviaturas más comunes que se utilizan en las cartas. Clasifícalas según se trate de tratamientos personales, direcciones u otras y escribe al lado de cada una la palabra o palabras a las que se refieren. Consulta tu diccionario si es necesario.

D. • Sres. • Dña • Apdo. • c/ • pág./ págs. • P.D. • Fdo. • C.P. • Tel. • Núm. • p.o. • Rte. • Av. • s/n • DNI • Ref. • Sra. • Srta. • Att. • Sr. • Atte.

Tratamiento personal	Direcciones	Otras
D. = Don ...	Apdo. = Apartado de Correo ...	pág./págs. = página/ páginas ...

Actividad 10.5

Ahora vas a escribir tú una carta formal. Durante tus últimas vacaciones en España alquilaste un coche en Málaga con la compañía local "Kilómetros al sol". A la vuelta descubres en la factura de la tarjeta de crédito que la cantidad no se corresponde con la pactada en el contrato: te han cobrado tres días de más, diez en lugar de siete. Escribe una carta formal a la compañía exponiendo la situación y solicitando que te devuelvan el dinero. No te olvides de usar el formato correcto para una carta formal.

KILÓMETROS AL SOL

Alquiler de automóviles
Vehículos modernos, seguros y espaciosos

Para más información:

C/ Garcilaso de la Vega, 33, bajos
29012 Málaga
www.kilometrosalsol.es

Las siguientes expresiones te pueden ser útiles:

- Me dirijo a ustedes a fin de...
- Les adjunto copia del contrato...
- Les agradeceré que realicen el reembolso de...

Puedes empezar tu carta así:

Estimados señores:

...

Autoevaluación

Cuando hayas terminado de escribir tu carta, repásala comprobando los puntos siguientes:

- ¿He usado las fórmulas y expresiones convencionales para las cartas formales?

- ¿He incluido las frases hechas que se sugieren en el ejercicio u otras equivalentes?

- ¿He usado el formato adecuado (lugar y fecha a la derecha, nombre y dirección del destinatario a la izquierda)?

- ¿He empleado un lenguaje formal y la forma "usted" en todos los casos?

Sillón de lectura

Actividad 10.6

Lee este cuento que la escritora y teletrabajadora uruguaya Cristina Galeano publicó en un foro de apoyo a los teletrabajadores. Luego contesta las preguntas que tienes a continuación del texto.

Buenas tardes. Mi nombre es María Cristina Galeano, soy escritora uruguaya y teletrabajadora. ¿A qué me dedico? Escribo "cuentos a medida" para regalo (boda, cumpleaños, momentos especiales). Hoy pensé: ¡Qué a la medida estaría regalarle a los teletrabajadores un cuento! Uno que sea ilustrativo de mi experiencia con el teletrabajo, divertido, y a la vez un ejercicio... Decidí llamarlo...

EL PUENTE

Dudando si editar un segundo libro o buscar trabajo, sentada en la silla de mi cocina, apuré de un solo sorbo aquel café amargo y demasiado caliente. "¿Qué hacer?", me pregunté.

Abrí entonces las hojas de los clasificados del domingo... Por supuesto primero leí los avisos más grandes... Las propuestas eran muy tentadoras: buen ambiente laboral, dinero para viáticos, retribución acorde. Sin embargo, las exigencias me caían como una plancha... Pedían sólida experiencia, dos o tres idiomas, horario completo, menor de 35 años...

Después de una eternidad, con un dejo de resignación, di vuelta la página del periódico y revisé de arriba abajo el resto de las tan diversas propuestas. Aparecían en letra más chiquita: recepcionista bilingüe, chica para agencia de seguros con cartera de clientes, chica para acompañar señora sola, para limpieza... En ningún lado pedían: señora honesta, creativa y emprendedora, que no se quiere ir otra vez de su patria pero que aspira a ganar un salario digno realizando el trabajo que ama. ¡No! No aparecía por ningún lado...

Cerré el periódico, me preparé otro café con más azúcar y prendí la radio. Decía así: "Teletrabajo: Vivir acá - Trabajar allá - Ganar allá - Gastar acá. Mañana Talleres 1 y 2". ¿Qué será eso del Teletrabajo?

Tímidamente, aunque muy entusiasmada, aquel soleado sábado de otoño, cuaderno y lapicera en mano, me instalé en una cómoda silla en una sala de conferencias. ¿Cómo me fue? ¡Impresionante! Sin pestañear ni emitir palabra tomé apuntes hasta con subrayado. Al final, ya muy pálida y soñando con llegar a la almohada, me sentí bombardeada por un sinfín de preguntas que más bien parecían acertijos: ¿Qué es lo que me gusta hacer de alma y quisiera ofrecerle al mundo? ¿Tendré actitud y aptitud para emprender el teletrabajo? ¿No me superará tanta tecnología? ¿Alguien, en algún punto del planeta, se interesará por lo que yo haga?

"Quiero escribir cuentos para regalo", me di cuenta de una. Luego el ineludible: ¿y cómo hago? Allá me llegó enlazado con una lista de palabras: actitud positiva, dinamismo, paciencia, humor, perseverancia. ¡Socorro!, también se colaba aquella terrible pregunta: ¿No me superará tanta tecnología?

"¡No puedo con el blog!", asumí, desesperada, una tarde de lluvia, frente a la computadora. Mmmm. ¿qué significarían las palabras editar, administrar, blogroll? Urgente tomé un instructor para que me enseñara temas informáticos; un analista programador que me habían recomendado como lo máximo. Pero no había caso... se me iba por las ramas... Las semanas pasaban.

Era final de otoño e infructuosamente buscaba los tres clics para pasar de Word a PDF. Nada... ¡y me congelaba!

Entrado el invierno, allá estaba yo, siempre al firme, horas en la compu... escribiendo textos y más textos. ¡Qué lucha! Era el turno de los clics en "buscar y reemplazar todos" para corregir espacios, puntos y comas. No podía dejarme vencer por las palabras inercia, comodidad, lamentos, conformismo.

¡Aleluya! Llegó el 27 de agosto: el bautismo de mi hijo virtual. ¿Cómo lo llamé? ¿Cuál "palabrita mágica"? ¡La mejor! La del primer clic: Regalato (unión de regalo y relato). ¡Qué alegría! Mi www.regalato.wordpress.com ya estaba en Internet. Tenía padrino, madrina y hasta contador de visitas. ¡A presentarlo al mundo y a vender mi servicio!, me dije. ¡Qué lindo desafío!

Así pues señoras y señores, llegando al día de hoy y ya cerrando este relato, con el bagaje de varios clics impresionantes y un guión de cine entre manos, me despido de ustedes con los mejores deseos.

MARÍA CRISTINA GALEANO

(www.teletrabajo.com.uy/testimonios/) [último acceso 30.3.09]

Vocabulario

a medida   *tailor-made*

¡Qué a la medida...!   *How fitting!*

el sorbo   *sip*

los clasificados   *classified ads*

el aviso (América Latina)   *advertisement*

dinero para viáticos   *travelling expenses*

retribución acorde   *salary to match, appropriate salary*

me caían como una plancha   *hit me like a ton of bricks*

con un dejo de   *with a touch of*

la cartera de clientes   *client portfolio*

la patria   *homeland*

pestañear   *to blink*

el acertijo   *riddle*

de una   *all at once*

ineludible   *unavoidable*

no había caso   *it was useless*

infructuosamente   *unsuccessfully*

la compu (computadora)   *computer*

el desafío   *challenge*

1   ¿Cómo explicarías el eslogan que se utiliza en el cuento para anunciar el teletrabajo, "Teletrabajo: Vivir acá - Trabajar allá - Ganar allá - Gastar acá"?

2   ¿Por qué piensas que este concepto es atractivo para esta escritora uruguaya?

Tema 11 Empleo y desempleo

En este tema vamos a explorar el panorama laboral en España y estudiaremos el proceso para encontrar un trabajo, desde la solicitud hasta la entrevista. También aprenderás a elaborar un currículum vitae y a escribir una carta de presentación.

Actividad 11.1

A

Lee el siguiente texto sobre buenos lugares de trabajo. Aunque es un texto bastante largo, lo mejor es leerlo rápidamente la primera vez, mirando antes las palabras que te ofrecemos en el vocabulario, pero sin detenerte a buscar todas las palabras que no conozcas en el diccionario. La función de esta primera lectura es identificar el tema y las ideas principales del texto.

Los mejores lugares para trabajar 2008

Lo que une a las 50 empresas de la lista que elabora cada año el Instituto Great Place to Work son cinco características básicas: credibilidad, respeto, trato justo, orgullo y camaradería. Pero, además, hay algunas prácticas de recursos humanos que ayudan a definir a "las mejores", según las opiniones de sus empleados. Por ejemplo, prácticamente todas cuentan con sistemas formales que garantizan la equidad salarial entre hombres y mujeres; el 81% de sus empleados tiene horario flexible; el 68% evalúa a sus directivos mediante la opinión de la plantilla; el 50% de los hombres y el 44% de las mujeres alargan la baja tras el nacimiento de un hijo; un 30% de las personas puede trabajar desde casa, y, convencidos de que descansar aumenta el rendimiento, los empleados de estas compañías pueden acumular hasta 15 días extras de vacaciones.

A más satisfechos más rentables

Las mejores empresas para trabajar son, además, las que mejores resultados financieros obtienen, por lo que se concluye que el grado de satisfacción de los empleados está directamente relacionado con la rentabilidad de la empresa. Veamos algunos ejemplos:

Más puestos Cuando la tasa de paro en España rondaba el 8,2%, el número de empleados de las 50 "mejores" creció un 29%. Este porcentaje se tradujo en la creación de 15.500 nuevos puestos de trabajo.

Absentismo laboral El Instituto señala que la media entre las 50 ganadoras se situó en el 1,47%, una cifra muy inferior a la que se maneja en el resto de España.

Temporalidad Sólo el 4% de sus empleados tiene un contrato temporal, mientras que la tasa de temporalidad media en España es superior al 30%.

Lilly, ganadora en la categoría de más de mil empleados

Hasta diez rutas de autobuses, jornada flexible, ayudas para guardería, becas de estudio para hijos de empleados, plan de pensiones, polideportivo, plaza de aparcamiento, servicio de comedor subvencionado en un 75% para los puestos de base y en un 50% para directivos, cheques regalo —que representan la mitad de la mensualidad— por el nacimiento de un hijo, una boda o la formalización de una pareja de hecho... La retahíla de ventajas que Lilly ofrece a su plantilla en la planta que la compañía farmacéutica tiene en Alcobendas (Madrid) podría seguir.

"Los elementos de motivación están muy bien, pero lo imprescindible es una política diaria de respeto por las personas" dice Juan Pedro Herrera, director de recursos humanos de la farmacéutica. Pero también hay otros factores que influyen en el grado de satisfacción de sus empleados. "Los jóvenes, por ejemplo, ven que aquí se favorece la promoción interna. Prácticamente el 100% de nuestros gerentes, directivos o supervisores sale de la compañía", asegura.

Precisamente los más jóvenes llegan con nuevas exigencias a las empresas y buscan más calidad de vida. "Y eso está muy bien"—afirma Herrera—"Los jóvenes van cambiando las cosas. Quizá se encuentran con el rechazo de los mayores, que se extrañan de que no se queden hasta las diez de la noche en la oficina. Pero ya se ha visto que una jornada larga no es sinónimo de productividad. Hoy los jóvenes tienen mejor preparación y pueden elegir, y no sólo empresa. Proceden de una familia donde el Estado del Bienestar ya estaba garantizado. Hoy el empleado es un cliente más y te tienes que adaptar a ello".

(Adaptado de http://test.infoempleo.com/pdf/04_68.pdf) [último acceso 1.4.09]

Vocabulario

la plantilla *staff*

el rendimiento *performance*

la rentabilidad *profitability*

la tasa de paro *unemployment rate*

rondar *to be around*

la guardería *nursery / crèche*

el absentismo *absenteeism*

manejar *to handle*

subvencionar *to sponsor*

la pareja de hecho *civil union*

la retahíla *string*

imprescindible *essential*

la política *policy*

La pareja de hecho

La pareja de hecho está compuesta por dos personas de cualquier sexo que se unen para convivir de forma estable, en una relación análoga al matrimonio. Legalmente se han regulado estas relaciones para tener en cuenta la dependencia económica que se produce entre los integrantes, y para evitar que ciertas situaciones como la enfermedad o muerte de uno de los miembros deje al otro sin reconocimiento legal ni acceso a herencias, pensiones, etc.

B

Aquí tienes la lista de ventajas que ofrece Lilly a sus trabajadores. Busca en el texto las palabras y expresiones que tienen el mismo significado para completar la tabla. El primero está hecho como ejemplo.

Ventajas (para los trabajadores)	Equivalente en el texto
igualdad en los salarios	equidad salarial
posibilidad de empezar y terminar el trabajo cuando convenga	
prolongar la baja por maternidad o paternidad	
guardarse días de permiso	
dinero o vales para pagar por el cuidado de los niños	
dinero para pagar colegios o matrículas de los hijos	
espacio para aparcar el coche	
cantina a precios especiales	
dinero extra para marcar ocasiones especiales	
posibilidad de ascenso dentro de la empresa	

Vocabulario

la igualdad   *equality*

convenir   *to suit*

la baja   *leave (sick leave or maternity leave, but not annual leave)*

el vale   *voucher*

la matrícula   *registration fee*

el ascenso   *promotion*

C

¿Te imaginas cómo deben ser los peores lugares para trabajar? Haz una lista de las condiciones de trabajo que, en tu opinión, harían de un empleo o empresa el peor lugar para trabajar.

Ejemplo

contratos temporales o contratos basura

Los contratos basura

En España se denominan así a algunos contratos de aprendizaje o de prácticas que se ofrecen principalmente a los jóvenes. También se conocen como contratos basura los contratos temporales que ofrecen las empresas de trabajo temporal por duraciones muy cortas, por ejemplo contratos de cinco días, de lunes a viernes, que se renuevan cada semana. Muchos de estos contratos infringen la normativa laboral.

(Adaptado de www.empresuchas.com/contratos-basura/) [último acceso 1.4.09]

Actividad 11.2 _____

No todas las empresas son tan buenas como Lilly y la realidad laboral para muchos trabajadores en España es mucho más precaria. Para muchos, esto es debido a una práctica laboral muy extendida en España, la temporalidad.

A

Lee las siguientes estadísticas sobre la temporalidad como característica del mundo laboral en España, y escribe junto a cada cifra a qué se refiere el porcentaje. El primero está hecho ya como ejemplo.

31,8% – *tasa de temporalidad en España en 2004*

12,8% –	30,6% –
5% –	50,6% –
52,1% –	7% –
35,2% –	70% –

El "talón de Aquiles" del mercado de trabajo español

29 de abril de 2005 – Comisión Ejecutiva Confederal de UGT

La tasa de temporalidad en España en 2004 era del 31,8%, lo que significa que hay unos 5 millones de trabajadores temporales.

España es el país con mayor número de trabajadores con contrato temporal de la Unión Europea, muy por encima de la media (12,8%) y de Estados Unidos (5%).

El principal factor de discriminación en la contratación en España es la edad. La tasa de temporalidad entre los jóvenes alcanza el 52,1%.

La tasa de temporalidad de las mujeres es ligeramente mayor que la de los hombres: 35,2% de las primeras por 30,6% de los segundos.

Los trabajadores más cualificados tienen una menor tendencia a los contratos temporales. La tasa de temporalidad es del 50,6% entre los trabajadores no cualificados, pero solo del 7% entre directivos y gerentes de empresas.

El 70% de los trabajadores temporales trabajan para la construcción, la industria manufacturera, el comercio, la hostelería, el servicio doméstico, y la agricultura y ganadería.

La contratación temporal, por tanto, no es un recurso de una estructura económica más basada en sectores estacionales sino una práctica cultural de los empresarios españoles.

(Adaptado de www.ugt.es/informes/ InformeUGTTemporalidad.pdf) [último acceso 1.4.09]

Vocabulario

UGT = Unión General de Trabajadores   *socialist trade union*

la tasa   *rate*

el/la gerente   *managing director*

la ganadería   *livestock farming*

estacional   *seasonal*

B

Con la proliferación de los contratos temporales han cobrado gran importancia las empresas de trabajo temporal (ETT), cuyo funcionamiento ha regulado recientemente el gobierno para mayor protección del trabajador. Lee estas contribuciones a un foro de internet para aprender qué son las ETT y cómo funcionan, y contesta las siguientes preguntas:

1 Según "aragonés" y "Cubalibre", ¿cuáles son las ventajas que proporciona a las empresas la contratación a través de una ETT?

2 Según "Cubalibre", ¿cuáles son las desventajas para el trabajador que es contratado a través de una ETT?

¿Cómo funcionan las ETT (empresas de trabajo temporal)?

Deseo que alguien me explique el funcionamiento de las ETT (empresas de trabajo temporal), ¿por qué contratan las empresas sus servicios y no contratan las empresas directamente a los trabajadores?

Rocío P.

Las ETT contratan a trabajadores y son responsables de la mayoría de obligaciones con respecto al trabajador (las principales son afiliación, alta/baja en la seguridad social, pago de cuotas de la seguridad social y remuneración). El trabajador, que es cedido, siempre va a ser trabajador de la ETT.

Las empresas que contratan directamente los servicios de las ETT lo hacen por flexibilidad y ahorro. Por flexibilidad porque así muchos de los trámites se los dan solucionados y por tanto hace una función burocrática importante. Y por ahorro, ya que las empresas se ahorran costosos procesos de selección y búsqueda de trabajadores.

El porcentaje que se llevan por cada trabajador viene regulado por ley y no es superior al 4%.

Espero haber respondido a tu pregunta y haber sido útil.

Un saludo ;-)

aragonés

Hola.

Me ha tocado trabajar con muchas de estas empresas y mi experiencia me demuestra que hay tres razones fundamentales por las que una empresa prefiere contratar a través de ETT en vez de directamente (lo explico resumido, no es que sea exactamente así):

1 "Comodidad". La empresa usuaria llama a la ETT y le pide dos trabajadores para el día siguiente. Al día siguiente los dos trabajadores están allí. A los 10 días uno cae de baja. Al día siguiente hay otro trabajador en su puesto. Un mes después ya no le hacen falta. Al día siguiente ya no están allí. Uno de ellos denuncia por incumplimiento de contrato, pero como trabaja para la ETT... Así de simple; sin perder tiempo en entrevistas, ni tener que decirle al trabajador que acaba su contrato, etc... La ETT se encarga de todo.

2 "Ventaja económica". La empresa usuaria firma un contrato con la ETT, en virtud del cual la usuaria paga una cantidad X por cada trabajador puesto a disposición. De esa cantidad, tiene que salir el sueldo del trabajador, los pagos sociales y el beneficio de la ETT. La cantidad que la usuaria paga a la ETT suele ser superior a la que tendría que pagar al trabajador, pero sin las molestias asociadas a la selección y contratación.

3 "Crear clima de competitividad". La empresa usuaria contrata a través de la ETT "con posible incorporación a plantilla"... el engañabobos para que te dejes los cuernos y el alma trabajando, a ver si caes bien y la empresa te hace un contrato permanente...

Y todo esto lo digo con conocimiento de causa.

Cubalibre

(Adaptado de http://es.answers.yahoo.com/question/index?qid=20080314170932AAsmtFY) [último acceso 1.4.09]

Vocabulario

la afiliación   *affiliation*

el alta / la baja en la seguridad social   *registration / deregistration with Social Security*

la remuneración   *remuneration*

ceder   *to transfer*

me ha tocado trabajar   *I happen to have worked*

caer de baja   *to go off sick*

denunciar por   *to lodge a complaint of*

el incumplimiento de contrato   *breach of contract*

en virtud de   *by virtue of*

la plantilla   *staff*

el engañabobos (familiar)   *swindle, swizz*

dejarse los cuernos y el alma trabajando (familiar)   *to slog your guts out*

si caes bien   *if they take a liking to you*

lo digo con conocimiento de causa   *I know what I'm talking about*

Actividad 11.3 _____

A continuación aprenderás cómo utilizar algunos verbos pronominales que expresan cambio y se usan con frecuencia en el contexto del trabajo. Lee los Apuntes y completa las frases con el verbo adecuado.

Apuntes

Verbos de cambio

quedarse + adjetivo o frase preposicional

Se usa para indicar un cambio a otra situación, en muchos casos con un sentido implícito de pérdida.

> Se ha quedado sin trabajo.

> Te quedas estancado sin posibilidad de promoción.

hacerse + adjetivo o sustantivo

Puede implicar un cambio mediante un esfuerzo voluntario, a menudo un cambio profesional, religioso o político.

> Se hizo médico.

> Se han hecho del sindicato.

llegar a ser + adjetivo o sustantivo, o
llegar a + sustantivo o infinitivo

Implica progreso, logro o promoción.

> Llegó a ser famoso por sus inventos.

> Llegó a comprar su propio taxi tras años de trabajar para otros.

> Llegó a presidente antes de los 40.

volverse + adjetivo o sustantivo

Puede implicar un involuntario cambio mental o psicológico en las personas. También puede usarse con sustantivos abstractos o con circunstancias, generalmente con una connotación negativa.

> Se ha vuelto muy dominante.

> La situación se vuelve cada día más difícil.

ponerse + adjetivo

Se usa para señalar cambios de humor, de condición física o de apariencia, normalmente de corta duración.

> Se ha puesto hecha una furia.

> Hay que ponerse elegante para la entrevista de trabajo.

1 Desde que sufrió la depresión _____ muy difícil tanto en casa como en el trabajo.

2 Se enfadó tanto que _____ roja como un tomate.

3 La fábrica cerró y todos _____ en el paro.

4 Lleva solo seis meses en la empresa y ya _____ a jefe de sección.

5 _____ voluntarios de una organización que ayuda a la gente mayor.

 # Escritorio

En esta sesión vas a aprender a escribir una carta de presentación y a elaborar tu currículum.

Actividad 11.4 _____

Lee las siguientes cartas de presentación y asócialas con la descripción adecuada.

1 Carta presentada en respuesta a un anuncio de trabajo.

2 Carta enviada a la empresa sin que haya aparecido anuncio para un puesto.

(a)

María Menoyo Domínguez
c/ Río Sil 55, A
27003 Lugo
T: 982 24 25 57

12 de mayo de 2008

D. Carlos Serrano Azcona
Departamento de Recursos Humanos
DOUBLE ESPAÑA
Serrano, 93
28001 Madrid

REF: "Director de Marketing"

Muy Sr. mío:

En relación a su oferta de empleo aparecida en el periódico "Siglo XX", el día 11 del presente mes, me es grato comunicarle mi interés por el puesto convocado y con tal fin le envío mi currículum vitae.

Como podrá comprobar en mi historial, poseo una sólida formación académica, que he completado con un programa Master en Estados Unidos, y llevo más de tres años poniendo en práctica mis conocimientos en empresas de prestigio, junto a profesionales de gran valía.

Por lo anteriormente expuesto, creo responder al perfil profesional que está buscando para su empresa, aportando mi experiencia lograda tanto en España como en el extranjero y, por supuesto, con gran interés por continuar mi desarrollo profesional en el marco de su compañía.

Será un placer ponerme en contacto por teléfono con usted para fijar una fecha en la que concertar una entrevista que resulte beneficiosa para ambos.

Sin otro particular, se despide atentamente

María Menoyo Domínguez

(Adaptado de www.infoempleo.com/Consejos/carta/ejemplo_anuncio.asp)
[último acceso 1.4.09]

Vocabulario

me es grato   *I am pleased to*

convocar   *to advertise*

el historial   *CV*

aportar   *to contribute*

en el marco de   *in the context of*

(b)

Estefanía Ibarretxe Suárez
c/ Príncipe de Vergara 20, esc. izq. 8º 2ª
28033 Madrid

T: 91 888 34 34

13 de mayo de 2008

D. Carlos Serrano Azcona
Departamento de Recursos Humanos
DOUBLE ESPAÑA
Serrano, 93
28001 Madrid

Estimado Sr. Serrano:

Después de dos gratos años de estancia en el extranjero, he decidido volver a fijar mi residencia en España. Por este motivo, estoy realizando los primeros contactos con varias empresas de mi interés, entre ellas la suya, ofreciendo mis servicios profesionales.

Adjunto mi currículum vitae para que tengan la oportunidad de conocer mi historial profesional. En éste podrá comprobar que tuve una excelente formación académica, lo que me permitió acceder al mercado laboral sin problemas.

Mis tres años de experiencia profesional en grandes empresas en España y Estados Unidos, mi formación postgradual y bilingüe, así como la experiencia de vivir en un país extranjero, me convierten en el tipo de profesional que podría necesitar su empresa.

Concluyo comunicándole mi gran interés por continuar mi carrera profesional centrada en el área de marketing en el marco de su empresa, con el fin de poner todos mis conocimientos a su servicio y seguir mejorando mis competencias profesionales.

Espero podamos conocernos personalmente para tener la oportunidad de ampliarle cualquier detalle que considere necesario.

Sin otro particular, se despide atentamente

Estefanía Ibarretxe Suárez

(Adaptado de www.infoempleo.com/Consejos/carta/ejemplo_mailing.asp) [último acceso 1.4.09]

Vocabulario

grato,-a *pleasant*

fijar la residencia *to settle*

Actividad 11.5

A

Tanto si la carta de presentación se escribe en respuesta a un anuncio de empleo o espontáneamente para establecer contacto con la empresa, es importante seguir algunas normas básicas para que sea más eficaz. Lee el siguiente texto en el que se explica cómo escribir una buena carta de presentación.

La carta de presentación

La carta de presentación es otra manera de multiplicar las posibilidades de despertar el interés del responsable de selección. El mensaje de la carta de presentación debe cubrir dos puntos fundamentales:

1. Argumentar las razones que nos convierten en un firme candidato para cubrir un puesto de trabajo.

2. Sugerir la posibilidad de concertar una entrevista.

Es importante dirigir las cartas personalizadas indicando el nombre de la persona encargada de la contratación de personal, en el caso de que se conozca. Si no conocemos el nombre de la persona, lo más conveniente es llamar por teléfono para averiguarlo.

En la carta de presentación nos debemos vender como otro producto que necesite la empresa. Para ello, es importante conocer los intereses y necesidades de la empresa, pues solo así podremos ofrecer las cualidades o aptitudes que tenemos y demostrar que son compatibles con su actividad.

Algunas posibles expresiones para personalizar la carta de presentación son:

- "Me he informado de que están realizando una campaña..."

- "Tomando en cuenta su plan estratégico de ventas..."

- "A juzgar por el liderazgo en el mercado que tiene su producto..."

Por último, es conveniente terminar la carta sugiriendo que en un breve plazo llamaremos para poder acordar una fecha adecuada para ambos. Así, no solo se podrá comprobar si el currículum fue tomado en cuenta, sino que obtendremos una nueva oportunidad para establecer el contacto.

En cuanto a la estructura, no existe un modelo único. El texto no debe ser una mera repetición del currículum y no tiene que exceder los cuatro o cinco párrafos.

Una vez que sabemos exactamente lo que vamos a comunicar, debemos ordenar la información en los párrafos de manera lógica:

- 1º Párrafo: presentación y saludo. Existen dos casos. Si se responde a un anuncio de oferta de empleo se mencionará dicha oferta. Si se escribe una carta espontánea a empresas de nuestro interés, atraeremos la atención del destinatario mediante algún detalle, tal y como se especificó anteriormente.

- 2º Párrafo: informar que se adjunta el CV y que respondemos a las características de la persona que necesitan.

- 3º Párrafo: enumerar algunos logros profesionales y nuestras últimas actividades que les puedan interesar, a juzgar por el perfil profesional que necesitan.

- 4º Párrafo: demostrar interés por el puesto y sugerir una cita personal, si es relevante.

- 5º Párrafo: agradecimientos y despedida.

(Adaptado de www.infoempleo.com/Consejos/carta/carta.asp) [último acceso 1.4.09]

Vocabulario

argumentar   *to argue*

concertar una entrevista   *to arrange / set up an interview*

a juzgar por   *judging by*

acordar   *to agree*

el logro   *achievement*

B

Ahora ordena las frases siguientes para formar el cuerpo de una carta de presentación. No te olvides de añadir la puntuación y de usar mayúsculas cuando lo creas necesario.

1   en espera de sus noticias, les saluda atentamente

2   por ello estimo que mi colaboración podría serles útil

3   es líder en la fabricación de productos para la construcción

4   he seguido con atención el desarrollo de su empresa

5   estimados señores

6   en una entrevista para comentarles mis conocimientos y experiencia

7   he podido comprobar por distintos medios

8   me gustaría tener la oportunidad de conversar con Uds.

9   por mi experiencia como Jefe de Ventas en una firma del sector

10   que su empresa INDUSTRIAS CES S.A.

11   a la hora de planificar campañas y promocionar su firma

(Adaptado de documento de INEM Anexo 5 – MII, pág. 26/34)

Actividad 11.6

Has visto este anuncio en el periódico y te interesa pedir uno de los trabajos. Escribe una carta de presentación siguiendo el formato y los consejos que se indican en el texto de la actividad anterior.

Red de Residencias y Centros de Día "El Avellano"

Para inauguración de un centro de día en Alicante

SE NECESITA PERSONAL DE TODAS LAS CATEGORÍAS:

- Médico
- Enfermeras/os
- Trabajadores/as sociales
- Fisioterapeutas
- Terapeutas ocupacionales
- Gerocultores
- Personal de limpieza
- Cocinero/a y pinches de cocina
- Recepcionista

INTERESADOS ENVIAR CURRÍCULO A: valencia@elavellano.org.es

Red de Residencias y Centros de Día "El Avellano"
C/ Juan Rulfo, 14, bajos
46013 Valencia

(Adaptado de "Gente en Burgos", del 22 al 28 de febrero de 2008, pág.33)

Vocabulario

el/la gerocultor,-a   *care assistant (working with older people)*

el/la pinche de cocina   *kitchen assistant*

Actividad 11.7

A

Además de la carta de presentación es necesario adjuntar una copia actualizada del currículum vitae. En el texto siguiente se explica cómo elaborar un currículum estándar que resulte claro y eficaz.

Elaboración del CV

No existe un currículum vitae perfecto ni un modelo único para realizarlo. Lo ideal es confeccionar un currículum para cada ocasión, lo que no significa que no tengamos un modelo de referencia que logre presentarnos de la manera más atractiva y acertada.

Elementos de un CV

Datos personales

Formación académica

Experiencia profesional

Idiomas

Informática

Otros datos de interés

Datos personales

Los datos personales pueden aparecer encabezando el documento o al final del mismo.

Si se tiene una experiencia profesional dilatada, lo más recomendable es detallar en primer lugar la experiencia profesional. En caso contrario, es mejor empezar con los datos académicos primero y pasar luego a la experiencia profesional.

Formación académica

Este apartado se puede dividir en dos partes:

1 Formación oficial (titulaciones oficiales y programas de postgrado)

2 Cursos complementarios (formación ocupacional, cursos, seminarios, etc.)

Ambas partes deben incluir: título, centro, fecha de realización y duración.

En el apartado de cursos complementarios debemos incluir sólo aquellos cursos que se adecuen al puesto ofertado o que sean de interés para la empresa. Por ejemplo, si estás buscando un empleo como Consultor Estratégico, no incluyas en tu formación complementaria los cursos de baile, cocina o actor de doblaje.

Experiencia profesional

La experiencia profesional es fundamental y debe incluir: nombre de la empresa, puesto, departamento, funciones y duración del empleo.

Es importante incluir toda la información relativa a trabajos de prácticas durante los estudios, trabajos de voluntariado, y participación en asociaciones estudiantiles, sobre todo si no se tiene mucha experiencia profesional.

Idiomas

Por lo que respecta a los idiomas, se deben incluir los años de estudios invertidos en la formación, certificados obtenidos o nivel de dominio y estancias en el extranjero dedicadas al estudio de idiomas.

Informática

En el apartado correspondiente a informática es conveniente especificar los nombres de las aplicaciones o lenguajes de programación, el nivel de conocimiento (usuario, profesional, experto) y los certificados o diplomas de acreditación obtenidos.

Otros datos de interés

El currículum vitae puede finalizar con una sección que englobe todos aquellos datos adicionales que sean de interés para la empresa o digan algo de nuestra personalidad, como aficiones, publicaciones, premios o becas, trabajo voluntario, adscripción a Colegios o Asociaciones Profesionales, disponibilidad para viajar, etc.

(Adaptado de www.infoempleo.com/consejos/cv/cv_elementos.asp) [ultimo acceso 4.8.09]

Vocabulario

confeccionar   *to make, prepare, put together*

acertado,-a   *relevant*

el centro   *(here:) institution*

las funciones   *(here:) responsibilities, duties*

englobar   *to include*

la beca   *grant*

la adscripción   *membership*

la disponibilidad   *availability*

B

Ahora estudia el currículum de la página siguiente y coloca los títulos en el lugar correcto.

> Experiencia profesional • Idiomas •
> Informática • Formación académica •
> Otros datos

DAVID DE LUCAS MARTÍN

c/ San Ricardo, 16, 28013 Madrid

Tel: 91 876 54 09

(a) _____

Marzo 2008 – Actual	**Administrativo** en Utell International, S.L. Madrid
	Funciones: gestión de impagados, archivo, cierre de Paytel (programa de control diario de reservas), gestión de quejas y sugerencias del cliente, fax, telex, mailing, chequeo mensual de reservas realizadas con la sede central de Utah.
Enero 07 – Diciembre 07	**Adjunto al Departamento de Ventas** en Inforbuilding, S.A.
	Funciones: recepción de llamadas, elaboración de agenda del supervisor, captación de nuevos clientes, control y seguimiento del inventario. Realización de informes trimestrales de ventas.
Mayo 05 – Diciembre 06	**Administrativo Dpto. de Telemarketing** en Coca-Cola España
	Funciones: seguimiento de campaña publicitaria Coca-Cola con la realización de informes sobre los sondeos realizados y resultados de los mismos.
Octubre 04 – Febrero 05	**Administrativo** en Industrias Roland, S.L.
	Funciones: captación de clientes con gran consumo de cartuchos de tinta o toner, retirando éstos de forma gratuita para su posterior reciclado, obteniendo un gran número de clientes.

(b) _____

2002 – 2004	**Instituto de Formación Profesional "La Almudena"**, Madrid
	Formación Profesional II, rama Administrativa (calificación media 7,60)
2000 – 2002	**Instituto de Bachillerato "Isabel la Católica", Madrid**
	Bachillerato (calificación media 6,32)

(c) _____

Inglés:	Nivel medio. Título del primer ciclo de la Escuela Oficial de Idiomas.
Francés:	Nivel medio adquirido en el Bachillerato.
(d) _____	Windows, Microsoft Office, Lotus, Access (Nivel Usuario Avanzado).
(e) _____	Permiso de Conducir B1 y B2
	Repoblación anual de zonas abandonadas (Reforesta)
	Aficionado al cine, excursiones a la montaña.
	Nacido en Ezcaray (La Rioja) en abril de 1984. Soltero.

(Adaptado de www.infoempleo.com/Consejos/cv/cv_crono_inv.asp) [último acceso 2.4.09]

Vocabulario

impagado   *unpaid or outstanding*

el archivo   *archive*

trimestral   *three-monthly*

el sondeo   *survey*

el cartucho de tinta   *ink cartridge*

La Formación Profesional

La formación profesional sigue considerándose socialmente como la opción para los estudiantes que no están capacitados para ir a la universidad y este desprestigio significa que solo el 15% de los estudiantes elige esta opción al finalizar los estudios de ESO. Sin embargo, aunque cada año obtienen su título más universitarios que estudiantes de formación profesional, estos últimos tienen mejores perspectivas de encontrar trabajo en su área profesional, ya que el 80% lo hace en menos de seis meses.

En España se puede acceder a la formación profesional inicial de grado medio después de haber completado satisfactoriamente la Educación Secundaria Obligatoria (ESO) o mediante una prueba de acceso después de los 17 años. Para acceder a la formación profesional de grado superior hay que haber obtenido el bachillerato o haber superado una prueba de acceso después de los 19 años.

Los estudios de formación profesional incluyen módulos profesionales y módulos prácticos de formación que se realizan en un puesto de trabajo. Casi la mitad de los estudiantes de formación profesional en España se concentran en cuatro áreas profesionales: Administración, Sanidad, Electricidad y Electrónica, e Informática. Al completar con éxito los estudios de formación profesional de grado superior, se puede acceder a algunas carreras universitarias.

(Adaptado de http://es.wikipedia.org/ y www.elpais.com/articulo/opinion/desprestigio/FP/elpepiopi/20071224elpepiopi_1/Tes) [último acceso 2.4.09]

Actividad 11.8 _____

Siguiendo el modelo de currículum de la actividad anterior, elabora un primer borrador de tu currículum vitae. Organiza tus datos en las secciones correspondientes y no olvides incluir cualquier información importante bajo la sección "Otros datos". (No es necesario que pases demasiado tiempo detallando la información exacta como fechas o direcciones de empresas donde has trabajado anteriormente).

▤ Sillón de lectura

Actividad 11.9

Lee los siguientes consejos sobre el mundo del trabajo.

¿Estás de acuerdo con ellos? ¿Se te ocurre algún ejemplo en tu experiencia laboral en el que se puede aplicar uno de estos consejos?

REGLAS DE ORO

1   Los negocios están hechos de victorias ambiguas y derrotas dudosas. Tómalas siempre como victorias.

2   Nunca le lleves a tu jefe un problema si no se te ha ocurrido alguna solución. Ten presente que te pagan por pensar: no por quejarte.

3   No faltes al trabajo por enfermedad, a menos que sea cierto.

4   Identifica las circunstancias en que te desempeñas mejor: durante la mañana, durante la noche, con presión, sin presión... Basándote en ello, planea tus actividades y establece prioridades.

5   Cuando tengas ganas de montar tu propio negocio habla con alguien que lo haya hecho. Quizá cambies de parecer.

6   Jamás te pongas nervioso ante un cliente o ante tu jefe. Respira profundamente y pregúntate: ¿qué trascendencia tendrá esto en la historia de la humanidad?

7   Quien se pasa todo el tiempo trabajando no es trabajador: es aburrido.

8   Los niños son generadores de verdades e ideas. La mejor frase para romper el hielo en una reunión muy tensa se la oí a un chaval de seis años: "Que levanten la mano los que estén enfadados".

9   Algunas veces estarás de suerte y todo te saldrá bien; sácales el máximo partido a esas ocasiones. Cuando ocurra lo contrario mantén la calma y espera a que pase el temporal.

10 Sé leal a tu carrera, a tus intereses y a ti mismo.

(Reader's Digest, *Selecciones*, junio de 1994, pp. 112–14)

Vocabulario

la derrota   *defeat*

a menos que   *unless*

desempeñarse   *to perform*

montar un negocio   *to start up a business*

sacar partido a algo   *to make the most of*

el temporal   *storm*

Tema 12   Inmigración y desarrollo económico

Esta semana vamos a considerar el tema de la inmigración y el impacto que tiene en el mundo laboral. También aprenderás a extraer la información clave de un texto y a escribir resúmenes e informes.

Actividad 12.1

Históricamente los países latinoamericanos fueron receptores de emigrantes europeos que escapaban situaciones políticas desfavorables (como los exiliados de la Guerra Civil española) o iban simplemente a hacer fortuna. En las últimas décadas, sin embargo, son los latinoamericanos los que emigran, a Europa y Norteamérica principalmente. Además, dentro del continente mismo, hay corrientes migratorias importantes, tanto de un país a otro como del campo a la ciudad. Las causas hay que buscarlas en las frágiles economías y las difíciles situaciones políticas de muchos países latinoamericanos.

En esta actividad vas a leer dos textos que te ayudarán a entender la situación en Costa Rica y Nicaragua en relación a la inmigración.

A

Lee este artículo sobre el perfil de los jóvenes inmigrantes nicaragüenses en Costa Rica, y completa la ficha añadiendo los porcentajes que se mencionan.

	%
Porcentaje de jóvenes inmigrantes en Costa Rica que proceden de Nicaragua	
Porcentaje de jóvenes inmigrantes nicaragüenses en Costa Rica...	
... que trabaja	
... que estudia	20%
... sin seguro médico	
... que vive mejor en Costa Rica que en Nicaragua	
... que vive igual en Costa Rica que en Nicaragua	
... que vive peor en Costa Rica que en Nicaragua	

Jóvenes inmigrantes en Costa Rica

Josué Bravo, Corresponsal/Costa Rica

Los jóvenes inmigrantes en Costa Rica, principalmente nicaragüenses, integran un alto porcentaje de los desempleados y la mayoría de ellos no ha logrado insertarse al sistema educativo nacional, indica una encuesta oficial.

El estudio revela que siete de cada cien jóvenes entre 15 y 35 años que viven en Costa Rica son extranjeros, y que de éstos, un 69% por ciento son jóvenes inmigrantes originarios de Nicaragua y un 10% de Colombia.

Entre los jóvenes nicaragüenses, solo labora un 54%, mientras que un 80% no está estudiando actualmente por la necesidad de trabajar o cuidar a los hijos.

En cuanto al acceso a la seguridad social, el 44 por ciento de los jóvenes nicaragüenses no cuenta con seguro médico aunque es una población activa laboralmente. Estudios anteriores explican que debido a la situación migratoria irregular de los jóvenes, muchos patronos incumplen con sus deberes y no respetan el derecho de esta población al acceso a la seguridad social.

A pesar de estas dificultades, un 81.9 por ciento de los jóvenes nicaragüenses considera que están mejor viviendo en Costa Rica, en comparación con las condiciones que tenían en Nicaragua. Un 13.3 por ciento dice estar igual y sólo un 0.7 dice estar peor.

La encuesta se realizó "para obtener datos específicos sobre este fragmento de la población, que representa un sector importante en el motor de la economía nacional y que cumple un papel fundamental para el desarrollo de la nación". A partir de los resultados obtenidos, se elaborarán nuevas políticas públicas que mejoren las condiciones que actualmente enfrentan los jóvenes en el país.

(Adaptado de www.laprensa.com.ni/ archivo/2008/septiembre/24/nicas/ noticias/275589.shtml) [último acceso 21.4.09]

Vocabulario

la encuesta   *survey*

laborar   *to work*

incumplir   *to breach*

B

Ahora lee el texto "Nicaragua" y contesta la siguiente pregunta:

¿Por qué piensas que la gran mayoría de jóvenes inmigrantes en Costa Rica procede de Nicaragua?

Nicaragua

Durante más de 40 años (1936–1979) Nicaragua fue gobernada, con el apoyo de los Estados Unidos, por diferentes dictadores de la familia Somoza, quienes amasaron una gran fortuna familiar a costa del país. En 1979 las guerrillas sandinistas (de tendencia marxista) consiguieron expulsar a los Somoza del país y tomar el poder. En 1984 se celebraron elecciones y Daniel Ortega, coordinador de la junta sandinista, fue elegido presidente con el 67% de los votos. Durante los once años que los sandinistas estuvieron en el poder hicieron enormes esfuerzos para mejorar la sanidad y la educación (con el apoyo de Cuba), nacionalizaron las propiedades de la familia Somoza y sus seguidores, e intentaron fortalecer el sistema político y reconstruir la economía (aunque con grandes dificultades a causa del embargo económico establecido en 1985 por los Estados Unidos).

En los años anteriores a las elecciones de 1990 la economía de Nicaragua entró en declive, la inflación alcanzó cifras astronómicas y aumentó la violencia entre los sandinistas y la Contra (guerrilla contrarrevolucionaria financiada por los Estados Unidos) con la consecuente destrucción de importantes infraestructuras. La administración Bush prometió mantener el embargo económico a menos que Violeta Barrios de Chamorro, propietaria del diario opositor *La Prensa*, ganara las elecciones. La presidencia de

Chamorro aportó el desarme de grupos paramilitares y una cierta estabilidad en el país, aunque los sandinistas acusaban al nuevo gobierno de deshacer el trabajo que ellos habían realizado en la década anterior.

Durante más de una década los sandinistas intentaron infructuosamente volver al poder, y finalmente Daniel Ortega ganó las elecciones de 2006 y tomó el poder en enero de 2007. Mientras tanto el país había sufrido a manos de un presidente corrupto y había sido azotado por diversos desastres naturales, como el huracán Mitch, que en 1998 mató a más de 9.000 personas y dejó a 2 millones sin casa (en un país con 5 millones de habitantes).

Aunque la economía empieza a recuperarse y el Fondo Monetario Internacional y el Banco Mundial rescindieron gran parte de la deuda externa del país en 2004, Nicaragua sigue siendo el segundo país más pobre del continente americano y depende en gran parte de la ayuda internacional y de los envíos de dinero de los nicaragüenses que han emigrado al extranjero.

(Información de http://en.wikipedia.org/wiki/Nicaragua y http://en.wikipedia.org/wiki/Sandinista) [último acceso 2.4.09]

Vocabulario

a costa de   *at the expense of*

la sanidad   *health*

deshacer   *to unravel*

infructuosamente   *in vain*

azotar   *to batter*

rescindir   *to cancel*

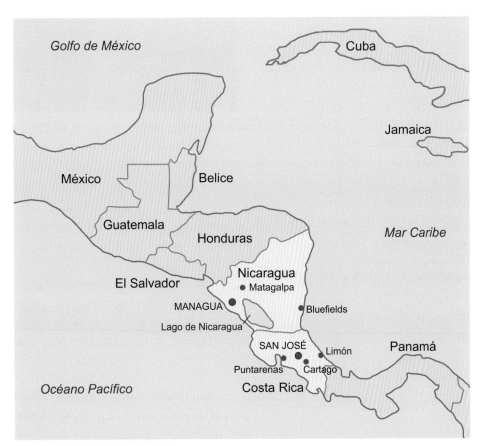

Actividad 12.2

Desde luego no todos los inmigrantes viven en condiciones precarias. En esta actividad, David Chacón, un venezolano con estudios superiores, describe su experiencia de emigrar y las razones que le llevaron a escoger el país de destino.

A

Lee el testimonio y concéntrate en las razones por las cuales David decidió irse a Australia. Completa la tabla con los aspectos positivos de vivir en Melbourne según David.

Factores a favor de Melbourne, Australia
mayor seguridad personal
...

David Chacón:

"Nuestro proceso de establecimiento fue muy fluido y sencillo. Diría que mucho más simple de lo que esperábamos"

Profesión: Ingeniero químico

Edad: 34 años

Ciudad/ País de origen: Caracas, Venezuela.

Fecha de salida: mayo 2008

Ciudad/ País de destino: Melbourne, Australia.

¿Por qué te fuiste de tu país?

En Australia consigues mayor seguridad personal, mejores servicios públicos, pues existe realmente seguridad social y un plan efectivo de pensiones. La situación política y económica de Venezuela hacía la vida muy complicada. Acá es más calmada, menos llena de estrés, lo cual te da mejor calidad de vida.

Las oportunidades de trabajo en Venezuela cada vez eran más escasas y muy vulnerables a factores políticos y económicos; en Australia existen muy variadas opciones y oportunidades para profesionales de cualquier nivel y edad.

¿Por qué seleccionaste el país o ciudad de destino?

Tramitamos la visa de residentes permanentes de Canadá y la aprobaron rápidamente, pero decidimos emigrar a Australia por dos razones: un clima muy bueno con invierno que nunca baja de cero y un mercado laboral más variado y con innumerables oportunidades cónsonas con nuestras experiencias laborales.

Describe los primeros tiempos

Nuestro proceso de establecimiento en Melbourne fue muy fluido y sencillo. Diría que mucho más simple de lo que esperábamos. Contamos con la ayuda de "Viva en Australia" y su servicio "On Arrival", que da una guía, tipo "check-list", la cual puedes seguir para cubrir, en muy corto tiempo, todos los aspectos referentes a la cuenta bancaria, Medicare, transporte e, incluso, resultó excepcional para iniciar la búsqueda de empleo.

También nos ayudó una gran cantidad de venezolanos, quienes nos han tendido su mano para completar nuestra mudanza y establecimiento. En verdad, esto fue sumamente valioso.

Describe tu situación actual

Australia es tierra de inmigrantes. Por eso, es común que la mayoría de los vecinos, las personas que te encuentres en el supermercado o tus compañeros de trabajo no sean australianos de nacimiento. Nuestra experiencia es que el australiano es muy amigable y nosotros los latinos le parecemos muy interesantes, porque hablamos español y venimos del Caribe.

Soy ingeniero químico y laboro en una compañía de bioplásticos. Un poco después de los tres meses de nuestra llegada a Australia, comencé a trabajar.

Mi esposa, Melanie, es ingeniera industrial y la contrató una compañía de defensa australiana, donde empezó, aproximadamente, un mes después de nuestro arribo.

Conservamos varias costumbres de nuestro país: comemos arepas, ya que aquí se consigue la harina, celebramos los cumpleaños como en nuestra tierra y preparamos ciertos platos de la comida típica, porque se venden algunos ingredientes.

Con el tiempo conoces a la comunidad de venezolanos y de latinoamericanos en general. De hecho, a muchos de ellos los contactas antes de llegar a Australia. Reconozco que existe entre nosotros un ambiente de colaboración muy bueno.

(Adaptado de testimonio publicado el 17 de septiembre de 2008 en www.mequieroir.com/migracion/ test_detalle.php?id=315&page=1) [último acceso 3.4.09]

Vocabulario

tramitar la visa   *to apply for a visa*

cónsono,-a   *in accordance with*

tender la mano   *to offer help*

la mudanza   *removal*

la arepa   *cornmeal roll (typical of Venezuela)*

B

Ahora explica, en tus propias palabras, la experiencia de David Chacón. Incluye cuatro párrafos, uno para cada sección del texto, en los que se incluyan las ideas principales a continuación.

- Por qué se marchó de Venezuela;

- Por qué escogió Australia;

- Su experiencia al llegar;

- Su situación actual.

Puedes empezar así:

> David Chacón decidió marcharse de Venezuela a causa de la situación política y económica…

Actividad 12.3

España fue un país de emigrantes, a Latinoamérica en el siglo XIX y a otros países europeos en la segunda mitad del siglo XX. Sin embargo, el desarrollo económico y la estabilidad política de las últimas décadas del siglo XX han convertido a España en un destino atractivo para la inmigración, y el país ha recibido grandes cantidades de inmigrantes del norte de África, el este de Europa y Latinoamérica, además de muchos europeos del norte, como británicos y alemanes, que se trasladan a España para disfrutar del clima y de un estilo de vida más relajado. Las autoridades deben enfrentarse ahora a las repercusiones que ha tenido en la sociedad esta afluencia masiva de inmigrantes.

Lee la siguiente entrevista con Celestino Corbacho, Ministro de Trabajo e Inmigración en el año 2008, y escribe al lado de cada idea principal un ejemplo que menciona el ministro para ilustrar su visión sobre cómo hay que manejar el tema de la inmigración.

Idea principal	Ejemplo
Que los inmigrantes puedan votar.	
Evitar la segmentación por lugar de origen en las áreas metropolitanas.	
Tolerancia cero con los que no cumplen las normas.	

Vocabulario

el alcalde   *mayor*

la voluntad   *will*

asentarse   *to settle*

mudarse   *to move*

el derecho   *right*

en la escalera   *(here:) in the block of flats*

la ordenanza   *ordinance, bylaw*

estar habilitado para   *(here:) to have a permit to*

la convivencia   *coexistence*

el civismo   *civic-mindedness*

el locutorio   *payphone centre*

desempeñar (una actividad)   *to carry out*

Corbacho: "Veo razonable que los inmigrantes puedan votar, pero con limitaciones"

MADRID.- En su puesto anterior como alcalde de L'Hospitalet (Barcelona) el nuevo ministro de Trabajo e Inmigración, Celestino Corbacho, ya se mostró a favor de este derecho y su nuevo puesto no le ha hecho cambiar de opinión. Su discurso políticamente incorrecto ("tolerancia cero con los que no cumplen las normas") suena raro en boca de un ministro socialista.

Pregunta. —¿Está a favor de cambiar la ley para que los inmigrantes puedan votar?

Respuesta. —Lo dije como alcalde y lo sigo manteniendo: cuando una ciudad tiene cerca del 24% de inmigración y esa inmigración ya es estable y con clara voluntad de permanencia y de formar parte de la ciudadanía de futuro, parece razonable que se busquen fórmulas que permitan al máximo número de personas participar en las elecciones municipales.

P. —Se está viendo que, cuando en un barrio se asienta un alto número de inmigrantes, los españoles se mudan a otro. Al final, ni hay mezcla ni integración y se forman guetos. ¿Cómo se va combatir este problema?

R. —Eso hay que gobernarlo no sólo desde el Gobierno sino desde las administraciones autonómica y local. Tenemos que evitar el modelo americano, que un área metropolitana se segmente por poblaciones de origen es lo peor que puede pasar.

P. —Pero eso ya está ocurriendo.

R. —Está pasando, pero hay que hacer políticas activas para que no pase. Cuando uno llega a este país, los derechos son los mismos de cualquier ciudadano, pero las obligaciones también. Mi filosofía es que un barrio de estas características se gobierne con disciplina en la actividad económica y en el espacio público, y con mediación social en la escalera y soporte decidido a la escuela.

P. —Cuando habla de disciplina en la actividad económica, ¿se refiere a controlar la apertura de comercios a todas horas, la venta de alcohol hasta altas horas de la noche? ¿Quién controla estas actividades?

R. —El Ayuntamiento y sus ordenanzas y la Policía municipal.

P. —Estamos viendo muchos comercios, por ejemplo asiáticos, que no respetan las ordenanzas…

R. —En mi ciudad, la tolerancia con las actividades económicas que no cumplían la normativa era cero. Las normas están para cumplirlas. No tengo nada en contra de un comercio que vende ropa, pero si la norma dice que sólo se puede abrir un número de domingos al año, usted no puede estar abriendo todos los domingos.

P. —¿Tiene que haber más policía en la calle?

R. —Cada alcalde tiene que identificar lo que tiene que hacer. Yo especialicé a la policía y creé una unidad para la convivencia y el civismo. Tenía tres funciones muy claras: tolerancia cero en las actividades económicas que no cumplieran la normativa, disciplina en el espacio público y ayuda a los mediadores en las comunidades de propietarios. El resultado ha sido positivo. También tengo que decir que cerré más de 80 locales.

P. —¿Por no cumplir la normativa?

R. —Limité los locutorios, les prohibí abrir más tarde de las 23.00 horas, no permití que en mi ciudad se abriera un locutorio a menos de 300 metros de otro y no les dejé que desempeñaran actividades que no tenían nada que ver con lo que ponía su licencia. No he perseguido a nadie.

(*El Mundo*, 28 de abril de 2008, adaptado de http://inmigracionlaboral.wordpress.com/ reportajesyentrevistas/entrevistas/entrevistas-al-ministro-de-trabajo-celestino-corbacho/entrevista-al-ministro-de-trabajo-en-el-mundo/) [último acceso 21.4.09]

Las administraciones autonómicas en España

España está organizada territorialmente en diecisiete comunidades autónomas y dos ciudades autónomas (Ceuta y Melilla). Las comunidades autónomas, según la Constitución Española de 1978, tienen autonomía legislativa y competencias ejecutivas, así como la facultad de administrarse mediante sus propios representantes. Cada comunidad autónoma se rige por su propio Estatuto de Autonomía y es responsable de las competencias (Educación,

Sanidad, Transporte, etc.) que este Estatuto establece y que varían de una comunidad a otra.

Con este sistema, totalmente opuesto al centralismo de la dictadura franquista (1939 – 1975), se intentaron resolver los conflictos creados entre las diferentes identidades nacionales que conviven en el territorio español.

(Adaptado de http://es.wikipedia.org) [último acceso 2.4.09]

Las comunidades de propietarios

Los bloques de pisos o apartamentos son las viviendas más comunes en España y Latinoamérica, especialmente en las ciudades. En cada uno hay una "comunidad de propietarios" o "comunidad de vecinos", integrada por un representante de cada vivienda, que toma las decisiones referentes a las áreas comunes como la escalera y los ascensores – de ahí que se hable con frecuencia de "la escalera" para referirse a la comunidad de propietarios.

Todos los vecinos pagan una cantidad anual que cubre los gastos de mantenimiento, limpieza, electricidad, etc. e incluso a veces, en los bloques más grandes o en las zonas más exclusivas, tiene que cubrir el sueldo del celador o portero, que es una persona que trabaja como recepcionista del bloque y se encarga de la limpieza y mantenimiento de las zonas comunes.

Escritorio

En esta sesión vas a conocer la situación general de los trabajadores latinoamericanos en España a la vez que practicas cómo resumir un texto y escribir un informe.

Actividad 12.4 _____

Lee el siguiente texto sobre el fenómeno de la emigración de los trabajadores latinoamericanos hacia España. Haz un breve resumen siguiendo las instrucciones de la información del recuadro y centrándote en las ideas principales.

Cómo resumir un texto

- Identifica las ideas principales de cada párrafo (subrayándolas, por ejemplo).

- Escribe, en tus propias palabras, la idea clave de cada párrafo.

- Al escribir tu resumen, enfatiza la idea general de todo el texto.

- Evita los detalles y repeticiones.

- Procura resumir las ideas en tus propias palabras.

- Adopta un estilo impersonal sin añadir comentarios personales.

Emigraciones Siglo XXI

Entre 1492 y 1824, España y Portugal fueron países de emigración pues mandaron importantes contingentes de población hacia América Latina, fenómeno que continuó y se acentuó en los siglos XIX y XX. Sin embargo, desde hace un cuarto de siglo y, sobre todo, desde mediados de los años 90, esta situación se ha invertido.

El fenómeno empezó a cambiar en los años setenta y ochenta, cuando se inició la emigración de latinoamericanos hacia España, sobre todo debido a los problemas políticos existentes en sus respectivos países. Ese exilio político se ha visto sustituido por una emigración económica en los años 90. Las crisis socioeconómicas y políticas que han vivido los diferentes países de la región han conducido al actual proceso de llegada de inmigrantes latinoamericanos a España.

Primero fueron los inmigrantes ecuatorianos, debido a la inestabilidad que arrastraba el país desde 1997. A continuación, fueron los argentinos cuyo país entró en una fuerte recesión entre 1998 y 2001. Luego el contingente que más ha aumentado ha sido el de bolivianos por los sucesos que ha vivido el país desde 2002. A estos colectivos cabe añadir el de colombianos, país envuelto en un largo conflicto interno; peruanos, país que atravesó serios problemas tras la caída del régimen de Alberto Fujimori en 2001; y dominicanos, cuya nación ha sufrido un estancamiento económico desde el año 2000.

Así, los inmigrantes latinoamericanos en España han pasado de representar el 17,9 por ciento de los inmigrantes en 1991 al 38,2 por ciento en 2001, según datos extraídos del Instituto Nacional de estadística, INE. Las cifras oficiales señalan que ya en ese año había medio millón de inmigrantes en España de origen latinoamericano.

Los inmigrantes latinoamericanos en España se han transformado en un elemento de riqueza para el país receptor: en Madrid, por ejemplo, ya hay 1.440 negocios de latinoamericanos cuya procedencia mayoritaria es de Ecuador, Colombia, Perú y República Dominicana. También han empezado a aparecer publicaciones periódicas sobre los emigrantes en España, se ha desarrollado una importante industria gastronómica e incluso programas de televisión dedicados a determinadas colectividades.

La presencia de lo latinoamericano en el cine, el teatro, la empresa, el periodismo, la educación etc. señala que una parte importante de los inmigrantes latinoamericanos también son una elite intelectual con una gran capacidad de iniciativa. Y para sus propios países los inmigrantes en España se han convertido en una fuente de riqueza. Aunque sus ingresos en muchas ocasiones son bajos, los inmigrantes latinoamericanos destinan una parte de esta renta a sus familiares.

El envío de dinero a los países de origen se ha transformado en una inyección de divisas muy importante que llega a superar, en ocasiones, la ayuda externa recibida. De acuerdo con los datos proporcionados por el Banco Interamericano de Desarrollo, para el año 2003 se estimó que las remesas (provenientes no sólo de residentes en España) alcanzaron más de 1.600 millones de dólares, es decir, aproximadamente el 5,6 por ciento de su Producto Interior Bruto.

En conclusión, la aportación de los trabajadores latinoamericanos se ha convertido en un elemento fundamental en la economía española. Hay que tener confianza además en que el enriquecimiento cultural mutuo se fortalecerá en los próximos años, normalizándose definitivamente la situación actual y contribuyendo al desarrollo general.

(Resumido y adaptado de www.ciberamerica. org/Ciberamerica/Castellano/Areas/ Identidadydiversidad) [último acceso 15.3.08]

Vocabulario

acentuarse   *to intensify, to become more prominent*

el vínculo   *bond between people or countries*

dedicado a   *devoted to*

las divisas   *foreign currency*

la remesa   *remittance, consignment*

Actividad 12.5 _____

Ahora vas a leer otros dos textos relacionados con la situación de los trabajadores latinoamericanos en España. El primero trata de los locutorios telefónicos, un tipo de negocio en el que trabajan muchos inmigrantes latinoamericanos en España. El segundo se centra en la situación de la mujer trabajadora latinoamericana. Después vas a escribir un informe con el título "Trabajadores latinoamericanos en España".

A

Lee primero el texto "El locutorio como negocio" y haz una lista de las ideas principales, expresadas a ser posible en tus propias palabras.

Puedes empezar así:

> La inversión inicial para montar un locutorio no es muy grande.

> El horario de apertura es crucial para que el negocio tenga éxito.

"El Locutorio como negocio"

El equipamiento de un locutorio, al margen de los gastos de alquiler y de personal, oscila entre los 6.000 y los 9.000 euros para un establecimiento con cinco cabinas telefónicas. Teniendo esto en cuenta, para que sea rentable lo importante es el horario. Un locutorio debe permanecer abierto una media de 14 horas al día, ya que, por los horarios de los países a los que se llama, cada inmigrante elegirá un tramo del día. Por la mañana acuden personas procedentes de países cuya franja horaria es similar a la española. Así, es habitual ver a magrebíes, nigerianos, argelinos, etc. Sin embargo, por la tarde es más habitual encontrar en un locutorio a los llegados de América Latina: ecuatorianos, colombianos, peruanos, etc. Para poder dar este servicio los locutorios telefónicos también se han convertido en generadores de empleo entre la población inmigrante. Aunque el dueño sea un español, según los propietarios consultados "es aconsejable que quien atienda al público conozca sus necesidades, así es lógico que se contrate a personas de procedencia africana o latinoamericana". Carlos Palacios confirma que en su locutorio de Valencia ha contratado a dos mujeres "con papeles". "Por la mañana hay una mujer marroquí que habla árabe y que resulta de gran ayuda para quienes vienen de África. Por la tarde, sin embargo hay una chica chilena que ayuda a todos los que vienen de América".

Joaquín Rebollo, por su parte, reconoce que es importante que haya cierta familiaridad entre quien está de cara al público y los clientes, ya que permite fidelizar a la clientela y convertirse en un centro de reunión. Rebollo también nos ha explicado que la rentabilidad de un locutorio no se consigue incrementando mucho el porcentaje de beneficio sobre el precio de los minutos, ya que "un inmigrante es capaz de recorrer largas distancias en la búsqueda de un locutorio con mejores precios para llamar a su país". Así pues, no se trata de un negocio "para hacerse rico, pero sí para vivir". En este sentido, Rebollo reconoce que montar un negocio de estas características se ha convertido "en una forma de autoempleo para los inmigrantes, ya que muchos de ellos optan por establecerse por su cuenta".

(Adaptado de Latinos en España, 2 de marzo de 2007 www.latinosenespana.wordpress.com/ category/experiencias) [último acceso 3.4.09]

Vocabulario

al margen de   *(here:) apart from*

montar un negocio   *to start a business*

rentable   *profitable*

atender al público   *to serve the public*

fidelizar   *to cultivate the loyalty of*

B

Ahora lee este otro texto y escribe en las burbujas las características principales de las trabajadoras latinoamericanas en Barcelona, como en el ejemplo.

"Perfil de la trabajadora latinoamericana en Barcelona"

La sección Comarcal del Sindicato CC.OO. (Comisiones Obreras) ha presentado bajo el título de "Una aproximación a la realidad social de la inmigración femenina latinoamericana en el Baix Llobregat", un estudio de los motivos que han tenido las mujeres inmigrantes latinoamericanas para dejar su país e instalarse en el Baix Llobregat. Este estudio está basado en 50 entrevistas y los datos que se pudieron obtener son:

- la gran mayoría de mujeres latinoamericanas no han venido a España a reagruparse con sus parejas, sino al contrario: ellas han sido las que han llegado primero a trabajar para posteriormente intentar traer al resto de sus familias, como marido e hijos.

- la mayoría de las mujeres latinoamericanas tiene un nivel académico alto, y aún así han recalado en el servicio doméstico con algunas pequeñas excepciones, y esto se debe en parte a la desconfianza por desconocimiento que tienen los españoles del nivel de preparación de estas mujeres.

- anímicamente se ven afectadas porque, además de tareas habituales del hogar, como limpieza o cocina, a muchas se les encarga el cuidado de niños y ancianos enfermos, tareas de mucha responsabilidad para las que algunas mujeres no están cualificadas.

- el cambio drástico que sufren las vidas de estas mujeres latinoamericanas en algunos casos es impresionante, pero de alguna manera se ve mitigado por la práctica de la religión y lengua comunes.

- por último el aspecto de la integración es clave en este informe. Muchas mujeres no encuentran la oportunidad para incorporarse a la comunidad española, o encuentran dificultades o trabas para hacerlo, pese a presentar voluntad.

La verdadera integración de los inmigrantes no solo depende de ellos, sino también del grado de aceptación y reconocimiento del país de acogida y mientras se piense en la inmigración como mano de obra barata y no como otro ciudadano más con derechos y deberes, no se podrá contar con un país compacto, justo y cohesionado.

(Adaptado de http://sarhuino.blogspot.com/2006/12/perfil-de-la-trabajadora.html) [último acceso 3.4.09]

Vocabulario

el sindicato   *(trade) union*

recalar   *to end up*

la desconfianza   *mistrust*

encargarle algo a alguien   *to put somebody in charge of something*

anímicamente   *emotionally*

verse mitigado   *to be relieved/mitigated by*

la traba   *obstacle, hurdle*

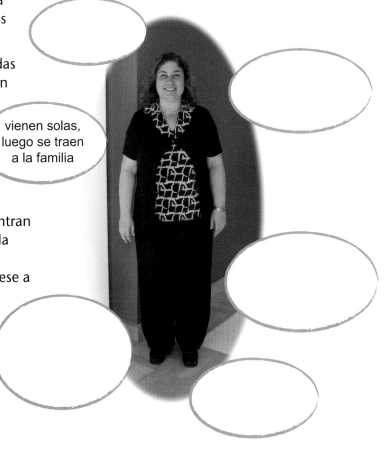

vienen solas, luego se traen a la familia

C

Ahora, con la información que has obtenido al leer los textos anteriores vas a escribir un informe titulado "Trabajadores latinoamericanos en España". Organiza tus ideas sin olvidar una introducción y una conclusión y escribe tu informe, de unas 350–400 palabras, siguiendo los consejos del recuadro a continuación. Después revisa tu informe con la ayuda de la sección "Autoevaluación".

Cómo escribir un informe general

- Buscar un título que deje claro el tema.

- Escribir una breve introducción que presente la idea principal.

- Estructurar la información en párrafos y desarrollar una idea en cada párrafo. Evitar párrafos de una sola frase o frases demasiado largas.

- Ordenar las ideas y enlazarlas de manera lógica y coherente usando conectores apropiados: "pero", "sin embargo", "en tanto que", "mientras que", etc.

- Incluir datos y estadísticas en forma de cifras, fechas o porcentajes usando, cuando sean necesarios, conectores para indicar las fuentes: "según", "de acuerdo con".

- Recoger las ideas fundamentales en la conclusión. Añadir una opinión personal si es pertinente.

- Volver a leer el informe y comprobar que la información es clara y coherente (incluso sin haber leído los textos originales), y que la presentación es correcta (ortografía, gramática y expresión).

Autoevaluación

Repasa tu texto y comprueba los puntos siguientes:

- ¿Has incluido una introducción y una conclusión?

- ¿Has incluido las ideas de cada texto que eran más relevantes al tema del informe ordenadas de manera lógica y coherente?

- ¿Has utilizado conectores para explicitar comparaciones y contrastes y para expresar la procedencia de datos, información general y opiniones?

- ¿Has escrito correctamente las fechas, cifras y porcentajes?

≋ Sillón de lectura

Actividad 12.6 _____

Lee el texto y reflexiona sobre los puntos que para ti son más significativos o interesantes.

Curiosidades: ¿Sabías que...?

- Entre los años 1500 y 1560 llegaron a América (en galeones y carabelas) casi medio millón de españoles en un promedio de tres mil viajes ultramarinos.

- De los casi 60 millones de europeos que salieron con destinos ultramarinos entre 1824 y 1924, más del 70% se fueron a América del Norte, mientras el 21% optaron por América Latina.

- El 2% de la población mundial —casi 120 millones de personas— vivía fuera de su país de nacimiento en la década 1990–2000.

- En el año 2000 casi 20 millones de latinoamericanos y caribeños vivían fuera de su país y siete de cada diez vivían en los Estados Unidos, muchos de ellos indocumentados.

- Para muchos países sudamericanos, Europa está desplazando a los Estados Unidos como la región más atractiva, en parte por razones culturales y de idioma, pero también por el notable crecimiento económico de España e Italia en las últimas dos décadas. Otros destinos importantes son Canadá (con medio millón de emigrantes latinos), Países Bajos, Reino Unido, Australia y Japón.

- La ONU ha calculado que antes del 2050, Europa necesitará "importar" 44 millones de personas si quiere mantener su crecimiento económico y asegurar su sistema de pensiones.

- 18 millones de extranjeros viven de forma legal en la UE, región que alcanza los 378 millones de habitantes, mientras que el número de ilegales supera los tres millones y se incrementa cada año en quinientas mil personas.

- Uno de cada dos europeos cree que los inmigrantes aumentan la inseguridad en sus ciudades, según la oficina de estadísticas de la UE.

- La población en Alemania, Suecia, España e Italia se iría reduciendo de no ser por la recepción de inmigrantes.

- El lenguaje oficial europeo está sufriendo algunos ajustes con respecto al tema de la migración. La Comisión de la Unión Europea ha encontrado en la expresión "naturales de terceros países" una manera adecuada de referirse a los inmigrantes. De hecho, el propio término "inmigrante" ha sido objetado por juristas que consideran que se ha hecho de él un uso abusivo y poco claro. La palabra "extranjeros" es inapropiada porque englobaría también a los ciudadanos de la Unión Europea que no sean nativos del país al cual se hace referencia. Otros calificativos como "clandestinos" o "ilegales" son considerados como políticamente incorrectos, y el término "indocumentado" se considera inexacto si la persona tiene papeles de identidad de su propio país de origen. Las expresiones que definitivamente están claramente tipificadas son "refugiado" y "reagrupante", referida ésta última a la persona que se instala en algún país de la UE por motivos de reagrupación familiar.

- La Oficina Federal de Censos de Estados Unidos anunció recientemente que la población latina o hispanoparlante establecida en Estados Unidos ha superado en número a la población afroamericana, convirtiéndose así en la primera minoría étnica de ese país. Según las cifras oficiales, se estima que los hispanos en EE.UU son casi 40 millones de personas, sin contar los 4 millones de latinos que no son registrados por las autoridades estadounidenses de inmigración por encontrarse en situación de "ilegalidad".

- La Asamblea General de las Naciones Unidas declaró el 18 de diciembre como el Día Internacional del Migrante, con el espíritu de difundir los derechos humanos y libertades fundamentales de los migrantes y de crear un foro internacional para el intercambio de experiencias y la formulación de medidas para su protección.

   (Adaptado de www.mequieroir.com/migracion/migracion_global12.phtml) [último acceso 3.4.09]

Clave

Unidad 1

Tema 1

Actividad 1.1

A

Para describir una universidad a distancia como la Open University, se podría incluir la siguiente información (estos son algunos ejemplos; quizá tu respuesta incluya otros).

- filosofía y objetivos *IDEAS*
- estructura y organización
- funciones de los diferentes organismos
- metodología
- materiales de estudio
- clases / tutorías
- exámenes *EXAMES*
- apoyo para los estudiantes *SUPPORT*
- asociaciones de estudiantes
- número de alumnos
- perfil de los estudiantes *PROFILE*
- costes* de los cursos
- requisitos de entrada

(* La palabra "coste" se usa en España; en América Latina es más frecuente el uso de "costo".)

B

(a)–(i); (b)–(iii); (c)–(v); (d)–(iv), (e)–(ii)

C

1 La UNED se creó en 1972.

2 El objetivo era fomentar el progreso cultural y el desarrollo social del país.

3 Presenta unos rasgos específicos y propios que la diferencian de otras universidades españolas: su ámbito nacional, su metodología específica, su implantación internacional y su amplia proyección social.

4 Los Centros Asociados se encargan de la orientación tutorial al estudiante.

5 Las funciones del organismo central son la producción del material didáctico, la preparación y desarrollo de los cursos y la dirección general de la institución.

6 El material escrito tiene como objetivos motivar al estudio, actuar como guía de aprendizaje gradual y facilitar la asimilación de los conocimientos.

Actividad 1.2

Aquí tienes una posible descripción de la UNAM.

La Universidad Nacional Autónoma de México (UNAM) tiene sus antecedentes históricos en 1551, cuando se creó la Real y Pontificia Universidad de México, aunque se fundó como Universidad Nacional en 1910.

La UNAM tiene el objetivo de impartir educación superior para formar profesionales, investigadores, profesores universitarios y técnicos útiles a la sociedad. Entre los objetivos de la UNAM también está organizar y realizar investigaciones, principalmente acerca de las condiciones y los problemas nacionales, así como extender con la mayor amplitud posible los beneficios de la cultura.

La UNAM se caracteriza por ser una universidad pública y autónoma, en donde todos los miembros de los sectores que la conforman (académicos, estudiantes, trabajadores y autoridades) participan en los procesos de toma de decisión.

Sus funciones principales son la docencia, la investigación y la difusión de la cultura. Por lo tanto, se organiza en tres subsistemas: el de docencia, que incluye las licenciaturas y los estudios de postgrado; el de investigación, que se centra por un lado en las ciencias y por el otro en las humanidades; y el subsistema de difusión cultural.

Observa que en este texto se han utilizado los siguientes conectores: aunque, así como, en donde, por lo tanto, por un lado, por el otro.

Actividad 1.3

A

Aquí tienes un modelo de las notas para completar la tabla.

	Perfil del estudiante típico de la UOC
Edad (media)	unos 35 años
Sexo	hombres (52%), mujeres (48%)
Situación laboral	trabajo a tiempo completo
Situación personal	posición social estable, responsabilidades familiares
Educación previa	estudios universitarios (incompletos o completos); pequeño porcentaje viene directamente de la enseñanza secundaria
Razones para estudiar	la promoción laboral y el propio desarrollo personal
Tiempo disponible para el estudio	muy poco; tratan de aprovecharlo al máximo
Nivel de dedicación	gran motivación y dedicación al estudio

B

Aquí tienes unas sugerencias.

	Estudiantes de una universidad presencial	Estudiantes de la Open University
Edad típica	18–21 años	32 años
Situación laboral	no trabajan o trabajan a tiempo parcial	trabajan a tiempo completo
Situación personal	generalmente solteros y sin responsabilidades familiares	generalmente con familia
Educación previa	estudios secundarios	variable
Tiempo disponible para el estudio	bastante; normalmente estudian a tiempo completo	poco; estudian a tiempo parcial
Razones para estudiar	conseguir una primera licenciatura	promoción laboral; desarrollo personal; segunda titulación
Nivel de dedicación	variable	alto, gran motivación

Aquí tienes algunos ejemplos de frases.

Los estudiantes de la Open University tienen una edad media de 32 años y generalmente tienen responsabilidades familiares.

Normalmente los estudiantes de la universidad presencial son solteros y entran en la universidad después de haber terminado la enseñanza secundaria.

La mayoría de los estudiantes de la Open University trabajan a tiempo completo y disponen de poco tiempo para sus estudios.

Muchos de los estudiantes de la universidad presencial se dedican a sus estudios a tiempo completo aunque algunos de ellos también tienen un trabajo, a menudo temporal o a tiempo parcial.

Actividad 1.4

A

1   Se encuentra justo al lado de la palabra, en la abreviatura "s." que significa "sustantivo". Observa que en el caso de los sustantivos, también indica el género con la abreviatura "f." para "femenino".

2   Los números indican las cinco acepciones o significados diferentes de esta palabra según los contextos en los que aparece.

3   Sí, al final de la definición 2 se incluyen expresiones comunes en las que aparece esta palabra, junto con su significado concreto, como por ejemplo "enseñanza superior". Por lo tanto, el símbolo ~ sustituye a la palabra que se está definiendo, en este caso, "enseñanza".

4   Significa "plural". Se trata del sentido particular que tiene esta palabra cuando se utiliza en plural.

Observa que aunque tengas otro diccionario que el utilizado en esta actividad, las abreviaturas y convenciones serán similares. Es importante que te familiarices con el diccionario que tienes para manejarlo con eficacia y aprovechar toda la información que ofrece.

B

Los verbos que tienen un significado parecido a "enseñar" son:

educar, formar, instruir, capacitar, preparar, escolarizar.

C

1   enseñó

2   escolarizar

3   educar

4   los capacita

5   preparar

D

-anza	-ción	-encia	-miento
confianza	educación	asistencia	aburrimiento
enseñanza	capacitación	creencia	sentimiento
esperanza	explicación		
	formación		
	preparación		

Escritorio

Actividad 1.5

Aquí tienes algunos ejemplos de con qué objetivo se leerían los textos, aunque tus respuestas pueden ser muy diferentes dependiendo de tus gustos o hábitos. También te ofrecemos las características principales de cada texto.

Texto A

(Sugerencia:) Lo leería para relajarme.

Se trata de un fragmento de una novela (*La lengua de las mariposas*, del escritor gallego Manuel Rivas). Es una narración con frases largas y un vocabulario rico y variado, de estilo literario.

Texto B

Para enterarme de las noticias deportivas.

Se trata de un artículo de un periódico deportivo (*Olé*, de Argentina). Tiene frases cortas, con un vocabulario específico en el ámbito deportivo, utilizando términos relacionados con el fútbol y un estilo periodístico.

Texto C

Para ver si tengo mensajes.

Se trata de un mensaje de texto, con frases muy cortas, abreviaturas y que elimina algunas palabras, usando un lenguaje coloquial e informal.

Texto D

Cuando pago por un servicio, para comprobar el recibo.

Se trata de una factura, con números e información factual.

Texto E

Para buscar información sobre un concierto o espectáculo.

Se trata de un folleto informativo sobre un festival de música. Contiene frases muy cortas con información factual y un vocabulario específico a actos culturales.

Actividad 1.6

A

Escriben sus mensajes porque buscan personas hablantes de otras lenguas para intercambiar conversación.

B

Respuesta libre. Aquí tienes un posible modelo de mensaje para que compruebes las estructuras y el vocabulario.

> Hola, me llamo Michael Hunt y busco un hablante nativo de español para intercambiar conversación español-inglés.
>
> Soy de Coventry y mi lengua materna es el inglés. Quiero practicar español, sobre todo hablado. Tengo un nivel intermedio-alto de español (escribo bien pero no hablo muy bien…). Prefiero utilizar audio o videoconferencia por internet y quedar por la noche, una o dos veces por semana.
>
> Tengo 42 años y soy trabajador social. Me gustan los deportes, el senderismo y bailar salsa.
>
> Muchas gracias,
>
> Michael

B

Aquí tienes el texto con los signos de puntuación incluidos.

> Primero, manda un mensaje corto por correo electrónico a tu compañero/a para establecer contacto. Después, escríbele uno más largo. Cuenta algo sobre ti: lo que haces, dónde vives, etc. Si queréis trabajar juntos por teléfono u otros medios, dile a tu compañero/a cuándo vas a estar localizable.
>
> Escribe como mínimo la mitad de cada mensaje en tu lengua materna. De esta forma, el intercambio os resultará más interesante*; en la lengua materna ambos vais a ser capaces de expresaros de forma diferenciada y así vais a poder decir mucho más sobre un tema determinado. Como consecuencia, el nivel del intercambio será más elevado.
>
> * También se puede usar un punto y seguido aquí después de "interesante".

▬▬ Sillón de lectura

Actividad 1.8 _____

1   Aquí tienes el poema con las rimas en negrilla.

> Una tarde parda y fr**ía**
> de invierno. Los colegi**ales**
> estudian. Monoton**ía**
> de lluvia tras los crist**ales**.
>
> Es la clase. En un cart**el**
> se representa a Ca**ín**
> fugitivo, y muerto Ab**el**,
> junto a una mancha carm**ín**.

Con timbre sonoro y hu**eco**
truena el maestro, un anci**ano**
mal vestido, enjuto y s**eco**,
que lleva un libro en la m**ano**.

Y todo un coro infant**il**
va cantando la lecci**ón**:
'mil veces ciento, cien m**il**;
mil veces mil, un mill**ón**'.

Una tarde parda y fr**ía**
de invierno. Los colegi**ales**
estudian. Monoton**ía**
de lluvia tras los crist**ales**.

2   El autor parece recordar sus días escolares con cierta tristeza, porque el poema evoca un ambiente frío y lluvioso, con un maestro estricto y una clase de matemáticas repetitiva y monótona.

3   La repetición de palabras, estructuras o versos es un recurso común en poesía para contribuir al ritmo y musicalidad del poema. En este caso, la repetición de la última estrofa refleja también la temática del poema: de igual forma que la clase es monótona y repetitiva, el principio del poema se repite al final.

Actividad 1.9 _____

1   En la descripción del primer sistema, se utiliza el imperativo en forma negativa en una serie de prohibiciones, mientras que todas las frases del segundo sistema son afirmativas.

2   La respuesta a la primera pregunta dependerá de tu entorno cultural específico y tu propia experiencia. En cuanto a la segunda pregunta, el entorno descrito en el poema de Machado parece corresponder al primer sistema, donde se impone a los estudiantes una rígida educación donde no se valora al individuo.

Tema 2

Actividad 2.1

A

Aquí tienes algunas palabras derivadas de "alfabeto".

B

Analfabetismo es no saber **leer** ni **escribir**.

En el *Diccionario Salamanca de la lengua española*, la segunda definición corresponde al uso de "analfabetismo" en la tira de Mafalda:

> **analfabetismo** s.m. **1** (no contable) Existencia de personas analfabetas en un país o una región: *En los últimos años ha descendido el analfabetismo en España*. **2** (no contable) Falta del dominio de la lectura y la escritura: *A pesar de su analfabetismo, es una persona espabilada*.

C

A continuación tienes las definiciones que aparecen en el *Diccionario Salamanca de la lengua española*. Variarán ligeramente si estás usando otro diccionario.

1 "echar": arrojar.

2 "borda": borde superior del costado de una embarcación.

3 No, porque la expresión "echar por la borda" es una expresión idiomática.

4 La segunda definición (= echar a perder una cosa).

"arrojar / echar / tirar por la borda":

(a) tirar < una persona > a una persona o cosa al agua desde una embarcación: *El cocinero arroja por la borda los desperdicios todas las noches.*

(b) echar a perder una cosa: *Maribel echó por la borda los mejores años de su vida. Luis ha tirado por la borda todo el trabajo de estos años dejando los estudios.*

5 Aparece en la entrada para "borda". *To waste.*

Actividad 2.2

A

1 Según Lino, los aspectos más duros de la campaña fueron:

- la separación de sus padres;

- el adaptarse a la vida del campesino;

- el ganarse el respeto de los adultos como maestro.

2 Una gran satisfacción fue:

- empezar a ver los frutos de su trabajo.

3 Ejemplos de sus logros:

- En cuatro meses, la hija de una familia era capaz de escribir la lista de la compra.

- En ocho meses, los siete campesinos que atendía eran capaces de leer, escribir y hacer cuentas.

- Al final de la campaña, todos sus alumnos eran capaces de escribirle una carta a Fidel Castro diciendo que sabían leer y escribir.

B

1 El texto presenta un lenguaje formal y un estilo objetivo, característicos de un informe o documento oficial. La información se presenta de manera ordenada, utilizando cifras y datos para apoyar las afirmaciones. El vocabulario es rico y apropiado al tema.

2 Se diferencia del texto de Lino del paso A en el tipo de lenguaje, registro y estilo. El texto de Lino proviene de un testimonio oral: utiliza un lenguaje más informal, con repeticiones, preguntas retóricas como "¿no?" para comprobar que el oyente sigue la historia y numerosas opiniones y reacciones personales, que dan un carácter subjetivo a su narración.

Actividad 2.3 _____

A

Promesas	Obligaciones
1, 2, 3, 4, 5, 9, 10	6, 8

B

En el decálogo, las promesas están expresadas en el **tiempo futuro de indicativo**.

Las formas verbales que expresan promesas y que debes haber subrayado son:

honraremos, será, nos integraremos, respetaremos, haremos, cultivaremos, abandonaremos, será, trabajaremos.

Las expresiones de obligación en el texto son: "estamos obligados a" (en puntos 6 y 8).

C

Aquí tienes algunas posibles frases que podrías haber escrito en el decálogo.

Prometo estudiar español todos los días.

Escucharé la radio en español a menudo.

Leeré el periódico en español a diario.

Buscaré compañeros para practicar conversación en español.

Tengo que enviar las tareas a mi tutor puntualmente.

Organizaré mi tiempo para poder estudiar.

Debo practicar mi pronunciación.

Viajaré a un país hispanohablante este verano.

Actividad 2.4

A

Algunos posibles cambios:

- Los medios audiovisuales: la radio, la televisión y el vídeo se pueden utilizar en las campañas de alfabetización.

- La mejora de las infraestructuras: se puede acceder a zonas más remotas para alfabetizar.

- Más instructores/maestros y mejor preparados.

- Más inversión por parte de organismos nacionales e internacionales.

B

1 Leonela Relys Díaz, asesora académica del Instituto Pedagógico Latinoamericano y Caribeño (IPLAC) de Cuba, creó el método "Yo, Sí Puedo".

2 Se trata de un método semipresencial de alfabetización audiovisual que utiliza la televisión y videocasetes. Los participantes trabajan con una cartilla que combina números y letras y con un facilitador. Consiste en 65 clases de 30 minutos cada una, cinco días a la semana, durante tres meses y medio.

3 Tiene varios objetivos: reducir los índices de analfabetismo en jóvenes y adultos; alfabetizar sin exclusiones; lograr que el analfabeto se anime a acercarse a la escuela.

4 Este método se está aplicando en Argentina porque ha tenido resultados muy positivos, sobre todo en Venezuela, donde un millón y medio de analfabetos aprendieron a leer y escribir en 2006.

5 "Yo, Sí Puedo" tiene una gran proyección internacional pues se está aplicando en numerosos países, tanto de habla hispana como de otras hablas.

 Escritorio

Actividad 2.5

A

Aquí tienes un ejemplo de posibles palabras clave para cada párrafo. Se trata de un modelo. Aunque difieran de lo que tú has escrito, te puede servir de guía.

"Las Escuelas Oficiales de Idiomas"

Las Escuelas Oficiales de Idiomas (EEOOII) de España conforman una vasta red de centros oficiales de nivel no universitario dedicados a la enseñanza especializada de idiomas modernos. La mayoría de las capitales de provincia cuentan con una Escuela Oficial de Idiomas.

– qué son y dónde hay

Las Escuelas Oficiales de Idiomas han experimentado un proceso de renovación en los últimos años y se han adaptado al Marco Común Europeo de Referencia para las lenguas, con el fin de facilitar el reconocimiento de las certificaciones en toda Europa. Por ello, la enseñanza se organiza en tres niveles:

– niveles de enseñanza

- Nivel Básico (equivalente al A2 del Marco Común Europeo de Referencia)
- Nivel Intermedio (equivalente al B1 del Marco Común Europeo de Referencia)
- Nivel Avanzado (equivalente al B2 del Marco Común Europeo de Referencia)

Existen dos modalidades de enseñanza: oficial (presencial, los alumnos asisten regularmente a clase y tienen evaluación continua y/o examen final) y libre (los alumnos tienen derecho únicamente a examen). En la modalidad oficial, los cursos suelen tener una duración de nueve meses (de septiembre a mayo) y las clases suelen impartirse en horario de tarde. Los centros organizan también actividades culturales.

– modalidades de enseñanza

Las Escuelas Oficiales de Idiomas fomentan especialmente el estudio de las lenguas oficiales de los Estados miembros de la Unión Europea, de las lenguas cooficiales existentes en España y del español como lengua extranjera. Asímismo, facilitan el estudio de otras lenguas que por razones culturales, sociales o económicas presenten un interés especial.

– idiomas

B

Aquí tienes algunos apuntes sobre las ideas principales de cada párrafo.

- **niveles de enseñanza:**

– Básico, Intermedio, Avanzado. Adaptados al Marco Común Europeo de Referencia; certificaciones válidas en toda Europa.

- **modalidades de enseñanza:**

– Oficial: presencial, evaluación continua y/o examen final, cursos de 9 meses, horario de tarde, actividades culturales.

– Libre: derecho a examen.

- **idiomas:**

– de la Unión Europea, cooficiales en España, español como lengua extranjera, otros de interés especial.

C

2 Aquí tienes unas posibles notas sobre las ideas principales de cada párrafo.

Párrafo 1: Presenta el tema: el intercambio
Introducción de idiomas en el pub O'Neill's de Madrid, un recurso útil, divertido y gratuito.

Párrafo 2: Describe en qué consiste el
Cuerpo intercambio: gente de todo el mundo se reúne los martes para conversar en diferentes idiomas.

Párrafo 3: Da más detalles del intercambio
Cuerpo y lo evalúa: ventajas (numerosas nacionalidades y acentos; otras actividades culturales; solución de problemas prácticos) y desventajas (la cita es sólo los martes; el ruido del bar).

Párrafo 4:
Conclusión
Recoge de nuevo el tema principal y ofrece una evaluación final; el intercambio es un recurso atractivo y recomendable para combinar diversión y aprendizaje de idiomas.

D

Aquí tienes una lista de posibles aspectos para incluir en el artículo.

Aprendizaje de idiomas en España:

- formal y sistematizado: EEOOII

  – **ventajas**: oficial, económico, en la mayoría de las capitales, con niveles según el Marco Común Europeo de Referencia, certificaciones válidas en toda Europa.

  – **desventajas**: horario de clases rígido (de tarde), curso establecido de 9 meses.

- **informal: grupos de conversación**

  – **ventajas**: práctica con hablantes nativos, gratuito, ambiente informal y propicio para la conversación y el ocio.

  – **desventajas**: ruido del bar, horario rígido (sólo martes), los nativos no siempre son profesores, no hay explicaciones gramaticales y la corrección de errores puede no ser adecuada.

- **otros**: clases particulares, academias privadas, universidades, trabajo como au pair.

E

Este esquema es sólo una guía, pues depende de qué información quieres incluir en tu artículo y cómo quieres estructurarlo.

Título: El aprendizaje de idiomas en España

Introducción: Libre y personal

Cuerpo

Tema 1: Lugares para el aprendizaje formal y sistematizado: Escuelas Oficiales de Idiomas.

Subtemas: Breve descripción. Ventajas y desventajas.

Tema 2: Lugares para el aprendizaje informal: grupos de conversación con nativos como los del pub O'Neill's en Madrid.

Subtemas: Breve descripción. Ventajas y desventajas.

Tema 3: Libre y personal. Otros lugares y modos de aprender y practicar idiomas en España.

Subtemas: ... ...

Conclusión: Libre y personal.

A continuación tienes un modelo de texto:

El aprendizaje de idiomas en España

¿Quieres vivir en España o estudiar allí algunos meses? ¿Te gustaría saber cómo seguir aprendiendo español allí? A continuación se presentan diferentes lugares para aprender idiomas en España: desde las tradicionales "Escuelas Oficiales de Idiomas" a los grupos de conversación que se reúnen en los bares.

En primer lugar, contamos con las "Escuelas Oficiales de Idiomas", una red de centros oficiales de nivel no universitario donde se puede estudiar una gran variedad de idiomas modernos, entre ellos, el español para extranjeros. Estos centros son económicos y accesibles, ya que normalmente hay uno en cada capital de provincia. Otra ventaja es que la enseñanza de cada lengua se organiza en los niveles del Marco Común Europeo de Referencia y las certificaciones son válidas en toda Europa. Sin embargo, las Escuelas de Idiomas pueden presentar desventajas para el estudiante británico que necesita viajar a menudo: el horario de clases es rígido y los cursos son largos.

Por otro lado, existe una manera más informal de practicar idiomas en España. Se trata de los grupos de conversación con nativos en bares como el pub O'Neill's de Madrid. Cada martes un grupo de personas se reúne para charlar en diferentes idiomas. Los españoles acuden para practicar inglés, francés o alemán, por ejemplo, así que los británicos tendríamos muchas posibilidades de encontrar personas interesadas en intercambiar conversación con nosotros. La idea tiene muchas ventajas. Se puede practicar la lengua con hablantes nativos de forma gratuita y participar en la vida cultural del país. No obstante, un serio inconveniente es el ruido del bar. Además, en estos grupos no se cuenta con el apoyo de un profesor para corregir errores o explicar gramática.

Hay otras maneras de estudiar idiomas en España, como las academias privadas, los profesores particulares o los cursos de las universidades. O incluso te puedes animar a trabajar como *au pair* cuidando niños en una casa.

En conclusión, lo más importante es aprovechar todos los recursos disponibles y quizá combinarlos: unas clases, alguna tarde en un pub como el O'Neill's, unos ratos de estudio en casa y, sobre todo, hablar español a todas horas.

Sillón de lectura

Actividad 2.6

El poema está dirigido a una audiencia infantil: el libro aparece personificado para atraer la atención de los niños; el vocabulario es sencillo y contiene diminutivos ("sentadito") y palabras coloquiales ("un tío sabio") que los niños comprenderán.

Actividad 2.7

1   El poema tiene un tono alegre pues el poeta se expresa con mucho entusiasmo. Contiene muchas exclamaciones y muchas imágenes positivas.

2   Respuesta libre.

Tema 3

Actividad 3.1

A

Aquí tienes un modelo de las notas para completar la ficha.

Características transgresoras	Vanguardista. Experiencia colectiva. No hay texto. No hay director. Teatro interdisciplinario al estilo de los viejos comediantes.
Tipo de espectáculos	Rituales, ceremonias paganas, populares, religiosas o iniciáticas.
Lugares de representación	Cualquier sitio: calles, plazas, barrios, ríos, prados, monumentos, estadios, estaciones de metro, lagos.
Lenguajes teatrales	Mimo, clown, *comedia dell'arte*, títeres.
Objetivos de la compañía	Teatro de los sentidos. Teatro de provocación.

B

Aquí tienes un modelo para las respuestas a las preguntas.

1   El narrador parece pertenecer a una clase social trabajadora (está cortando leña).

2   Desconfía de ellos y le parecen gente extraña.

3   Tiene que hacer de / Le ofrecen el papel del demonio, con una capa negra y unos cuernos rojos, y no necesita aprenderse un texto, solo dar gritos y perseguir a una muchacha con un hacha.

4   No, porque quieren provocar miedo pero sin embargo provocan risa.

5   Sí, la representación tiene éxito, aunque no el esperado por los actores. El público les da bastante dinero porque lo han pasado bien.

C

Aquí tienes una posible descripción de un espectáculo como modelo.

Este verano y, como parte de la programación de "Los veranos de la villa" en Madrid, he visto un espectáculo teatral diferente, optimista y mágico que me ha encantado. Se trata de la producción de *Las mil y una noches* de la compañía Els Comediants y la han representando junto a la muralla árabe de Madrid. Este montaje evoca el incendio de la Biblioteca Nacional de Bagdad y, entre ruidos de batalla, un grupo de personas de distintas nacionalidades están intentado salvar los libros y, para pasar el rato, empiezan a relatar los cuentos de *Las mil y una noches*. La representación tiene lugar por la noche, al aire libre, y el decorado es precioso aunque sencillo y poco usual. Hay unos andamios con escaleras y varios pisos en los que se van poniendo distintas telas de colores y luces para recrear el ambiente de cada cuento. Elementos muy sencillos pero que resultan muy bellos. Los andamios están llenos de libros, como si fuera una biblioteca, y los actores se van alternando para recrear a los personajes de cada cuento. Mientras los actores se cambian para las escenas hay varias personas en el escenario tocando instrumentos y cantando y esto es lo que más me ha gustado. He visto espectáculos de teatro contemporáneo parecidos y todos ellos intentan sorprendernos con una forma original de contar historias y de estimular nuestros sentidos, y éste lo consigue. En cuanto al público, había un poco de todo pero abundaba la gente joven. ¡Lo que menos me ha gustado es lo incómodas que eran las sillas!

Actividad 3.2

A

1 Verdadero.

2 Falso. Pretende acercar las expresiones más novedosas del arte contemporáneo a los ciudadanos.

3 Verdadero.

4 Falso. En la primera edición participaron casi un millón de personas y más de doscientas instituciones.

5 Falso. También abarca *performance*, literatura, cine, arquitectura y diseño.

6 Verdadero.

7 Falso. El objetivo es que el ciudadano deje de ser espectador y que participe activamente.

B

Aquí tienes un modelo para el mensaje electrónico.

Hola Javier,

¿Has visto la programación de "La noche en blanco" para septiembre? La verdad es que hay mucho donde elegir y es difícil decidirse. A mí me apetece mucho hacer los "Circuitos en la noche" porque son recorridos por la ciudad muy diferentes y divertidos. Por ejemplo, el de "Jardines sonoros" convierte jardines privados y desconocidos en esculturas sonoras, ¿te imaginas? o el de los "Pasos de Zebra", en el

Paseo de Recoletos, que se convierte en un escenario gigante con distintas representaciones…¡qué increíble!

Venga, ¿por qué no te animas y vienes conmigo a alguna de estas cosas? Mírate la programación y llámame para ver cómo quedamos, ¿vale?

Aquí te pongo el enlace: www.esmadrid. com/lanocheenblanco

Hasta pronto,

Roberto

Actividad 3.3

A

1–(b); 2–(e); 3–(d); 4–(a); 5–(c)

B

1 1910

2 la máscara

3 la televisión y el cine

4 El Santo y Blue Demon

5 la demanda era enorme

6 durante cinco años

7 falsos

C

"ring" y "rentaron" vienen directamente del inglés.

La palabra "icono" se usa en el texto con el significado inglés de "*star*" y la palabra "atmósfera" tiene el significado en el texto de lo que en español entendemos como "ambiente".

Escritorio

Actividad 3.4

Situación	Gunton Arts Centre, escenarios del DC y Maryland
Fecha de inauguración	verano de 1991
Misión	promocionar la cultura hispana y el entendimiento entre las comunidades de habla hispana y anglosajona a través del teatro en castellano y actividades bilingües
Visión	afianzar un teatro con actores asalariados; entrenar a técnicos y actores hispanos y no hispanos; proveer talleres actorales; teatro de niños y jóvenes; introducir nuevas formas de teatro hispano
Programación	producciones de obras, teatro leído y entrenamiento actoral y técnico; Festival Internacional de Teatro Hispano; experiencia teatral (en escuelas, parroquias y centros comunitarios); maratones de poesía

Actividad 3.5

B

1, 4, 7

Actividad 3.6

1   El texto A utiliza el tratamiento "vosotros" y el texto B el tratamiento "ustedes".

2   El texto A está dirigido a las personas que componen el Teatro de la Luna y el texto B a cualquier persona interesada en ellos.

3   No, predomina en el texto B porque se trata de un texto informativo sobre actividades educativo-culturales.

4   En el texto aparecen infinitivos y abunda la estructura de la pasiva con "se" en vez de verbos en forma personal. Esto transmite un estilo impersonal y distancia al lector.

Actividad 3.7

Aquí tienes una posible carta como modelo.

Estimado Teatro de la Luna:

Os estoy muy agradecida por la información que me enviasteis y que me ha causado muy buena impresión. Después de haber leído todo con detalle y haber consultado con mis superiores, os escribo para confirmaros que mi escuela desea colaborar con el Teatro de la Luna y estamos seguros de que será una experiencia muy positiva para estudiantes y profesores.

Estamos pensando en ofrecer el taller de teatro dentro de dos meses aproximadamente y os escribo para hacer la reserva y pediros que nos sugiráis algunas fechas posibles. He mirado el programa y nos gustaría ofrecer a los niños la obra 'La caja de sorpresas'.

Además, necesitaremos recibir las guías de estudio correspondientes con antelación para que los profesores que van a participar puedan preparar sus clases antes de la representación. En total, serán tres clases de primaria con lo cual pensamos que será suficiente hacer solo una representación.

Por último, quisiera pediros más información sobre el programa de experiencia teatral que realizáis fuera de las escuelas ya que pertenezco a un grupo comunitario y me gustaría proponerlo como actividad en el futuro.

Esperamos tener noticias vuestras,

Un saludo

📖 Sillón de lectura

Actividad 3.8

1 Se describe la experiencia de ir al teatro en el siglo XVII, qué tipo de gente iba y cómo era el ambiente.

2 Sí, porque podemos imaginarnos muy bien todo el ambiente gracias a unas descripciones detalladas y visuales.

3 Sí, porque menciona una amplia variedad de tipos de persona desde el rey y la reina, pasando por escritores famosos como Quevedo a gente de todas las clases sociales.

Tema 4

Actividad 4.1

1 Se asocia con las figuras femeninas que interpretaron este tipo de canción.

2 No, la copla es la afirmación de lo popular español.

3 Influye en las costumbres, en las modas y en el lenguaje.

4 Recoge distintas emociones y el sentir del pueblo.

5 Tres tipos: desgarradoras, misteriosas y alegres.

6 Las letras las componen poetas y la música compositores.

Actividad 4.2

A

Aquí tienes unas posibles respuestas. Asegúrate de que el contenido de las tuyas es similar.

Estribillo 1:	El marinero cuenta (en primera persona) a la mujer que acaba de conocer (identificada con la cantante), el motivo de su tristeza.
Estrofa 2:	La narradora/cantante cuenta (en tercera persona) al público cómo el marinero se marchó después de un breve intercambio amoroso y cómo ahora ella busca a su amante perdido en las tabernas donde bebe alcohol para soportar su dolor.
Estribillo 2:	La narradora/cantante habla (en primera persona) con el marinero (en su imaginación) y le comunica su amor.
Estrofa 3:	La narradora/cantante habla (en primera persona) con otro marinero, le describe a su amante y le da un mensaje para él.

B

Aquí tienes un modelo del resumen de las distintas partes:

Tema:	Historia circular de amores imposibles.
Principio:	Encuentro entre un hombre extranjero (probablemente un marinero) y una mujer en un puerto.
Nudo:	El hombre le cuenta a la mujer su historia de amor trágico, surge un breve encuentro amoroso, pero él tiene que marcharse.
Desenlace:	La mujer sufre por el amor perdido y va de taberna en taberna contando su pena a otros marineros, y ahogando sus penas en alcohol.

C

Adjetivo + sustantivo	Comparaciones
blanco faro	rubio como la cerveza
manchado mostrador	más dulce que la miel
vieja historia	

D

"Tatuaje" hace referencia al recuerdo de un amor apasionado.

Actividad 4.3

A

(a)–(iii), (b)–(iv), (c)–(i), (d)–(ii), (e)–(viii), (f)–(vii), (g)–(v), (h)–(vi)

B

Características de personajes	Emociones que provocan
mezquinos	risa
cobardes	curiosidad
dignos	horror
cómicos	indignación

C

Rostro que refleja la realidad mexicana	Rostro que refleja el pensamiento dominante del s. XIX
caótica	ciencia
pasionaria	razón
muerte	progreso
vida	buenas costumbres

 Escritorio

Actividad 4.4

A

1 Género: novela (palabras asociadas: narración, novela, personaje, ficción, capítulos).

2 Género: teatro (palabras asociadas: obra, tragedias, ponen en escena).

3 Género: poesía (palabras asociadas: versos, poesía, rimas y estrofas).

4 Género: cuento (palabras asociadas: cuentos, narra).

5 Género: tebeo (palabras asociadas: colección, viñetas, personajes, tebeos).

B

(a)–(iii), (b)–(i), (c)–(v), (d)–(vi), (e)–(ii), (f)–(iv)

Actividad 4.5

Personas del mundo del cine	Tipo de película	Premios y recaudación económica
los cineastas los actores los directores	ópera prima largometraje película taquillera	premios festivales galardones récords de taquilla recaudar película taquillera

Actividad 4.6

B

Adjetivos y expresiones para describir películas
obra ligera en contenido
profunda en su fondo
entretenida
humorística
incisiva
buena muestra del cine mexicano
de tono travieso pero significado profundo

C

El director Alfonso Cuarón regresa a su país natal, México, para crear una obra ligera en su contenido pero profunda por su fondo, que retrata fielmente la mezcla de apatía y hedonismo que marca a la generación joven. Es además una *road movie* que resulta sumamente entretenida, humorística y hasta incisiva en sus comentarios sobre ideologías contemporáneas.

Introducción con una descripción general y breve de la película.

Tenoch y Julio son dos jóvenes mexicanos, inseparables amigos de diferente clase social pero similar ideología, que en una boda conocen a Luisa, una atractiva mujer española esposa del primo de uno de los muchachos. Por impresionarla la invitan a un imaginario viaje que Tenoch y Julio supuestamente van a emprender. Ella no les hace mucho caso pero por ciertas circunstancias en su vida, Luisa decide posteriormente aceptar la invitación. Los jóvenes, sorprendidos, no tienen más remedio que organizar el viaje a la mítica playa de Boca del Cielo para que Luisa no se dé cuenta de la mentira. En el viaje el trío experimentará un torbellino de emociones que los cambiará profundamente.

Resumen del argumento.

En cuanto a los actores, Diego Luna y Gael García Bernal como Tenoch y Julio, respectivamente, presentan actuaciones poco refinadas y en ocasiones algo exageradas, pero desde luego energéticas. Maribel Verdú interpreta a Luisa con gran lucimiento. Un aspecto interesante del guión es el uso de la jerga juvenil mexicana del momento, y el contraste entre la lengua que hablan los muchachos mexicanos y la mujer española, ya en la treintena.

Comentarios críticos sobre la interpretación de los actores y sobre algunos aspectos lingüísticos del guión.

En resumen, *Y tu mamá también* es una buena muestra del cine mexicano, de tono travieso pero significado profundo, que recomiendo a todas las personas interesadas en películas que se salen de lo común.

Conclusión y recomendación.

Por tanto, la reseña se corresponde con la estructura señalada.

Actividad 4.7

A

Juicios positivos	uno de los aspectos más interesantes es...
	destaca una fantástica...
Juicios negativos	este esquema aparecía **ya** en...
	puede resultarle un poco repetitiva...
	se manifiesta **meramente** correcto
Mezcla de juicios positivos y negativos en la misma frase	**Sin embargo**, esta inteligente idea se traduce en una estructura artificiosa y lenta.
	dan una imagen sobria, **pero** un poco fría...
	Un largometraje reflexivo, **pero** aparatoso,...
	con todo se muestra comprometido con el hombre contemporáneo. ("Con todo" significa "a pesar de todos sus aspectos negativos").

B

Aquí tienes el texto completo con los conectores adecuados en negrita.

> *El crimen del Padre Amaro* es una película profunda, **pero** un tanto siniestra, que mezcla de forma polémica los temas del aborto ilegal y la vivencia que tiene del sexo un sacerdote joven y ambicioso en México.

Uno de los aspectos más interesantes de este largometraje es el tratamiento de un asunto, las relaciones sentimentales entre un cura católico y una muchacha, que remite a grandes obras literarias como *La Regenta* o *Pepita Jiménez*. Este planteamiento se traduce en una película inusual en el cine contemporáneo, que **con todo / sin embargo** a un público mayoritario le puede resultar lejana.

> **Sin embargo / Con todo** *El crimen del Padre Amaro* constituye una de las aportaciones más valiosas del reciente cine mexicano.

Actividad 4.8

Esta es una respuesta libre, pero las reseñas presentadas en esta sección te pueden servir de respuesta modelo.

▬ Sillón de lectura

Actividad 4.9

El texto dice:

> "así se alejaba de los centros políticos de estudiantes de izquierda, porque el muchacho estudiaba en París, filosofías de la política.
>
> —Ciencias políticas."

y más adelante el texto habla de que el padre logró sacarlo del "ambiente de París".

Estas frases parecen hacer referencia a las revueltas de mayo del 68 en París.

Unidad 2
Tema 5

A

(a)–(iii), (b)–(iv), (c)–(i), (d)– (vi), (e)–(ii), (f)–(v)

B

Los periodos históricos que se mencionan en el texto son: la época ibera, la colonización romana, la ocupación árabe y la conquista de América.

C

Los iberos: la producción del vino / la producción del aceite de oliva

Los fenicios: el alfabeto

Los romanos: la lengua / la religión / el Derecho / puentes, acueductos y carreteras

D

(a) hasta

(b) entre

(c) durante

(d) después de

(e) alrededor de

(f) desde... hasta

(g) desde... hasta

(h) en

A

invasión – invadir

derrota – derrotar

organización – organizar

proclamación – proclamar(se)

ampliación – ampliar

rebelión – rebelarse

triunfo – triunfar

asalto – asaltar

comienzo – comenzar

creación – crear

conquista – conquistar

expulsión – expulsar

B

(a) -**(c)ión**: invasión, organización, proclamación, ampliación, rebelión, creación, expulsión.

(b) -**o**: comienzo, triunfo, asalto.

(c) -**a**: derrota, conquista.

A

718 – 722	Cuatro años después / más tarde
722 – 834	un siglo después / más de un siglo más tarde
1031 – 1212	(casi) dos siglos más tarde
1482 – 1485	tres años después
1492 – 1492	ese mismo año / en el mismo año

B

Aquí te ofrecemos un posible modelo de narración. Aunque lo que tú hayas escrito sea diferente puedes comprobar que has usado estructuras y vocabulario parecidos.

En el año 711 los musulmanes invaden el territorio español. Los árabes derrotan al rey visigodo Rodrigo y comienza la ocupación árabe de la Península Ibérica. Muy pronto/siete años después se organiza la resistencia cristiana en Asturias en torno a Pelayo, noble asturiano, que vence a los musulmanes en la pequeña batalla de Covadonga en el año 722, sólo 11 años después de la invasión árabe. En ese momento comienza la Reconquista. Sin embargo, en 756 Abderramán I es proclamado emir en Córdoba y la ciudad se convierte en la capital de la España musulmana, a la que también se conoce con el nombre de Al Ándalus. Casi un siglo más tarde, durante el reinado de Abderramán II se amplía la Mezquita de Córdoba. Los califas siguen reinando hasta 1031, cuando los nobles cordobeses se rebelan y ponen fin al califato de Córdoba. En el año 1212 triunfan los cristianos en la batalla de las Navas de Tolosa y pasan a conquistar la Meseta Sur y Andalucía. Más tarde asaltan además la judería de Sevilla, asesinando en 1391 a más de cuatro mil judíos. En 1482 comienza la guerra de Granada, que ya es el último reino musulmán de la Península, y dos años más tarde se crea la Inquisición en España. Pero el momento clave de la Reconquista es 1492, ya que en ese mismo año los Reyes Católicos conquistan Granada, los judíos son expulsados de todo el territorio español y Cristóbal Colón llega a América.

Actividad 5.4

A

(a) La Mezquita Aljama, la Ajerquía, la ciudad de Medinat al-Zahra, la fachada del Palacio Episcopal, la Torre de la Calahorra, Los Baños de Santa María y de la Pescadería y del Campo de los Mártires, los Molinos de Enmedio y de la Albolafia, la Judería y su Sinagoga.

(b) Cerca de la Aljama.

(c) A la Torre de la Calahorra.

(d) Baños en el Campo de los Mártires, Baños de Santa María, de la Pescadería y los baños en Medinat al-Zahra.

(e) El Puente Romano.

B

fue – ser*; deslumbró – deslumbrar; marcó – marcar; inició – iniciar; conoció – conocer; se instaló – instalarse; se asentaron – asentarse; puso – poner*; supuso – suponer*.

* Observa que: "ser" e "ir" tienen formas irregulares en el pretérito indefinido y "suponer" se conjuga con las mismas irregularidades que "poner".

C

se construyó; decidió; se trasladaron; se transportaron; se volvieron (a montar); sirvió; se convirtió; se trasladó; quedó; entró; quisieron; rescató; dio.

Actividad 5.5

A

nos dedicábamos; salíamos; volvíamos; podíamos; bajábamos; hacíamos; (nos) metíamos; pasábamos; solíamos; nos quedábamos; poníamos; leíamos; comprábamos; me llevaba; invitaba; aprovechábamos; bailábamos.

B

por las tardes; cada vez que; en invierno; en verano; cuando; los días de lluvia; a menudo; siempre que; muchas veces; la Semana Santa; cada año; los fines de semana; en aquella época; en aquellos tiempos.

 ## Escritorio

Actividad 5.6

A

El título (c) es el más apropiado porque es lo primero que se menciona en el texto y el centro de la descripción.

Los demás títulos no son los más apropiados por las siguientes razones:

(a) Todas las descripciones se refieren a ese barrio pero el título no menciona a los judíos.

(b) Aunque el párrafo 5 es una clara alusión a la expulsión de los judíos, no se la menciona de manera explícita en el texto.

(d) Aunque se habla mucho de arquitectura, este título resulta demasiado neutro para el tipo de texto.

B

1 Son casas encaladas excepto en los dinteles de las puertas, que están hechos de piedra arenisca. Tienen ventanas altas y estrechas.

2 Las ventanas altas y estrechas con rejas muy tupidas y los jardines cerrados con tapias y muros.

3 Los nobles que regían la ciudad.

4 Está en un callejón estrecho como encogido en él. Tiene una puerta baja. En el dintel de la puerta hay talladas dos estrellas de David, inscritas en un círculo.

5 Comparándola con la actitud de alguien que para no llamar la atención baja la cabeza y encoge los hombros, y procura caminar cerca de la pared.

Actividad 5.7

A

Aquí tienes algunas respuestas posibles.

(a) Las montañas parecen / son como gigantes enormes.

(b) El cielo parecía / era como fuego.

(c) El mar parecía / era como un espejo.

(d) Las montañas son gigantes enormes.

(e) El cielo era fuego aquella tarde de verano.

(f) El mar era un espejo donde se reflejaba el cielo.

En algunos casos, la metáfora puede aparecer por sí sola, sin ninguna mención del objeto al que se refiere, por ejemplo: "Navegué por aquel espejo inmenso en una tarde llena de paz".

B

Aquí tienes ejemplos de respuestas posibles.

> Las grietas de las casas antiguas resaltan como las arrugas de la vejez.
>
> El camino se retuerce como una serpiente.
>
> Los bancos de la plaza descansan como viejos veteranos de guerra.
>
> Los árboles del paseo se alzan como puntas de lanzas.
>
> Con la lluvia las aceras de las calles relumbran como espejos.

C

Aquí tienes algunas respuestas posibles.

(a) La torre de la iglesia se alzaba como una llama.

(b) La vida pasa como los viejos trenes de vapor.

(c) Mi pueblo renace en verano como las plantas en primavera.

(d) Al anochecer, las bicicletas dormían como niños agotados por el sueño.

D

Aquí tienes un posible modelo para las frases.

> El camino es una serpiente de hierba y polvo.

> La torre de la iglesia es una llama que intenta quemar la niebla de la montaña.

> Mi pueblo es una planta que renace todos los veranos cuando vamos de vacaciones.

> Las casas de mi pueblo, con sus arrugas viejísimas, guardan secretos de otro tiempo.

Actividad 5.8

se encuentra; representa; cuenta con; se extiende en un área de; está compuesta de; goza de; figura como

Actividad 5.9

D

Aquí tienes un posible modelo para la descripción de una ciudad.

> Dicen que todo el que ha pasado unos pocos días en Salamanca conserva durante el resto de su vida el deseo irresistible de volver a visitarla. No es sorprendente, porque en esta ciudad, los siglos de historia se casan con la modernidad y la juventud.

> Su famoso puente romano sobre el río Tormes es testimonio de una larga historia, que se ha ido plasmando en monumentos emblemáticos como la Catedral Vieja, construida entre los siglos XII y XIII, los edificios universitarios del siglo XV, la Catedral Nueva, comenzada en 1513, y su Plaza Mayor barroca del siglo XVIII. Estos monumentos están construidos en piedra de Villamayor, un material que se caracteriza por ser muy blando y fácil de trabajar. También contiene mucho hierro, lo que le da un color rojizo que transforma la caída de la tarde en un momento mágico en que las piedras se llenan de fuego.

> Pero el alma de Salamanca es su universidad. En 1254, Alfonso X el Sabio concedió a Salamanca el título de Universidad, convirtiéndola en la primera universidad europea con ese nombre. A mediados del siglo XVI la Universidad era ya famosa en todo el mundo por la calidad de sus profesores, a los que, según dicen, votaban los propios estudiantes. Allí publicó Nebrija en 1492 la primera gramática de la lengua castellana.

> Uno de los profesores más legendarios de Salamanca fue Fray Luis de León, que fue encarcelado en 1572 por traducir a la lengua vulgar [el castellano] un libro de la Biblia. Cuando lo liberaron tres años más tarde, comenzó su primera clase con la frase "Decíamos ayer...", continuando su argumento donde lo había interrumpido el día en que lo arrestaron.

> Me gusta sentarme al pie de la estatua de Fray Luis de León al atardecer y ver cómo baja el sol sobre la fachada de la universidad. Me gusta contemplar el incendio de las piedras llenas de recuerdos y escuchar las voces imaginadas de ocho siglos de profesores y estudiantes.

Tema 6

Actividad 6.1

B

Aquí tienes un modelo para las respuestas a las preguntas. Asegúrate de que el contenido de las tuyas es similar, aunque estén expresadas de forma distinta.

1 En los siglos XIV y XV.

2 En el centro de México, aunque se extendieron hasta el sur de México.

3   Por el gran imperio que construyeron y la gran ciudad de Tenochtitlán. También son conocidos por los sacrificios humanos.

4   Eran guerreros en origen pero avanzaron mucho en los campos de la ingeniería y la medicina. Además, les gustaban las fiestas ceremoniales, el teatro y la música.

5   Porque creían que, para mantener vivo el sol, tenían que alimentarlo con sangre de seres humanos. Pensaban que la única manera de calmar la furia de los dioses y evitar el fin del mundo era hacer sacrificios humanos.

6   Con la conquista de los españoles.

Actividad 6.2

A

"Habían construido" expresa una acción anterior a "llegaron".

B

habían creado; habían caído; habían alcanzado; habían refinado; habían descubierto; habían escrito; habían construido; habían desarrollado; habían hecho

Actividad 6.3

A

1   (i) Llegan los conquistadores a Perú: "En el año de mil quinientos treinta y uno fue otro gran tirano con sus hombres a los reinos del Perú".

2   (c) Los abusos son tantos que se tardaría una eternidad en contarlos todos: "Causó tan grandes males en aquellas tierras, que nadie podrá terminar de contarlos hasta el día del Juicio Final".

3   (f) Los indígenas reciben a los españoles con los brazos abiertos: "el señor de la isla y su gente los recibieron como a ángeles del cielo".

4   (h) Los indígenas son obligados a entregar la comida que tenían reservada para casos de emergencia: "descubrieron las reservas de trigo que tenían para alimentar a sus mujeres e hijos en los tiempos de sequía. Con muchas lágrimas, las gentes se las ofrecieron para que ellos se las comiesen".

5   (d) Los acusan de rebeldía contra la Corona cuando ellos simplemente huían para salvar la vida: "Como todos huían de sus espantosas y horribles obras, ellos los acusaban de ser rebeldes al rey".

6   (k) Una vez que les han robado todo lo que tenían les prometen no robarles más: "pedía que vinieran todos a darle regalos de oro y plata y luego les decía que trajesen más, hasta que él veía que no tenían más o no traían más. Entonces decía que los recibía como vasallos de los reyes de España y los abrazaba y hacía tocar dos trompetas que tenía, dándoles a entender que ya no les iban a pedir más ni hacerles ningún daño".

7   (l) Viene el jefe indígena a resolver la situación: "Pocos días después, vino el rey universal y emperador de aquellos reinos, que se llamaba Atabaliba".

8   (a) El ejército de los indígenas no tiene experiencia ni está equipado correctamente: "con mucha gente desnuda y con sus armas inútiles, sin saber cómo cortaban las espadas y herían las lanzas y cómo corrían los caballos, o quiénes eran los españoles".

9   (j) Atabaliba desafía a los españoles: "¿Dónde están esos españoles? Salgan acá, que no me moveré de aquí hasta que me rindan cuentas por los vasallos que me han matado, y los pueblos que me han despoblado, y las riquezas que me han robado".

10   (b) El jefe indígena paga un rescate superior al que había prometido: "él prometió dar cuatro millones de castellanos y dio quince".

11 (e) Los españoles nunca cumplen las promesas que hacen a los indígenas: "no cumpliendo su palabra (como nunca lo han hecho los españoles con los indios)".

12 (g) Atabaliba exige hablar con el rey de España, pero no le hacen caso y lo matan: "Pues entonces, envíame a vuestro rey de España", y dijo otras muchas cosas que demostraban la gran injusticia de los españoles, pero ellos al final lo quemaron.

 ## Escritorio

Actividad 6.4

A

1 (b) histórico-cronológico

2 [1]: Un repaso histórico...

[7]: No quiero alargar mucho este repaso

Se puede observar que el autor repite la palabra 'repaso' en la conclusión para indicar que ha cumplido el objetivo presentado en la introducción. Es una manera de dar cohesión a la estructura global del texto.

3 La idea que se repite es que la lectura en las tabaquerías ha servido para promover el desarrollo de la cultura entre los obreros cubanos. Las palabras clave son "lector de tabaquería" y "cultura". También se repiten nociones como "Cuba" / "cubana"; "proletaria" / "clase analfabeta".

B

(a)–(3); (b)–(5); (c)–(2); (d)–(6); (e)–(4)

Actividad 6.5

A

(a) éstos

(b) ya que

(c) Todo empezó con...

(d) quien

B

Marcadores causales: Como...; y por ello; ya que; Si bien no... sí ...

Marcadores temporales: Por aquellos años; pronto; más adelante

Adición de elementos: también; además

Demostrativos: éste; todo esto

Contraste: pero

Relativos: los cuales; (un sistema) en el que, que (figuraban)

Otras expresiones: Es de recalcar que

C

en efecto; tanto...como; que; también; ella; sin embargo; por ese motivo; ya que; a pesar de todo; no sólo...sino que; por todo ello.

Actividad 6.6

A

(a)–(3); (b)–(4); (c)–(6); (d)–(1); (e)–(7); (f)–(2)

B

1 "afectar": definición número 6

2 "ingenio": definición número 1

Sillón de lectura

Actividad 6.7

En el primer extracto el escritor describe el asombro que les causa lo nunca visto, haciendo una comparación con las ensoñaciones descritas en una obra popular de ficción, *El Amadís de Gaula*, bien conocida en la época y con la sensación de estar soñando que describen los soldados. En el segundo extracto hace referencia a la impresión causada en los soldados por ciudades grandiosas del viejo continente como Constantinopla y Roma.

Tema 7

Actividad 7.1

A

Aquí tienes un modelo para las preguntas.

(a) ¿Dónde nació La Malinche?

(b) ¿De quién era hija?

(c) ¿Cuánto tiempo permaneció La Malinche junto a Cortés?

(d) ¿Cómo era Doña Marina?

(e) ¿Cuándo dio a Cortés su primer hijo varón?

(f) ¿Con quién casó Cortés a Doña Marina?

(g) ¿Cuántos años tenía cuando murió? / ¿A qué edad murió?

B

(a) Paynala

(b) un cacique azteca

(c) 1519: 1522

(d) muy inteligente

(e) 1522

(f) Juan Jaramillo

(g) veintitrés

C

A continuación tienes un modelo para el resumen. En negrita se indican algunas expresiones que le dan mayor cohesión al texto. Comprueba que has utilizado algunas de ellas en tu respuesta.

> La Malinche, **también** conocida como Malineli Tenepatl, o Doña Marina, nació en Paynala a principios del siglo XVI. Hija de un cacique azteca, era de clase alta. **Sin embargo**, a la muerte de su padre, **tras** una guerra entre los mayas y los aztecas, fue entregada como esclava. Como era costumbre en aquellos tiempos, Malintzin fue cedida **cuando todavía** era niña como parte de un tributo al ganador. **Por eso**, **además de** su lengua materna, el náhuatl, hablaba **también** la lengua de sus nuevos amos, el maya.
>
> El 15 de marzo de 1519 los caciques de Tabasco se la regalaron a Hernán Cortés como esclava. **Al poco tiempo** Cortés descubrió que Malintzin hablaba náhuatl y empezó a utilizarla como intérprete náhuatl-maya. **Al principio**, Jerónimo de Aguilar, un náufrago español que había sido rescatado por Cortés, se ocupaba de la traducción maya-español, pero **muy pronto** Malintzin aprendió **también** castellano y se convirtió en la única intérprete de Cortés.
>
> Era una mujer inteligente y muy respetada por los indios, y **por ello** fue una pieza clave en la conquista del imperio azteca. **Además de** su servicio como intérprete, Malintzin asesoró a los españoles sobre las costumbres de los nativos, y posiblemente realizó **también** tareas de lo que hoy llamaríamos "inteligencia" y "diplomacia".
>
> En el año 1522 Marina dio a Cortés su primer hijo varón, al que llamó Martín, y **en ese mismo año** se separaron. **Dos años más** tarde Cortés "casó" a Doña Marina con Juan Jaramillo, uno de sus capitanes, con quien tuvo una hija llamada María. La Malinche murió poco después, a los 23 años, en 1529.

Actividad 7.2

B

Aquí tienes un modelo para los resúmenes de los cuatro párrafos. En negrita tienes los distintos verbos que hemos utilizado para referirnos a las palabras de otras personas.

1 Infancia novelesca: Algunos cronistas **mantienen** que La Malinche volvió a su lugar de nacimiento y perdonó a su familia por haberla traicionado. El autor **comenta** que esto no es sorprendente, dada la afición de los conquistadores a las novelas de caballerías.

2   Historia de amor: Muchos **pretenden** que entre Malinche y Cortés existió un gran amor, pero el autor **advierte** que ese tipo de relación era poco probable en la sociedad de la época y **apunta** que Cortés tuvo hijos con otras indígenas.

3   Traición a los suyos: Numerosos mexicanos **afirman** que Malinche traicionó a su patria, sin embargo el autor **explica** que entre los pueblos indígenas no existía unidad.

4   Madre fundadora: Finalmente, otros **aseguran** que Malinche fue la madre fundadora de la nueva patria mexicana y hay quien **añade** que el fantasma de La Llorona es la propia Malinche.

Actividad 7.3

A

(a) araña
(b) colibrí
(c) mono
(d) orca
(e) trapecio

B

Teoría extraterrestre: (a), (d), (e), (g), (h).

Teoría arqueológico–antropológica: (b), (c), (f), (i).

C

Aquí tienes un posible modelo de resumen para que compruebes las estructuras y el vocabulario.

> Para explicar las figuras de Nazca existen dos teorías. Según la teoría extraterrestre, las figuras que hay en territorio nazca eran signos para los extraterrestres. Por un lado, las figuras de animales servían para recibir a los alienígenas, y las figuras geométricas, por otro, señalaban la pista de aterrizaje a las naves espaciales. Los defensores de esta teoría dicen que los restos arqueológicos prueban que los cráneos no tenían forma humana sino que eran de extraterrestres.

Según la otra teoría, la de los arqueólogos y antropólogos, las figuras no estaban hechas para los extraterrestres. Según los expertos, los pueblos de la cultura nazca construyeron figuras artísticas de animales que admiraban. Por otro lado, las figuras geométricas se utilizaban en procesiones rituales para pedir agua a los dioses. Los arqueólogos dicen que los restos encontrados en las tumbas sí son humanos, y su forma alargada se explica por prácticas habituales que se hacían a los niños para cambiarles la forma del cráneo.

Actividad 7.4

A

1–(b); 2–(a); 3–(c); 4–(d)

B

La moraleja de esta fábula es la (b).

Actividad 7.5

A

Los verbos están en pretérito indefinido.

1   El cuervo encontró un pedazo de queso.

2   El cuervo tomó el queso.

3   El cuervo se subió a un árbol.

4   Pasó un zorro.

5   El zorro vio el pedazo de queso.

6   El zorro comenzó a pensar cómo quitárselo.

7   El zorro empezó a hablar.

8   El cuervo escuchó los halagos del zorro.

9   El cuervo abrió el pico.

10 Al cuervo se le cayó el queso.

11 El zorro tomó el queso.

12 El zorro se marchó.

13 El cuervo se quedó sin el queso.

B

Aquí tienes un ejemplo de cómo se podrían insertar las frases en la narración.

> Un cuervo encontró una vez un pedazo de queso. [El pedazo de queso era bastante grande y estaba en el suelo.] Lo tomó y se subió a un árbol para poder comérselo tranquilamente. [El árbol era uno de los más frondosos y verdes de todo el bosque.] Y mientras estaba así, pasó un zorro. [Este zorro era malo y astuto, y tenía mucha hambre.] Cuando éste vio el queso comenzó a pensar de qué manera se lo podría quitar al cuervo. Y empezó a hablarle [...] El zorro lo tomó rápidamente. [El zorro estaba muy contento: por fin tenía algo para comer.] Se marchó, y el cuervo se quedó sin el queso.

C

(a) Los verbos están en imperfecto.

(b) La información que añaden es descriptiva.

 Escritorio

Actividad 7.6 _____

B

Aquí tienes un modelo para las respuestas a las preguntas.

1 Normalmente es la princesa la que espera que llegue su príncipe azul, pero en este caso es el príncipe quien espera a la mujer ideal.

2 Las interpretaciones siempre son subjetivas, pero aquí se podría concluir por ejemplo que no tiene que ser necesariamente la mujer quien espere al hombre ideal: los hombres también saben esperar.

3

	Elementos tradicionales	Elementos modernos
Ropa y aspecto físico	de color azul (*) + toda la ropa del primer párrafo; caballo	gafas de sol
Lugares	bosques de coníferas, a orillas de un río; una roca cubierta de musgo	de taberna en taberna invitarla a su casa (no "su palacio")
Lenguaje	densos; húmedos; brumas; tras horas de galopar, se detiene a orillas de un río; si supieras cómo he esperado	qué innovaciones introducirá; equilibrada; la banalidad y la degradación; en directo; anfibio, milésima de segundo + coloquialismos (pinta muy difícil, hasta las tantas, ese bicho, morro, plaf)
Comportamientos	pasear a caballo por los bosques, meditar; por eso no sale nunca con los demás príncipes	se encuentran para tomar el aperitivo; el príncipe mira el reloj; ¿Debe invitarla enseguida a su casa o se lo tomará a mal?
Trama o historia	sapo con un beso se convierte en la persona amada	el sapo es la princesa Final = anticlimax (Tanto esperar y de repente, plaf, ya está. –Sí, ya está. –Qué bien, ¿no?)

(*) Los dos primeros párrafos presentan de forma deliberadamente estereotípica todos los atributos del príncipe azul de los cuentos.

C

A continuación te ofrecemos los párrafos del cuento con los tiempos en pasado.

De color azul, el príncipe sólo llevaba los pantalones, ajustados. También llevaba un jubón...

Le gustaba pasear a caballo por los bosques, que eran todos de coníferas... Muy de vez en cuando detenía el caballo y se ponía a meditar.

Por eso la mañana que... se detuvo a orillas de un río y vio un sapo sobre una roca... echó pie a tierra... Por fin había encontrado un sapo... El sapo lo saludó... Croac.

Ni por un instante dudó que era a ese bicho al que debía darle un beso. El príncipe inclinó el cuerpo y adelantó la cara. El sapo estaba justo frente a él. La papada se le hinchaba y deshinchaba sin cesar. Ahora que lo veía tan de cerca sintió que lo invadía el asco; pero no tardó en reponerse y acercó los labios al morro del anfibio. Mua.

A

Los microcuentos...	Verdadero	Falso
son historias que caben en una página.	✓	
no tienen conclusión.		✓
invitan a la reflexión.	✓	
tienen muchos personajes.		✓
son una forma de literatura oral.		✓
no suelen tener introducción.	✓	
sólo hay una imagen que actúa como metáfora.	✓	
trabajan con el inconsciente.	✓	
son siempre anónimos.		✓
son versiones resumidas de relatos más largos.		✓

B

Es posible que tus microcuentos sean mucho mejores que los que te ofrecemos aquí, pero si no te sientes inspirado/a te darán una idea del tipo de relato que podría salir.

1   Cadena

    El mosquito salió a pasear, pero una araña lo capturó en su tela y se lo comió. La araña se colgó de la ventana y un pajarraco que pasaba por ahí se la tragó. El pajarraco echó a volar y cuando estaba despegando se lo zampó el gato de la vecina. El gato se subió a un árbol, pero nunca volvió a bajar porque unos hombrecitos verdes se lo llevaron por el aire.

2   La rana

    ¡Croac! Hizo la rana. ¡Muac! Hizo el príncipe y ¡se convirtió en un precioso sapo azul!

Sillón de lectura

Actividad 7.8

Aquí te ofrecemos un modelo para tu respuesta.

Se trata de una canción muy triste, como la historia de la leyenda. En la canción se habla de una mujer bella y se menciona un río y muertos, lo cual nos recuerda la parte de la leyenda en la que los dos niños son ahogados en el río. Además, la frase "hay muertos que no hacen ruido llorona y es más grande su penar" parece hacer alusión a esa tragedia y la frase "ayer maravilla fui llorona y ahora ni sombra soy" nos recuerda la imagen de La Llorona en la leyenda como un espectro o alma en pena. Por último, en la canción parece estar presente un hombre y sabemos que la tragedia de La Llorona en la leyenda está ligada a su relación con un hombre.

Tema 8

Actividad 8.1

A

Aquí tienes un modelo para las respuestas a las preguntas.

1   El término se refiere a los niños de la zona republicana que fueron evacuados a Inglaterra durante la Guerra Civil.

2   Les hacían una inspección médica para ver si tenían sarna o piojos y si habían sido vacunados.

3   Sus padres les habían dicho que iban de vacaciones y que volverían a casa en tres meses.

4   El padre de Michael Portillo era un joven profesor de universidad llamado Luis Portillo que Cora Blyth, una joven voluntaria inglesa, conoció en un campo de refugiados y con el que se casó.

5   Unos 1.000 niños no pudieron regresar a España. Los menores de 16 años fueron adoptados o colocados en sistema de acogida familiar y los mayores se pusieron a trabajar en granjas y fábricas en Inglaterra.

6   Se valora positivamente gracias al apoyo que recibieron de los voluntarios ingleses y de los republicanos españoles.

B

1

(a)   El número mil doscientos se refiere a los niños acogidos por la Iglesia católica.

(b)   El número cuatrocientos cincuenta se refiere a los niños acogidos por el Ejército de Salvación.

(c)   El número setenta se refiere a las colonias sostenidas por comités de voluntarios por todo el país.

(d)   Dos mil ochocientos veintidós es el número de niños que ya habían vuelto a España cuando empezó la Segunda Guerra Mundial.

(e)   Tres mil ochocientos veintiséis es el número total de niños que fueron evacuados a Inglaterra.

(f)   El número dos se refiere a los dos años que transcurrieron entre el momento de la evacuación (1937) y el comienzo de la Segunda Guerra Mundial (1939).

(g)   El número mil se refiere a los niños que todavía estaban en Inglaterra cuando estalló la Guerra Mundial.

(h)   Los números dieciséis y dieciocho se refieren a la edad de los niños evacuados que se pusieron a trabajar en Inglaterra cuando empezó la Segunda Guerra Mundial.

2   "Orfelinato" (también existe "orfanato"); "acogida familiar".

C

Tus respuestas dependerán de tus experiencias y opiniones.

A

1–(c); 2–(a); 3–(b); 4–(a) y (c); 5–(b); 6–(c)

Actividad 8.3

B

Elementos del corrido	¿Aparece en este corrido?	Estrofa o verso
(a) Solicitud de permiso para iniciar el canto	Sí	Estrofa no.1. (más que una solicitud de permiso es un anuncio: "voy a cantarles a ustedes / la toma de Zacatecas").
(b) Ubicación en lugar y fecha	Sí	Toda la estrofa 2.
(c) Presentación de los personajes o del motivo del corrido	Sí	Estrofa 3. Motivo: ir a ayudar a Pánfilo Natera. Estrofa 5. Personajes: Francisco Villa y sus compañeros.
(d) Desarrollo	(No)	En este extracto no se incluye el desarrollo o relato central del corrido, pero en la estrofa 4 se ve el inicio de la acción.
(e) Desenlace	Sí	Las seis últimas estrofas (que describen en detalle el desenlace de la acción) y especialmente los dos últimos versos: "por la División del Norte / fue tomada Zacatecas" (que lo resumen).
(f) Moraleja	No	
(g) Despedida	No	

C

A continuación tienes las respuestas a las preguntas.

1   El 23 de junio de 1914, entre las 5 y las 6.

2   Lugares: Zacatecas, Calera

Personas: Francisco Villa, Pánfilo Natera (su aliado), Argumedo (el general enemigo) más Urbina, Ceniceros y Contreras, Madero Raúl y Herrera (los demás jefes que combatieron junto a Villa y Natera, cuya lista nos dan en la estrofa 5).

3   Las estrofas 6 y 8. Villa desafía a Argumedo como un "valentón". La imagen de los derrotados buscando ropa de mujer sugiere que son cobardes y no han sabido luchar "como hombres". Son un ejemplo de "el énfasis exagerado del machismo, la jactancia y engreimiento propio de jaques y valentones" que se mencionaba en el texto anterior.

Actividad 8.4

A

Aquí tienes un modelo para tus respuestas.

1   Los migrantes son juzgados por partida doble porque, según algunos mexicanos, son traidores porque se han dejado asimilar por Estados Unidos, mientras que según los estadounidenses, son delincuentes o invasores.

2   El corrido en Estados Unidos tiene dos funciones: permite a los migrantes definir su identidad nacional y también expresar su condición humana.

3   En los años 30 los corridos compuestos en Estados Unidos solían hablar de la crisis de desempleo.

4   Ahora los corridos hablan de la nostalgia por la tierra y la familia, y el temor a la migra.

5   En cuanto a su forma, los corridos han evolucionado poco.

B

Aquí te ofrecemos un posible resumen para la creación de un corrido. Aunque el tuyo sea diferente, comprueba que has utilizado estructuras y vocabulario similares.

> El día 15 de enero de 2001 llegó a Ciudad Juárez, después de tres semanas de viaje por todo el país, una mujer, valiente, honrada y linda. Se llamaba Guadalupe López Robles, pero todos la conocían como Lupita. Había nacido 22 años antes en San Juan Chamula, estado de Chiapas, en una familia de campesinos. No pudo ir a la escuela porque desde chiquita tenía que ayudar a su familia trabajando en los campos de maíz. A los quince años, se enamoró de otro campesino y se casaron, pero él murió pocos años más tarde de unas fiebres, dejándola con tres hijos pequeños. Entonces ella, llorando mucho, se despidió de su familia, y con dos bolsas y tres hijos, subió a la frontera. En Ciudad Juárez la metieron en un camión de fruta con otras doce personas. Ella no podía respirar, tenía miedo porque el pequeño podía llorar en cualquier momento, pero tuvo suerte y llegaron a El Paso sin problemas. De allí subió a Oklahoma, donde un colombiano le dio trabajo en una fábrica de comidas rápidas. Los domingos trabajaba limpiando las casas de los ricos mientras una amiga le cuidaba a los niños. Finalmente consiguió arreglar sus papeles y aprender inglés. Ocho años más tarde, abrió una tiendita de comestibles con dos amigas. Su sueño ahora es enviar a su hija mayor a la universidad. En México hay millones de Lupitas, pero nadie conoce sus historias. Por eso ahora canto este corrido, en honor a Lupita López Robles.

 Escritorio

Actividad 8.5

B

(a)   **y encima**: y además; pone más énfasis en la consecuencia de algo.

(b)   ... **no me trago**: no aguanto / no soporto.

(c)   **para colmo** (o "para colmo de desgracias"): cuando se añade algo que agrava todavía más la situación.

(d)   **me ha pillado**...: me ha cogido / encontrado.

(e)   ... **y con lo que raja**...: y como habla mucho.

(f)   **¡Lo que faltaba!**: cuando algo innecesario e inesperado agrava una situación.

C

(a) ¡Con lo aburrido que es su tío!

(b) ¡Con lo tristes que parecen los lugares sin sol!

(c) ¡Con lo melancólico que él se pone sin su familia!

(d) ¡Con lo sano que es montar en bici!

(e) ¡Con lo enamorada que está mi hermana!

(f) ¡Con lo buenas que están las gambas!

(g) ¡Con lo bien que se expresan los niños en alemán!

(h) ¡Con lo bien que cocinan los hombres!

Actividad 8.6

La respuesta depende de tus circunstancias pero aquí te ofrecemos un modelo para que compruebes las estructuras y el vocabulario.

¡Por fin llegó el día de la boda! El día 12 de julio amaneció nublado, pero con bochorno. Amenazaba lluvia, pero a mí me parecía el día más bello del año. O quizás yo lo veía todo de color de rosa. ¡Estaba tan feliz porque me casaba con Pepe!

A la salida de casa hacía mucho calor, pero un rato después, empezó a llover. ¡Tuve que correr del coche a la iglesia para no mojarme!

La ceremonia fue muy conmovedora. Mi madre lloraba a lágrima viva, ¡estaba tan emocionada! Salimos de la iglesia y los amigos nos echaron arroz, símbolo de la prosperidad. Mi hermana Cristina se enfadó con sus hijos, porque lo tiraban por todas partes. Todos los amigos y los familiares se saludaban, muy alegres.

Hacia las siete de la tarde, la gente empezó a coger los coches para ir al banquete de boda. Cuando mi primo fue a buscar el nuestro, nos dimos cuenta de que se lo estaba llevando la grúa. Pepe se puso como una furia y estuvo a punto de estallar, pero yo estaba en el séptimo cielo y empecé a reírme.

Actividad 8.7

A

Respuesta personal.

B

Para comprobar tu respuesta compara tu lista con la ficha sobre las características de los blogs que tienes en la actividad.

C

Aquí tienes algunos ejemplos de los rasgos que aparecen en la muestra.

- Función = mostrar su contenido a todo el que quiera leerlo: Todos los textos fueron publicados en internet en el blog "Chica con falda roja".

- Uso de un seudónimo: Chica con falda roja.

- Las entradas aparecen en orden cronológico inverso.

- Narración breve de historias y anécdotas: 8 y 7 de noviembre.

- Opiniones/reflexiones filosóficas: 5 de noviembre.

- Uso de la primera persona en todos los ejemplos: "mi adicción" (8 de noviembre), "mi embarazo" (7 de noviembre), "mis años de facultad" (5 de noviembre).

- Lenguaje coloquial y familiar: "la gente se mosquea", "me puse a darle vueltas", "como si tal cosa".

- Importancia del humor: "Lo malo es que he terminado haciéndolo también en casa de mis padres. Y empiezan a mirarse como extraños"; "Eso sí, a la hora de pedir apuntes no discriminaba".

D

Aquí te ofrecemos algunas posibilidades como modelo.

> Sábado, 8 de noviembre: Una familia muy ilustrada / Lo decía mi tía.
>
> Viernes, 7 de noviembre: El paseante voluble / Encuentro en el Retiro.
>
> Miércoles, 5 de noviembre: ¿De quién es la culpa? / Ellos y yo.

E

Aquí tienes un modelo de algunas cosas que puedes haber concluido.

> Le gusta leer. Conoce (o dice que conoce) las obras de Bernhard, Amis, Canetti, Chejov y otros autores rusos, escritoras como Duras, Lessing, novelistas del XIX, cuentistas norteamericanos, Marías, Vila-Matas, escritores alemanes de entreguerras. Ha estudiado en la universidad. Sabemos también que es realmente una mujer porque habla de su embarazo, y por lo tanto es muy probable que ahora tenga por lo menos un(a) hijo/a. Los familiares que menciona podrían ser inventados, pero si decidimos creer lo que nos cuenta, tiene una hermana pequeña y otra mayor. Su madre puede que haya muerto porque la menciona en pasado, mientras que menciona a su padre en presente.

B

Aquí te ofrecemos un modelo posible. Comprueba que lo que tú escribas tenga características del blog parecidas a las que hemos incluido aquí.

Música triste

Hace unos años fui con mi marido a Paraguay. Nuestro anfitrión era un famoso arpista paraguayo con el que nos une una amistad de muchos años. Una noche, volviendo de una fiesta, nos llevó por una avenida en cuyas aceras esperaban grupos de hombres vestidos con chalecos y pantalones oscuros bordados en plata, sombreros enormes y elegantes botas de cuero. Casi todos llevaban guitarras, violines, guitarrones y otros instrumentos musicales. Nos explicó mi amigo que eran músicos paraguayos esperando que alguien viniera a contratarlos para tocar en fiestas privadas. Como el público que paga ya no aprecia la música autóctona paraguaya a la hora de dar serenatas o amenizar bodas, cumpleaños y bautizos, los músicos pobres se plantan el sombrero mexicano y a tocar mariachis, que es lo que pide la gente. Hacía frío y por allí no pasaba casi nadie, pero ellos seguían esperando resignados. Algunos reconocían a mi amigo y lo saludaban al pasar con un gesto de la mano. De pronto arrimó el coche a la acera y se puso a conversar con uno de ellos. "¿Y qué tal la noche? —Pues ya ves, respondió el otro, muy poco trabajo". Mi amigo asintió con una débil sonrisa y seguimos nuestro camino de regreso. En los días que siguieron mi amigo nos agasajó con un magnífico recorrido musical del Paraguay. Conocimos a los grandes, aprendimos a cantar con ellos en guaraní, asistimos a incontables fiestas y compartimos hora tras hora la magia incomparable del arpa paraguaya. Nos enriquecieron tanto aquellas semanas que no pasa un día sin que me sorprenda a mí misma tarareando polcas paraguayas en guaraní. Algunas noches de invierno, sin embargo, me parece oír, como un eco que se abre camino desde los rincones más tristes de mi memoria, la voz lejana de unos violines de mariachi.

Sillón de lectura

Actividad 8.9

Aquí tienes algunas respuestas posibles.

> Al leer la primera anécdota es fácil imaginar a Paco como un chico sencillo de pueblo, un poco inocente y temeroso. En la siguiente anécdota vemos a un chico de 7 años integrado en el pueblo ya que es monaguillo, algo revoltoso y bastante espabilado. Y en la última anécdota con el obispo, vemos a un niño aún con la inocencia intacta.

Unidad 3

Tema 9

Actividad 9.2

A

La 2, 5 y 6 son características de una cooperativa.

B

Aquí tienes unas posibles respuestas. Asegúrate de que el contenido de las tuyas es similar, aunque estén expresadas de forma diferente.

1 Surge a finales de los ochenta, creada por un grupo de diez jóvenes del Sindicato de Obreros del Campo.

2 En Villamartín, Andalucía, cerca del río Guadalete. 11 hectáreas, más cuatro dedicadas a caminos, edificios y pastos para el ganado.

3 Agricultura ecológica. Recupera los usos de la agricultura tradicional. Busca, recupera y clasifica variedades de especies autóctonas. Disponen del 80% de las semillas que necesitan y pueden intercambiar y venderlas a otros agricultores.

4 Una asignación mensual y todos los productos de la huerta y de la tienda que el socio y el grupo de personas o familia con quienes conviva necesiten para su consumo.

5 Una red de consumo local sin intermediarios para sus productos, que ellos mismos distribuyen; y se han asociado con otras dos cooperativas de la zona y varios pequeños productores de la comarca para crear la marca Verde Oliva.

6 Su recuento anual de beneficios sigue siendo cercano al cero, porque quieren evitar a toda costa la acumulación de riqueza.

C

Aquí tienes un modelo de las notas para completar la tabla y de los párrafos sobre obligaciones y beneficios. Asegúrate de que el contenido de tus respuestas es similar aunque estén expresadas de forma distinta.

Obligaciones	Beneficios
• participar en una reunión semanal para repartir el trabajo • participar en una reunión mensual de planificación y contabilidad • asistir a la Asamblea Anual para evaluar el funcionamiento y decidir la estrategia de la cooperativa • realizar tareas de forma rotativa • contribuir a todos los aspectos del trabajo de la cooperativa • tomar decisiones si hace falta emplear a otra gente	• asignación mensual • verdura, fruta y alimentos de la tienda para el consumo de su familia • participar en la toma de decisiones • compartir responsabilidades y beneficios con los otros socios • crear y controlar su propio empleo

Obligaciones

El socio de la cooperativa La Verde trabaja con un grupo de socios en la agricultura ecológica. Cada semana tiene que asistir a una reunión en la que se reparte el trabajo y cada mes tiene que participar en una reunión para hacer la contabilidad y los planes para las semanas y meses siguientes. Una vez al año debe asistir a la Asamblea Anual donde se analiza y reflexiona sobre el funcionamiento y rendimiento de la cooperativa, y se planifican los cultivos y estrategias a largo plazo. El socio realiza diferentes tareas de forma rotativa para aprender sobre todos los aspectos y poder hacer diferentes labores en la organización. Junto con el grupo tiene que tomar decisiones sobre la necesidad de emplear a gente para ayudar en trabajos puntuales.

Beneficios

El socio de la cooperativa La Verde recibe un salario cada mes y recibe todas las verduras, fruta y alimentos de la tienda que necesita para su consumo y el de su familia o grupo con el que convive. Participa en todas las decisiones referentes a la cooperativa y comparte las responsabilidades y beneficios con los otros socios. No tiene que depender de contratos temporales, por lo tanto su situación económica no es tan inestable.

Actividad 9.3

A

La persona de la foto es un gestor.

B

1–(b) notario;

2–(a) brushinista (del inglés "*to brush*");

3–(e) estanquero;

4–(d) guachimán (corrupción de la palabra "*watchman*", se emplea en América Latina y también se escribe "huachimán");

5–(c) colero

C

Aquí tienes una posible respuesta sobre una actividad laboral típica del Reino Unido.

> **lollypop man/lady** es una persona que trabaja para el ayuntamiento solo a las horas en que los niños entran y salen de los colegios. Lleva uniforme y un palo con una señal en lo alto que indica que los niños tienen que cruzar la calle y el tráfico tiene que detenerse. Durante unos veinte minutos se encarga de asegurarse de que los niños pueden cruzar la calle con seguridad.

Actividad 9.4

A

1–(e); 2–(c); 3–(a); 4–(d); 5–(b)

B

Josep BCN: está de acuerdo

Belén: no está de acuerdo

Lerdo: está de acuerdo

C

Aquí tienes una posible respuesta.

> Yo creo que algunos licenciados en mi país están desaprovechados, porque solo encuentran trabajo en empleos temporales que están muy por debajo de sus capacidades. Algunos hacen trabajo voluntario en sus campos para acumular experiencia y poder acceder luego a un empleo. Los que obtienen su licenciatura en una universidad con mucho prestigio u obtienen muy buenas notas suelen tener menos dificultades para colocarse.

Actividad 9.5

A

Respuesta libre.

B

Aquí tienes los ejemplos que se mencionan en el texto.

Se usa "tú"…	Se usa "usted"…
familia	camareros
niños pequeños	jefe
hijos	en caso de duda
entre gente joven cuando nos presentan a otra persona	personas que no conocemos y nos han presentado formalmente
entre compañeros de trabajo (especialmente si son jóvenes)	personas de más edad
entre amigos del sexo opuesto, solo después de un tiempo de conocerse (en Hispanoamérica)	personas que merecen respeto por su categoría social o profesional
	taxistas y empleados del servicio doméstico
	siempre entre desconocidos (en Hispanoamérica)
	entre padres e hijos, y entre hermanos (en las zonas andinas)

C

Respuesta libre.

 ## Escritorio

Actividad 9.6

A

Aquí tienes unas posibles respuestas. Asegúrate de que el contenido de las tuyas es similar, aunque estén expresadas de forma distinta.

1   Necesitan el NIE los extranjeros que, por sus intereses económicos, profesionales o sociales, se relacionen con España.

2 El NIE sirve para identificar al extranjero.

3 Se puede solicitar el NIE en España o en las Representaciones Diplomáticas u Oficinas Consulares españolas ubicadas en el país de residencia del solicitante.

4 Para solicitar el NIE hay que presentar el impreso-solicitud normalizado y el pasaporte completo, tarjeta de identidad o documento acreditativo de nacionalidad.

B

figurar: pertenecer al número de determinadas personas o cosas; aparecer como alguien o algo.

expidan (del verbo "expedir"): extender por escrito.

tramiten (del verbo "tramitar"): hacer pasar un negocio o asunto por los trámites necesarios. **trámite**: cada uno de los estados o diligencias que hay que recorrer en un negocio o asunto hasta su conclusión.

diligencia: trámite de un asunto administrativo, y constancia escrita de haberlo efectuado.

asignación (sustantivo de "asignar"): señalar lo que corresponde a alguien o algo.

solicitante: persona que solicita. **solicitar**: pedir algo de forma respetuosa, rellenando una solicitud o instancia.

citado (del verbo "citar"): hacer mención de algo o de alguien.

acreditativo (del verbo "acreditar"): dar testimonio documental de que alguien o algo es lo que parece o representa.

C

identificación	solicitud	documento	persona
identificar	solicitar	documentar	personal / impersonal
identificador	solicitante	documentarse	personalmente
identificarse con	solicitador	documental	personalidad
identidad		documentalista	personalismo
		documentalmente	personalizar
		documentario	personificar
		indocumentado	personificación
		documentación	personarse en
			personaje

Actividad 9.7

A

No hace falta si la persona solo está de vacaciones, pero sí cuando es residente en Andalucía.

☰ Sillón de lectura

Actividad 9.8

Aunque el empleado usa "usted" para dirigirse a María Elena ("vaya llenando esto", "que le vaya bien"), su trato no es cortés o respetuoso, como se aprecia en las frases siguientes: "sin levantar los ojos tendió la mano y María Elena tardó en comprender que le estaba pidiendo la convocatoria", "el empleado la estaba mirando como si hubiera tardado demasiado en llenar la planilla", "nadie parecía preocuparse mucho por las respuestas, y en todo caso el empleado no las anotaba", "bruscamente, le dijo a María Elena que podía irse y que volviera tres días después a las once; no hacía falta convocatoria por escrito, pero que no se le fuera a olvidar", "dijo el empleado sin mirarla".

Actividad 9.9

Es un tono triste, sombrío y abatido. Algunas de las palabras que indican este tono son: humillado, perseguido, tierra descontenta, insatisfecho, alma vieja y encallecida, morir, guerra, fatigosamente, sudor, grave, cementerio.

Tema 10

Actividad 10.1

B

1   Los llaman "maridos de alquiler" porque son hombres que vienen a casa a hacer trabajos de mantenimiento en la vivienda que en muchos casos suelen hacer los maridos, como pintar, jardinería, pequeños arreglos, mover cosas pesadas, etc.

2   Cualquier persona que necesita que le hagan un trabajo en casa, o cuando tiene una emergencia porque algo no funciona y hay que arreglarlo urgentemente. (Quizá la mayoría de los clientes son personas, mujeres principalmente, de clase media o media-alta, cuyos maridos no pueden o no quieren hacer los arreglos de la casa por falta de tiempo o de experiencia.)

3   Quizá algunos de los clientes toman el nombre de la empresa de forma demasiado literal y piensan que los "maridos" ofrecen también servicios más íntimos.

Actividad 10.2

B

(a)–(vi); (b)–(x); (c)–(viii); (d)–(i); (e)–(iii); (f)–(vii); (g)–(ii); (h)–(iv); (i)–(ix); (j)–(xi); (k)–(v)

C

Aquí tienes un posible resumen.

> Los teletrabajadores cuentan con las ventajas de no tener que desplazarse al lugar de trabajo y de tener unos horarios más flexibles. Esto significa que pueden compaginar su trabajo y su vida familiar mucho mejor. Al organizarse ellos mismos la jornada laboral, están más motivados para realizar su trabajo, trabajan de forma más eficiente y son más productivos. Con las nuevas tecnologías, los teletrabajadores pueden estar en contacto con su central y no necesariamente se pierde el espíritu de equipo.
>
> Por otro lado, para algunos empleados es mejor trabajar en la empresa si no disponen de un lugar adecuado y la tranquilidad necesaria para poder concentrarse en su casa. También para aquellos que no son muy organizados o a quienes les cuesta motivarse, es mejor estar en el entorno laboral.

A

Aquí tienes algunas de las palabras clave de cada texto.

Texto A

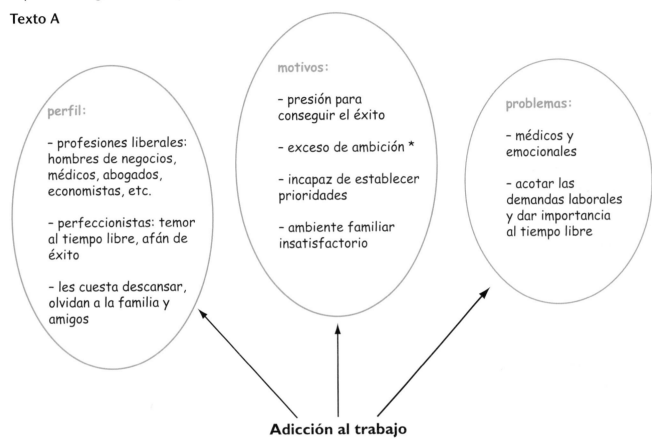

perfil:

– profesiones liberales: hombres de negocios, médicos, abogados, economistas, etc.

– perfeccionistas: temor al tiempo libre, afán de éxito

– les cuesta descansar, olvidan a la familia y amigos

motivos:

– presión para conseguir el éxito

– exceso de ambición *

– incapaz de establecer prioridades

– ambiente familiar insatisfactorio

problemas:

– médicos y emocionales

– acotar las demandas laborales y dar importancia al tiempo libre

Adicción al trabajo

* Esto podría clasificarse igualmente en "perfil".

Texto B

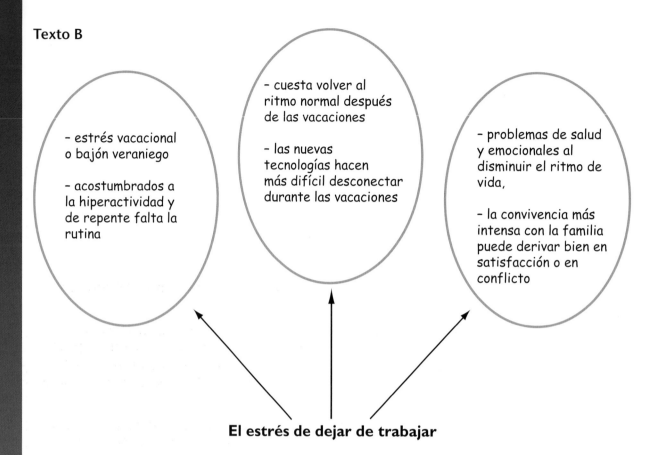

- estrés vacacional o bajón veraniego

- acostumbrados a la hiperactividad y de repente falta la rutina

- cuesta volver al ritmo normal después de las vacaciones

- las nuevas tecnologías hacen más difícil desconectar durante las vacaciones

- problemas de salud y emocionales al disminuir el ritmo de vida,

- la convivencia más intensa con la familia puede derivar bien en satisfacción o en conflicto

El estrés de dejar de trabajar

B

Aquí tienes un modelo de posible mensaje.

Hola Iker:

Te conté que José Luis es incapaz de decidir qué vamos a hacer estas vacaciones. Dice que no puede marcharse porque si no está él, seguro que el otro contable comete errores con sus clientes.

En los últimos meses no hace más que trabajar y trabajar, se trae trabajo a casa todas las noches y muchos sábados dice que tiene que ir a la oficina para terminar cosas. Yo le he dicho que hable con la jefa porque le están dando demasiados clientes, pero no quiere porque cree que si se queja no lo van a ascender.

La verdad es que está afectando nuestra relación y yo ya no sé qué decirle. ¿Qué me aconsejas? Creo que tiene que replantearse su trabajo y marcarse un horario más sensato. Si no, acabaremos mal.

 **Escritorio**

Actividad 10.4 _____

A

Fecha	5 de julio de 2008
Destinatario	Att: Doña Elvira García Directora de Recursos Humanos
Asunto	Asunto: Reducción de Jornada Laboral
Saludo	Estimada Doña Elvira García:
Cuerpo	Mediante la presente deseo solicitar una reducción de jornada laboral por motivos familiares.
	Después de tratar este asunto con mi superior y con el objetivo de que nuestro departamento se vea afectado lo menos posible, hemos llegado a la conclusión de que la jornada laboral que mejor se adapta a las necesidades de ambas partes es la que transcurre en horario de 10 de la mañana a 3 de la tarde.
	La duración solicitada de esta reducción es de 3 meses y desearía que fuera efectiva a partir del 5 de septiembre de 2008, por lo que, a fin de evitar posibles molestias, se lo comunico con tiempo anticipado.
Despedida	Quedo a su disposición para cualquier información adicional que necesite y para cualquier formulario que deba rellenar.
	Atentamente,
Firma	Fdo: Pilar Mendoza

B

Aquí tienes clasificadas las frases del texto y las de la lista.

Saludos	Cuerpo	Despedida
Estimada Doña Elvira García: Muy señor mío: Señores:	Mediante la presente deseo... El motivo de la presente es...	Quedo a su disposición Atentamente Agradeciendo de antemano su atención Atentos saludos de Sin otro particular

C

Tratamiento personal	Direcciones	Otras
D. = Don	Apdo. = Apartado de Correo	pág./págs = página/ páginas
Sres. = Señores	C/ = Calle	P.D. = post data
Dña = Doña	C.P. = código postal	Fdo. = Firmado
Sra. = Señora	Tel. = Teléfono	p.o. = por orden
Srta. = Señorita	Núm. = número	DNI = Documento Nacional de Identidad
Sr. = Señor	Rte. = remite o remitente	Ref. = Referencia
	Av. = Avenida	Att. = a la atención de
	s/n = sin número	Atte. = atentamente

Actividad 10.5

Aquí tienes un modelo de carta.

Hull, 23 de agosto de 2008

Kilómetros al sol
C/ Garcilaso de la Vega, 33, bajos
29012 Málaga

Estimados señores:

Me dirijo a ustedes a fin de solicitar la corrección de un error en el cobro por el alquiler de un coche durante el mes de julio.

Durante mis vacaciones en Málaga alquilé uno de sus coches por un periodo de siete días. Firmé el contrato en su oficina y devolví el coche puntualmente al final de la semana. Por desgracia, al comprobar la factura de mi tarjeta de crédito, he visto que en lugar de cobrarme los siete días que tuve el coche, me han cobrado diez días.

Les adjunto copia del contrato, firmado y sellado en su oficina el día de la devolución del coche, así podrán comprobar cuál es el importe correcto a cargar en mi tarjeta de crédito. Les agradeceré que realicen el reembolso de la cantidad cobrada en exceso lo antes posible.

A la espera de sus prontas noticias, les saluda atentamente,

Nadine Pulker

▬ Sillón de lectura

Actividad 10.6

1 "Teletrabajo: Vivir acá - Trabajar allá - Ganar allá - Gastar acá."

Este eslogan enfatiza que, con el teletrabajo, se puede trabajar a distancia y no es preciso marcharse al sitio donde está el trabajo. Se puede seguir viviendo y gastando en un lugar aunque se trabaje y gane en otro.

2 A esta escritora le gustaría poder trabajar sin tener que emigrar y el teletrabajo le ofrece esa posibilidad. Sugiere que con el teletrabajo muchos uruguayos y otros latinoamericanos podrían encontrar trabajo para empresas extranjeras trabajando por su cuenta desde su casa.

Tema 11

B

Ventajas (para los trabajadores)	Equivalente en el texto
igualdad en los salarios	equidad salarial
posibilidad de empezar y terminar el trabajo cuando convenga	horario flexible (también se menciona "jornada flexible")
prolongar la baja por maternidad o paternidad	alargar la baja tras el nacimiento de un hijo
guardarse días de permiso	acumular vacaciones
dinero o vales para pagar por el cuidado de los niños	ayudas para guardería
dinero para pagar colegios o matrículas de los hijos	becas de estudio para hijos de empleados
espacio para aparcar el coche	plaza de aparcamiento
cantina a precios especiales	servicio de comedor subvencionado
dinero extra para marcar ocasiones especiales	cheques regalo
posibilidad de ascenso dentro de la empresa	promoción interna

C

Aquí tienes algunas sugerencias:

contratos temporales o contratos basura;

tener que fichar al entrar y al salir;

vacaciones fijadas por la empresa;

falta de posibilidades de promoción;

sueldos acordados individualmente.

(fichar   *to clock on and clock off*)

Actividad 11.2 _____

A

31,8% – tasa de temporalidad en España en 2004

12,8% – tasa de temporalidad media en la Unión Europea

5% – tasa de temporalidad en Estados Unidos

52,1% – tasa de temporalidad entre los jóvenes

35,2% – tasa de temporalidad entre las mujeres

30,6% – tasa de temporalidad entre los hombres

50,6% – tasa de temporalidad entre los trabajadores no cualificados

7% – tasa de temporalidad entre los directivos y gerentes de empresas

70% – porcentaje de los trabajadores temporales que trabajan para la construcción, la industria manufacturera, el comercio, la hostelería, el servicio doméstico, y la agricultura y ganadería.

B

1   **Ventajas**

Las ETT son responsables de la mayoría de obligaciones con respecto al trabajador.

Flexibilidad.

Ahorran costosos procesos de selección y búsqueda de trabajadores.

Comodidad.

Ventaja económica, sin las molestias asociadas a la selección y contratación.

Crear un clima de competitividad.

2 **Desventajas**

Observa que las desventajas citadas aquí entre paréntesis están más bien implícitas en el texto:

(Cambia constantemente de puesto de trabajo y no tiene oportunidad de familiarizarse con una empresa o con los compañeros).

A veces la empresa le engaña con promesas de un puesto fijo para que trabaje más.

(No tiene seguridad ni continuidad en su empleo).

1   se ha vuelto

2   se puso

3   se quedaron / se han quedado

4   ha llegado

5   se han hecho

 Escritorio

1   (a) La carta de María Menoyo es en respuesta a un anuncio de trabajo.

2   (b) La carta de Estefanía Ibarretxe ha sido enviada a la empresa sin que haya aparecido anuncio para un puesto.

B

El orden correcto es: 5, 7, 10, 3, 9, 4, 2, 11, 8, 6, 1. Aquí tienes la carta completa:

Estimados señores:

He podido comprobar por distintos medios que su empresa INDUSTRIAS CES S.A. es líder en la fabricación de productos para la construcción.

Por mi experiencia como Jefe de Ventas en una firma del sector, he seguido con atención el desarrollo de su empresa; por ello estimo que mi colaboración podría serles útil a la hora de planificar campañas y promocionar su firma.

Me gustaría tener la oportunidad de conversar con Uds. en una entrevista para comentarles mis conocimientos y experiencia.

En espera de sus noticias, les saluda atentamente,

Aquí tienes una posible carta de presentación.

Sr. Director de Recursos Humanos
Red de Residencias y Centros de Día "El Avellano"
C/ Juan Rulfo 14 bajos
46013 Valencia

Alicante, 16 de mayo de 2008

REF: "Fisioterapeuta"

Muy señor mío:

Tengo el gusto de enviarle mi currículo en respuesta al anuncio aparecido en el diario Información de Alicante de fecha 13 de mayo, en que se ofrece una plaza de fisioterapeuta para el Centro de Día que van a inaugurar ustedes próximamente en la ciudad.

Por la formación recibida y mi experiencia profesional pienso que reúno las aptitudes necesarias para desempeñar este puesto. Verán en mi currículo que tengo un título universitario que me acredita y he desarrollado tareas específicas con personas de la tercera edad.

Me gustaría tener la oportunidad de poder discutir con Uds. en una entrevista personal mis posibilidades de realizar este trabajo y cualquier otra cuestión que consideren oportuna.

Mientras tanto, quedo a la espera de sus gratas noticias.

Atentamente,

Álvaro Ruiz

Actividad 11.7

B

(a) Experiencia profesional

(b) Formación académica

(c) Idiomas

(d) Informática

(e) Otros datos

Actividad 11.8

Respuesta libre.

Sillón de lectura

Actividad 11.9

La respuesta es libre porque dependerá de tus circunstancias personales pero aquí tienes una respuesta modelo (con respecto al consejo 5) para que puedas comparar con la tuya.

> Cuando pienso en tener un negocio propio, me acuerdo de las experiencias de mis familiares y amigos, muchos de

los cuales tienen o han tenido pequeñas empresas o tiendas, y se me pasan las ganas. Me alegro muchísimo de tener un trabajo y un salario fijo sin tener la responsabilidad y los dolores de cabeza de los empresarios.

Tema 12

Actividad 12.1

A

	%
Porcentaje de jóvenes inmigrantes en Costa Rica que proceden de Nicaragua	69%
Porcentaje de jóvenes inmigrantes nicaragüenses en Costa Rica...	
... que trabaja	54%
... que estudia	20%
... sin seguro médico	44%
... que vive mejor en Costa Rica que en Nicaragua	81.9%
... que vive igual en Costa Rica que en Nicaragua	13.3%
... que vive peor en Costa Rica que en Nicaragua	0.7%

B

Aquí tienes una posible respuesta. Asegúrate de que el contenido de la tuya es similar, aunque esté expresado de forma distinta.

> Porque la situación económica en Nicaragua no es buena, a causa de la inestabilidad política y económica de las últimas décadas. Se marchan en busca de mejores oportunidades al país vecino, Costa Rica, que tiene una situación política estable y una economía en rápido crecimiento.

Actividad 12.2

A

Aquí tienes la tabla completa.

Factores a favor de Melbourne, Australia
mayor seguridad personal;
mejores servicios públicos;
seguridad social;
plan efectivo de pensiones;
vida más calmada, menos llena de estrés;
mejor calidad de vida;
muy variadas opciones y oportunidades para profesionales de cualquier nivel y edad.

B

Aquí tienes una posible respuesta. Asegúrate de que el contenido de las tuyas es similar, aunque estén expresadas de forma distinta.

> David Chacón decidió marcharse de Venezuela a causa de la situación política y económica. Había pocas oportunidades laborales y la vida era muy estresante.
>
> Escogió Australia porque allí tiene mejores perspectivas de empleo, la calidad de vida es mejor y el país es más seguro y estable. Aunque había considerado Canadá, al final se decidió por Australia porque el clima es mejor.
>
> Tanto él como su esposa encontraron buenos trabajos rápidamente y una agencia especializada les ayudó a instalarse, con información sobre cómo abrir una cuenta bancaria o empezar a buscar trabajo. También les ayudaron otros venezolanos que ya vivían allí.
>
> Encuentra a los australianos muy abiertos pero se relaciona también con venezolanos que viven allí, y conserva tradiciones y costumbres de su país.

Actividad 12.3

A

Aquí tienes un modelo de las notas para completar la tabla.

Idea principal	Ejemplo
Que los inmigrantes puedan votar	buscar fórmulas para que el mayor número de habitantes pueda participar en las elecciones municipales
Evitar la segmentación por lugar de origen en las áreas metropolitanas	mediación social en las comunidades de propietarios y soporte decidido en la escuela
Tolerancia cero con los que no cumplen las normas	gobernar con disciplina en la actividad económica y en el espacio público; hacer cumplir las normas en los horarios de apertura de los comercios; especializar a la policía, crear una unidad de convivencia y civismo; limitar la apertura de locutorios y prohibirles las actividades que no tienen que ver con su licencia

 Escritorio

Actividad 12.4

A

Aquí tienes un modelo de las ideas principales que puedes haber subrayado, y de cómo expresarlas en tus propias palabras.

Texto original con ideas principales subrayadas	Ideas principales expresadas en tus propias palabras
"Emigraciones Siglo XXI"	
Entre 1492 y 1824, España y Portugal fueron países de emigración pues mandaron importantes contingentes de población hacia América Latina, fenómeno que continuó y se acentuó en los siglos XIX y XX. Sin embargo, <u>desde hace un cuarto de siglo y, sobre todo, desde mediados de los años 90, esta situación se ha invertido.</u>	En las últimas décadas los movimientos migratorios son de Latinoamérica hacia España.
El fenómeno empezó a cambiar <u>en los años setenta y ochenta, cuando se inició la emigración de latinoamericanos hacia España, sobre todo, debido a los problemas políticos existentes en sus respectivos países.</u> Ese exilio político <u>se ha visto sustituido por una emigración económica en los años 90.</u> Las crisis socioeconómicas y políticas que han vivido los diferentes países de la región han conducido al actual proceso de llegada de inmigrantes latinoamericanos a España.	Al principio eran por motivos políticos pero a partir de los años 90 el principal motivo es económico.
Primero fueron <u>los inmigrantes ecuatorianos, debido a la inestabilidad que arrastraba el país desde 1997.</u> A continuación, fueron los <u>argentinos cuyo país entró en una fuerte recesión entre 1998 y 2001.</u> Luego el contingente que más ha aumentado ha sido el <u>de bolivianos por los sucesos que ha vivido el país desde 2002.</u> A estos colectivos cabe añadir el de <u>colombianos, país envuelto en un largo conflicto interno; peruanos, país que atravesó serios problemas tras la caída del régimen de Alberto Fujimori en 2001; y dominicanos, cuya nación ha sufrido un estancamiento económico desde el año 2000.</u>	A causa de las crisis económicas internas, muchos ecuatorianos, argentinos, bolivianos, colombianos, peruanos y dominicanos emigran a España.
Así, <u>los inmigrantes latinoamericanos en España han pasado de representar el 17,9 por ciento de los inmigrantes en 1991 al 38,2 por ciento en 2001,</u> según datos extraídos del Instituto Nacional de estadística, INE. Las cifras oficiales señalan que ya en ese año había medio millón de inmigrantes en España de origen latinoamericano.	Se ha doblado el porcentaje de inmigrantes latinoamericanos en la década 1991-2001.
<u>Los inmigrantes latinoamericanos en España se han transformado en un elemento de riqueza para el país receptor</u>: en Madrid, por ejemplo, ya hay 1.440 negocios de latinoamericanos cuya procedencia mayoritaria es de Ecuador, Colombia, Perú y República Dominicana., También han empezado a aparecer publicaciones periódicas sobre los emigrantes en España, se ha desarrollado una importante industria gastronómica e incluso programas de televisión dedicados a determinadas colectividades.	Los inmigrantes latinoamericanos también aportan a España, tanto en la gastronomía como en la cultura.

La presencia de lo latinoamericano en el cine, el teatro, la empresa, el periodismo, la educación etc. señala que <u>una parte importante de los inmigrantes latinoamericanos también son una elite intelectual con una gran capacidad de iniciativa.</u> Y para sus propios países los inmigrantes en España se han convertido en una fuente de riqueza. Aunque sus ingresos en muchas ocasiones son bajos, <u>los inmigrantes latinoamericanos destinan una parte de esta renta a sus familiares.</u>

Entre ellos hay intelectuales con mucha iniciativa.

<u>El envío de dinero a los países de origen se ha transformado en una inyección de divisas muy importante que llega a superar, en ocasiones, la ayuda externa recibida.</u> De acuerdo con los datos proporcionados por el Banco Interamericano de Desarrollo, para el año 2003 se estimó que las remesas (provenientes no sólo de residentes en España) alcanzaron más de 1.600 millones de dólares, es decir, aproximadamente el 5,6 por ciento de su Producto Interior Bruto.

El dinero que los inmigrantes envían a sus países de origen es una importante fuente de divisas que ayuda a las economías nacionales.

En conclusión, <u>la aportación de los trabajadores latinoamericanos se ha convertido en un elemento fundamental en la economía española.</u> Hay que tener confianza además en que el enriquecimiento cultural mutuo se fortalecerá en los próximos años, normalizándose definitivamente la situación actual y contribuyendo al desarrollo general.

También en la economía española realizan una contribución muy importante.

Aquí tienes un modelo de resumen del texto. Asegúrate de que el contenido de tu resumen es similar, aunque esté expresado o estructurado de forma distinta.

Los movimientos migratorios, que en el pasado eran de Europa hacia el nuevo mundo, son de Latinoamérica hacia España en las últimas décadas. Esto es debido a circunstancias políticas en los países latinoamericanos y, desde los años 90, a problemas económicos. A causa de las crisis económicas internas, muchos ecuatorianos, argentinos, bolivianos, colombianos, peruanos y dominicanos han emigrado a España, de manera que se ha doblado el porcentaje de inmigrantes latinoamericanos entre 1991 y 2001.

La aportación de los inmigrantes latinoamericanos es importante tanto en España, donde su presencia se nota en la gastronomía y el ámbito cultural, por ejemplo, como en sus países de origen, que reciben de ellos importantes cantidades de divisas a través del dinero que envían a sus familias. Además, su presencia en la economía española representa también una contribución muy importante.

Actividad 12.5

A

Aquí tienes unas posibles respuestas. Asegúrate de que el contenido de las tuyas es similar, aunque estén expresadas de forma distinta.

La inversión inicial para montar un locutorio no es muy grande.

El horario de apertura es crucial para que el negocio tenga éxito.

Como los clientes suelen ser inmigrantes, les es más fácil tratar con otros inmigrantes que trabajen en el locutorio.

Los precios no pueden ser excesivamente altos porque los clientes están dispuestos a desplazarse para encontrar precios mejores.

El locutorio es un tipo de negocio atractivo para algunos inmigrantes que quieren montar su propio negocio.

B

Aquí tienes un modelo de las notas para completar el diagrama. Asegúrate de que el contenido en tu respuesta es similar, aunque esté expresado de forma distinta.

nivel académico alto

suelen trabajar en el servicio doméstico

vienen solas, luego se traen a la familia

se las responsabiliza del cuidado de niños y ancianos

encuentran dificultades y prejuicios para integrarse socialmente

les ayuda la religión y la lengua común

C

Aquí tienes una posible respuesta. Asegúrate de que el contenido de la tuya es similar, aunque esté expresado o estructurado de forma distinta.

Trabajadores latinoamericanos en España

Entre finales del siglo XX y principios del siglo XXI se han producido importantes movimientos migratorios de América Latina hacia España. Según el Instituto Nacional de Estadística, en el año 2001 los latinoamericanos representaban en España casi el 40% de los inmigrantes, el doble que diez años antes.

Las causas del aumento de la inmigración proveniente de América Latina son políticas y económicas y el resultado es que más de medio millón de latinoamericanos se han establecido en España, algunos para crear negocios, otros para desarrollar su actividad intelectual y la mayoría, incluso los que tienen ingresos bajos, para mandar dinero a sus países de origen.

Las aportaciones de este grupo se notan en la gastronomía, la cultura y la economía, por ejemplo. Uno de los negocios que se han popularizado con el aumento de la inmigración es el locutorio telefónico, que no solo presta un servicio a los inmigrantes sino que también les proporciona empleo. Algunos incluso han optado por montar un locutorio ellos mismos.

En el caso de las mujeres latinoamericanas, la mayoría encuentra trabajo en el servicio doméstico, a pesar de que muchas tienen un nivel educativo alto. A menudo llegan solas y esperan a establecerse para poder traer a sus familias a España. Aunque no tengan problemas con el idioma, la integración es difícil por los prejuicios sociales y el aislamiento que a veces padecen.

En conclusión, si la tendencia continúa, el número de inmigrantes latinoamericanos seguirá aumentando. Por eso es importante que la sociedad española los trate justamente y que se valore su contribución al desarrollo de la economía y la sociedad.

 ## Sillón de lectura

Actividad 12.6 _____

Respuesta libre.

Acknowledgements

Grateful acknowledgement is made to the following sources:

Text

Page 35: Fuertes, G. (1995), *Versos Fritos*, Madrid, Susaeta Ediciones, SA (p.108), © Gloria Fuertes; *page 36*: *Antología de jovenes y viejos*, 1964, Bayo Libros*; page 43*: Adapted from Martínez, P., 'Nuestra lucha, la lucha mexicana, la lucha libre'; *page 46*: Adapted from teatrodelaluna. org; *page 48*: Adapted from teatrodelaluna.org; *pages 54–55*: *Tatuaje* by Rafael de León (1941); *page 58*: Extract from http://es.wikipedia.org. Made available under GNU free documentation license; *page 89* (poem): Frenk Alatorre, M. (ed.) (1982) *Lírica española de tipo popular*, Madrid, Cátedra (pp.106–7); *page 90* (poem): Al-Dajira (1995) *Tesoro de la poesía andalusí*, Seminario Permanente Documentos Didácticos de Aula y Junta de Andalucía (p.206); *page 128*: Mario Colín, *El corrido popular en el Estado de México*, Biblioteca Enciclopédica del Estado de México, México, 1972; *pages 138–9*: Extract from *Diario EL PAIS*, S.L. Madrid © EL PAÍS Internacional S.L.; *pages 140–1*: Adapted from 'La cooperativa La Verde de Villamartín'. SOC Andalucía, Sevilla, *Spain*; *page 153*: Junta De Andalucía – Servicio Andaluz de Salud, Consejería de Salud; *page 155*: *El niño yuntero*, © Miguel Hernández estate.

Illustrations

Cover: © Ricardo Landa Oñate; *page 5*: Getty images; *page 6*: Raquel Mardomingo; *page 7*: C.A. Barbastro, UNED, Spain, Universidad Nacional Educación a Distancia, Madrid, Spain (http://portal.uned.es); *page 10*: photo of UOC webpage, Chris Lamb; *page 12*: front cover of Diccionario Salamanca, Universidad de Salamanca; *page 15*: Olé © 1998–2008 Ole. com.ar; *page 20*: Chris Lamb; *page 21*: María Noriega Sánchez; *p22*: Chris Lamb; *page 23*: © Quino (1973); *page 24 (top right)*: Getty Images; *page 28*: Portrait of José Martí (1853–95) from *The Story of Cuba* by Murat Halstead, published 1898 (litho) (b/w photo) by American School, (19th century) Bibiothèque Nationale, Paris, France/Archives Charmet/The Bridgeman Art Library; *page 30*: Ramón Lepage, © UNESCO; *page 32*: David Poza, Multilinkual.com; *page 35 (top)*: Courtesy of Susaeta Ediciones, SA; *page 35 (bottom)*: Anna Comas-Quinn; *page 37*: *(top and bottom left)* http://www.comediants. com; *(top right)* logo: Barceloca ®; *page 39*: postcards: Compañía de Teatro Almagro; *page 41 (top right)*: http://lanocheenblanco.esmadrid. com; *(middle)*: Dedalos/Flickr; *(bottom)*: Cristina Narváez; *page 43 (top)*: The Kobal Collection; *(bottom)* Everett Collection/Rex Features; *page 44*: unknown; *page 46*: http://teatrodelaluna.org © 2003–2009 Teatro de la Luna; *page 52 (left)*: Raquel Mardomingo; *pages 53–4*: from *100 Años de Copla, Concha Piquer*, Museo Nacional de Teatro, Almagro, Spain; *page 60*: The Kobal Collection; *page 61*: The Kobal Collection; *page 62*: IFC Films/Everett/Rex Features, *page 64*: The Kobal Collection; *pages 69–70*: Courtesy of Junta de Castilla y León; *page 71 (a)*: Courtesy of Junta de Castilla y León; *page 71 (b)*: PA Images; *page 71 (c)*: Bison from the Caves at Altamira, c.1500 BC (rock painting) Bridgeman Art Library; *page 71 (d)*: PA Photos; *page 71 (e)*: Copyright © Robert Frerck/Odyssey/Chicago; *page 76*: Copyright © Robert Frerck/Odyssey/ Chicago; *page 78*: Copyright © Alan Cordova, made available under Creative Commons Licence – Attribution, No-Derivative, 2.0 generic; *page 80*: Courtesy of Anna Comas-Quinn; *page 82*: Getty Images; *page 83 (left)*: Chris Lamb; *page 83 (right)*: Boris Kester (TravelAdventures. org); *page 84 (all images)*: Copyright © Chris Lamb; *page 91*: Courtesy of Audrey and George Delange (http://www.delange.org); *page 92*: http://en.wikipedia.org/wiki/Image:Aztec_Sun_ Stone_Replica_cropped.jpg; *page 94*: Copyright